Aan de Hemelpoort

Lucia S. Douwes Dekker-Koopmans

Nederlandse Auteurs Uitgeverij

Van de auteur verschenen eerder de literaire romans

De onkwetsbaren (2010)
Dans van de kakkerlak (2011)
De IJzeren Dame (2012)

Voor Sietse J. Koopmans,
mijn dierbare broer die mijn horizon
in alle opzichten heeft verbreed!

Hoe 't niet is, zeggen ons de heeren;
Maar hoe het is, mijn goede liên,
De Tijd of de Eeuwigheid zal 't leeren –
Misschien.

P.A. de Génestet (1829 – 1861)

Ergens in het Gooi ...

Met een ruk sloeg Chris het dekbed van zich af en stapte het bed uit. Sidderend van woede stond hij voor het echtelijke bed, bezaaid met satijnen kussens in goudkleurige tinten. De aanblik van Heather die met haar rug naar hem toe lag, sneed door zijn ziel. Maar deze keer liet hij zich niet meer afschepen.

'Moe en hoofdpijn, Heather? Je bent al jaren moe, en je hebt al jaren hoofdpijn als ik je aanraak. Misschien moet je wat minder hard werken en wat meer tijd aan je gezin besteden.'

Hij liep naar de deur en knipte de verlichting aan. De slaapkamer baadde in het gouden licht van de halogeen spotjes in het plafond. Een droomkamer die niet zou misstaan in de roddelbladen die gretig de woningen van de Hollywoodsterren toonden. Maar het droomhuis was al jarenlang een hel aan het worden.

'Ik geloof dat we moeten praten, Heather. Dit werkt zo niet.'
Hulpeloos wees hij om zich heen.

'Dit niet, dit huis, dit ... Deze farce die ons huwelijk is geworden. Ik weet dat je werk belangrijk is, daar leven we goed van. Maar voor mij is dat niet het allerbelangrijkste. Onze relatie, ons gezin, dat is waar het mij om gaat.'

Zijn vrouw had zich omgedraaid en was gaan zitten, haar rug leunde in de satijnen kussens.

'Sorry, baby! Maar iemand moet hier het werk doen.'

Haar stem klonk vermoeid, alsof ze een jengelend kind terechtwees. Met haar handen relaxt achter haar hoofd keek ze hem onverstoorbaar aan. Geen houding voor iemand met scheurende hoofdpijn. Zijn woede raakte haar niet eens en dat maakte Chris nog bozer.

'Hoe bedoel je "iemand moet hier het werk doen"?'
Hij liep op haar af maar bleef een paar passen voor haar staan. Opeens zag hij alleen een lichaam, het lichaam dat hem al bijna achttien jaar bekend was, maar waarvan hij zich realiseerde dat het zich de laatste jaren van hem vervreemd had. Hij slikte iets weg.

'Alsof ik niet werk! Jij wilt dit grote huis, jij wilt in luxe leven. Het enige wat ik wil is jou, ik wil jou, en dat onthoud je mij.'
Zijn toon werd zachter, terwijl hij naar haar goed geconserveerde lichaam keek. Heather was net zou oud als hij, maar ze leek nog geen jaar ouder dan toen hij haar op haar 24ste ontmoette. Opeens maakte zijn woede plaats voor angst. Was hij blind geweest? Voorzichtig ging hij op de rand van het bed zitten, zijn hand gleed over de lakens naar haar toe.

'Waarom Heather, waarom? Is er soms een ander?'
Ze trok het zijden nachthemd dat omhoog gekropen was door zijn toenaderingspogingen, naar beneden. Een harde trek verscheen om haar mond.

'Je wint mij niet echt meer op, *honey*. Daar zou je aan kunnen werken.'

'Wat bedoel je?' vroeg hij zachtjes, nauwelijks nog in staat geluid uit te brengen.
Een Nederlandse vrouw had dit nooit zo direct gesteld. Voor het eerst twijfelde hij aan zijn keuze om een Amerikaanse te trouwen. Kregen zijn ouders na al die jaren dan toch gelijk, pasten hun twee culturen niet samen?

'Je bent saai Chris, je verveelt me.'

'Ik verveel je?'
Hij kon alleen nog maar dom herhalen wat ze zei.

'Ja, ik ken je routine uit m'n hoofd. Ik weet hoe je begint en ik weet hoe je eindigt!'
Ze deed zijn gezicht na op het moment dat hij zijn hoogtepunt bereikte.

'Maar dat is …'
Hij wilde zeggen dat hij het zo fijn vond dat hij alles aan haar lijf kende, dat hij wist hoe ze reageerde op zijn aanrakingen. Alles aan

haar was vertrouwd. Maar de woorden wilden zijn mond niet verlaten, ze bleven plakken aan zijn droge tong.

'Ja, dat is wat jij vindt. Jij. Maar ik wil wat anders!'

Chris voelde de grond onder zich wegzakken. Dit was niet de vrouw die hij jarenlang voor zijn echtgenote had aangezien. Dit was een ander. Opnieuw probeerde hij haar aan te raken, haar terug te brengen naar de werkelijkheid. Dit was een droom, hij moest wakker worden. Maar zij duwde zijn hand weg. Haar ogen lagen als brandende kooltjes in haar gezicht.

'Dit lijf heeft meer nodig, Chris. Veel meer. Meer dan jij me ooit kunt geven of gegeven hebt. Je denkt toch niet dat ik daar al die jaren genoegen mee heb genomen?'

Chris snakte naar adem, de kamer draaide om hem heen.

'*That's the deal,* Chris. Ik heb nooit genoeg gehad aan jou alleen. Maar in dit nette Nederland kun je dat niet zomaar zeggen, zeker niet wanneer je een eigen bedrijf hebt. Daarom zeg ik je het nu.'

Chris stond op. Haast in trance liep hij naar de badkamer om zijn ochtendjas te halen. Hij had plotseling de behoefte zijn naakte lichaam te bedekken.

'Je hebt minnaars?'

Uiteindelijk liet zijn tong de woorden los. Ze haalde haar schouders op maar bleef stug zwijgen. Hij voelde zich plotseling zo alleen, de werkelijkheid van zijn leven zo hard. Alles waar hij zijn bestaan op gebaseerd had bleek een leugen. Een grote farce. Met moeite wist hij uiteindelijk geluid uit te brengen.

'Hoe lang heb je die al gehad?'

'*Who cares,* wat doet dat er nou toe?'

Demonstratief trok ze het dekbed tot aan haar kin omhoog, alsof hij geen recht meer had zijn vrouw te zien. Koeltjes ging ze verder.

'Het feit is dat jij mij niet opwindt, nooit gedaan hebt.'

De koude, liefdeloze manier waarop ze deze woorden sprak, raakten hem pijnlijk hard. Ergens diep in zijn hart wist hij dat er iets niet klopte in hun relatie, maar al die jaren had hij dit aan haar tomeloze ambitie geweten. De onbalans in hun beider energie. In zijn vak was hij gedreven, een perfectionist, maar zijn ambitie had nooit het niveau bereikt dat Heather bezat. Hij zou nooit in staat geweest zijn de persoonlijke offers te brengen zoals zij dat deed. Laat thuis, weekenden weg, altijd klaarstaan voor de zaak en dan de belangrijkste momenten missen van hun opgroeiende zoon. Hun zoon!

'En Steven dan?' vroeg hij zachtjes, zijn stem nauwelijks hoorbaar. De jongen was zijn trots, zijn reden van bestaan. Het kind waarvoor hij, als het moest, zijn leven zou geven. Een cynische blik verscheen op haar gezicht.

'Oh Steven.' Ze lachte wrang. 'Steven is waarschijnlijk niet eens je zoon!'

Zonder nog een woord te zeggen, draaide Chris zich om en liep de slaapkamer uit.

Intussen in Thailand ...

'I am very sorry, Missus, but one man dead.' De Thaise politieagent in het kakiuniform staarde de vrouw nieuwsgierig aan. De buitenlandse was niet echt knap. Te lang en te mager. Haar donkerblonde haar leek ontploft door de vochtige, tropische hitte, haar ogen waren rood van het huilen en stonden verwilderd.

De politieagent zuchtte. Of ze niet genoeg te stellen hadden met al die toeristen in Patong. Zat hij hier ook nog met een *crazy woman* in zijn kantoor.

'Maar wat is er gebeurd en waarom hebben jullie niet eerder gebeld?'

De paniek maakte haar stem hoog en schel. Nog even en ze zou hem beetgrijpen en door elkaar schudden.

Voorzichtig deed de agent een paar stappen achteruit en plaatste op deze manier het bureau tussen zichzelf en de gekke vrouw.

'Wij wisten niet waar wij familie ...'

Vragend keek hij haar aan, toen ging hij verder.

'Waar wij u konden bereiken. Pas vanmorgen, de andere man gepraat. Wij toen gebeld naar telefoonnummer.'

'Maar wie ... Wat is er gebeurd?'

Als een pudding zakte de vrouw in een lege stoel, alsof haar beenderstelsel niet meer in staat was haar overeind te houden.

'Wij dat niet helemaal weten.'

Meewarig schudde de agent zijn hoofd.

'Maar schuldigen worden gezocht.'

'Dus jullie weten niet wat er gebeurd is, maar de schuldigen worden al wel gezocht,' vatte Yolanda het nieuws samen.

Het cynisme ontging de politieagent.

'Ja, met alle spoed, mevrouw.'

Het heftige knikken van zijn hoofd moest zijn woorden kracht bij zetten, maar de vrouw twijfelde alleen maar harder aan de inzet van de politiemacht.

'Kan ik de andere man zien?' vroeg ze uiteindelijk.

'Zo gauw mogelijk, mevrouw. Eerst rechter op bezoek.'

'De rechter?'

'Ja, verklaring afnemen. Lijk bekijken?'

Het lijk bekijken? De rillingen liepen de vrouw bij deze woorden over de rug. Wat een koude benaming voor iemand die nog geen dag geleden ... Het rillen ging over in een onbedaarlijk beven. Wat ze ook probeerde, ze had zichzelf niet meer onder controle. Een geluid waarvan ze eerst dacht dat het van buiten kwam, ontsnapte aan haar keel.

De politieagent verliet het kantoortje waar ze haar binnen gela-ten hadden om haar het nieuws van de twee mannen te vertellen. Even later kwam een vrouw in een kakiuniform en met een zwarte hoofddoek binnen. Ze hield een glas water in haar handen dat ze voorzichtig voor de vrouw neerzette. Twee vriendelijke ogen keken haar aan. Plotseling stroomden de tranen over haar gezicht.

De politieagente boog zich naar de vrouw toe en drukte haar tegen zich aan. De vrouw rook een geur van rozenzeep. Even verzette ze zich, maar toen sloot ze haar ogen en gaf zich over aan haar verdriet.

Een nieuwe start

De vertrekhal van Schiphol was afgeladen met passagiers in sombere regenkleding. Na een schitterende zomer was september grauw en koud. Het was nog maar halverwege de maand, maar de herfst leek al ingezet.

In de dreigende lucht dreven zwarte wolken vol regen. De eentonige, grauwe mensenmassa werd slechts hier en daar opgefleurd door passagiers die op weg naar hun verre tropische bestemming in lichtere zomerkleuren reisden. Zelfs de meestal zo kleurrijk geklede Indiase vrouwen hadden zich aan het Nederlandse weer aangepast. Praktische regenjassen bedekten hun fraaie sari's en *lehenga's choli*.

Chris zocht gehaast zijn vlucht op de monitoren boven zijn hoofd. Natuurlijk was hij weer te lang met andere zaken bezig geweest en was hij nu te laat. Veel te laat. Nog maar tien minuten en de incheckbalie van Delta Airlines voor de vlucht naar New York JFK zou sluiten. Half rennend duwde hij de trolley met zijn bagage en de camera-apparatuur naar de juiste balie. Die lag er verlaten bij, alle passagiers waren zo te zien al door de douane. Slechts één medewerker was achtergebleven om de laatkomers in te checken. Geïrriteerd keek de grondstewardess naar de aluminium koffers op zijn wagentje.

'Moet dat allemaal mee?' vroeg ze kortaf.

'Ja, mijn firma heeft betaald voor extra bagage,' antwoordde hij, nog buiten adem van het rennen.

Dit was niet de eerste keer dat hem dit overkwam. Zijn zware koffers gaven altijd gezeur bij het inchecken. Zijn opdrachtgever had hem verteld dat statieven en andere hulpstukken in New York gehuurd zouden worden, maar zijn camera's waren zijn eigendom, het gereedschap waar hij zijn werk mee deed. Als een timmerman die gehecht was aan zijn meetlint, of een kok met zijn favoriete messen, zo ook had Chris bedongen alleen zijn eigen camera's te willen gebruiken.

'U bent laat. Die koffers met breekbaar erop moet u bij de balie 'uitzonderlijke stukken' afgeven. Die mogen niet op de band en moeten apart naar het toestel gebracht worden.'

Hoe zouden zijn collega's dat gedaan hebben? Vermoedelijk waren die ruim op tijd geweest.

'Kunt u zien of mijn reisgenoten al aanwezig zijn?'

'Wij mogen geen namen van de overige passagiers geven. Maar ik kan zien dat u een boeking heeft van 5 personen. De anderen zijn allemaal ingecheckt.'

Het Delta Airlines uniform en haar zware make-up gaven de stewardess een streng uiterlijk. Chris stelde zich haar voor in spijkerbroek en T-shirt, zonder make-up. Dan zou ze een gewoon jong meisje van net in de twintig zijn. 'Davinia de Jong' las hij op haar naambordje.

'Zitten we allemaal bij elkaar, Davinia?' vroeg hij vriendelijk, maar met een valse ondertoon.

'Ja, u zit bij elkaar.'

Na een poosje driftig tikken op haar toetsenbord schoof ze onverschillig zijn paspoort en boardingpass over de balie naar hem toe.

'Prettige reis,' mompelde ze plichtmatig.

Voor haar zat de dag er op.

Chris propte zonder te kijken de papieren in zijn regenjas. Nadat hij zijn dierbare apparatuur had afgestaan aan een medewerker 'bijzondere stukken', die hem verzekerde dat zijn koffers met zorg behandeld zouden worden, liep hij naar de douane.

Zijn paspoort werd nauwelijks bekeken en snel haastte Chris zich naar de gate. Door de grote glazen panelen zag hij een eindeloze rij metalen tentakels die vanuit de terminals naar de start- en landingsbanen reikten en waar vliegtuigen als biggetjes aan de moederzeug gevoed werden met passagiers.

Chris had zich niet eens afgevraagd wat voor weer het de komende weken in New York zou zijn. Het was allemaal zo snel gegaan. Eerst de verhuizing naar zijn zielloze onderkomen in Amsterdam. Een kamer van net dertig vierkante meter. Hij had geluk gehad volgens de makelaar. De meeste kamers hadden gedeelde douches. Zijn kamer had een eigen badkamer.

Behalve zijn camera's bestond zijn bagage uit een oude sporttas volgestouwd met schone kleren.

Nu hij erover nadacht kon hij zich niet eens herinneren wat hij meegenomen had. Overhemden, een paar T-shirts en twee spijkerbroeken, ondergoed. Hij had zo maar wat ingepakt, zonder te bedenken of het wel geschikt was voor de klus in New York.

De werkelijkheid van zijn nieuwe bestaan wilde nog steeds niet goed tot hem doordringen. Er waren zoveel vragen. Niet alleen over het leven dat hij achter zich gelaten had, maar ook over de opdracht die hem te wachten stond.

Hoe zou hij zijn nieuwe teamgenoten herkennen? De eigenaren van het bureau Twilight Thoughts, een naam ooit bedacht om de lading te dekken van hun slogan 'verbreding van de geestelijke horizon na een dag van arbeid', hadden aangegeven dat zijn collega's niet te missen zouden zijn. De twee oudere heren met de klinkende namen D. van Hemelrijck en E. Berensteijn, hadden fijntjes naar elkaar gelachen.

'Onze mensen zijn niet echt wat je noemt sociaal aangepast.'

Die opmerking intrigeerde Chris al dagen. Wat kon hij verwachten van deze nieuwe crew? Omdat hij niet oplette, struikelde hij bij de afstap van de loopband. Een jong meisje keek hem medelijdend aan. Alsof hij te oud was om met dit soort *people movers* om te gaan. In het verleden had hij nota bene ooit een programma over dit thema gedraaid. "In een steeds snellere maatschappij met steeds meer mensen is het zaak zoveel mogelijk mensen in een zo kort mogelijke tijd van A naar B te transporteren". Een boeiende techniek waar miljoenen in omgingen, volgens de producent van het programma.

'Boeie,' zou dat jonge meisje bij het zien van dit programma gezegd hebben.

En dat was waar het tegenwoordig op de televisie om ging, mensen boeien en fascineren. Doormiddel van bagger, pulp, soaps en reality-programma's. Degelijke documentaires werden nauwelijks meer geprogrammeerd.

Eindelijk kwam zijn pier in zicht. In de wachtruimte stonden de passagiers al in de rij om aan boord te gaan. Chris' blik gleed over de wachtenden. Zakenmensen, opa en oma's, jongelui, gezinnetjes, buitenlanders op doorreis.

Zijn ogen zochten de ruimte af. Plots zag hij een groepje van vier bij de grote ramen die op het vliegdek uitkeken.

D. van Hemelrijck en E. Berensteijn hadden gelijk gehad. Daar zat onmiskenbaar zijn filmteam. Luidruchtig debatterend, half onderuit gezakt op de grond tegen hun handbagage, onderscheidden deze vier mensen zich duidelijk van de anderen.

Twee mannen, de één lang en blond en de ander klein en donker, en twee vrouwen van gelijke lengte, de één met een wilde bos donker haar dat ze los op haar schouders droeg en de ander met donkerblond opgestoken haar.

Even aarzelde hij, maar toen hij iemand op de vrouw met het opgestoken haar af zag lopen en haar verzocht haar sigaret uit te maken, wist hij dat hij het goed gezien had. Ze zat onbekommerd te roken in de terminal. De vrouw maakte haar sigaret met een nonchalant gebaar uit. Alsof het voor haar van weinig belang was dat er in de openbare ruimte niet gerookt mocht worden.

Chris haalde diep adem en stapte op het groepje af.

'Twilight Thoughts?'

De vraag hing ongemakkelijk in de ruimte.

'Ja, wat een geweldige naam, hè? Dus jij bent onze nieuwe Frits. Stattler en Waldorf hadden gezegd dat je ons wel zou vinden.'

De warme stem van de blonde man verbaasde Chris. Hij leek niet bij zijn iets te verzorgde uiterlijk te passen. Hij had een feminiene, hogere stem verwacht.

'Berend, Berend Wolfred.'

Zonder op te staan, stak hij een gemanicuurde hand in de lucht ter begroeting van de nieuwkomer.

De rest van de groep mompelde iets wat op een welkom leek.

'Chris. Chris Spark is de naam.'

'Chrisspark, wat een grappige naam.'

Alsof hij niet aanwezig was, richtte de vrouw met het donkere haar zich spottend tot haar collega's. Die lachten vrolijk mee.

'Vonk is natuurlijk niet zo makkelijk in het buitenland … *My name is Vonk*, dan kun je maar beter Spark heten.'

Met de lachers op haar hand ging ze door, duidelijk niet van plan haar nieuwe collega serieus te nemen.

Chris overwoog haar met een gevat antwoord op haar plaats te zetten. Maar dat zou geen goede start zijn.

'Ik heb mijn naam niet veranderd. Gewoon een Engelse overgrootvader. Spark is al lastig genoeg in Nederland. Nu komt het toevallig goed uit.'

De andere drie maakten geen aanstalten zich voor te stellen. Hadden zijn nieuwe werkgevers, die zij klaarblijkelijk Stattler en Waldorf noemden, hem de namen van zijn collega's wel gemeld? Stom dat hij het niet meer wist.

De vrouw met het donkerblonde haar keek hem onderzoekend aan.

'Waar is je apparatuur?'

'Bijzondere afmetingen, wordt apart naar het vliegtuig gebracht.'

Hij probeerde het zo professioneel mogelijk te laten klinken.

'Hm, gaat ons weer tijd kosten.'

Ze draaide zich om naar de donkere, kleine man.

'Yazel, hoeveel tijd hebben we?'

De man keek gehoorzaam op een stuk papier dat hij uit zijn binnenzak haalde.

'We komen om één uur aan op JFK, douane duurt een *eternidad* … eeuwigheid daar. Reken maar rustig op anderhalf uur. Tegen die tijd staat de bagage wel klaar. Met de subway staan we met een uur in hartje Manhattan. Dus eh … zeg maar dat we tegen vieren vanmiddag in ons appartement zijn.'

Het Spaanse accent klonk zangerig, minder ruw en hard dan het Europese Spaans.

'Een uur met de subway, kom nou! Dan neem jij de toeristische route met de blauwe A. Volgens mij komen we met de E recht-streeks bij Morningside uit.'

'Als-ie gaat.'

'Waarom zou-ie niet gaan?'

'Weet je nog de chaos van de vorige keer?'

'Ja, je hebt gelijk. Wat een drama was dat.'

De vrouw met het donkere haar mengde zich plotseling opgewonden in het gesprek.

'Zitten we in Morningside? Waarom niet in Greenwich of het Meatpacking District? Zelfs Gramercy was beter geweest dan Morningside Heights! Daar valt echt niets te beleven.'

Chris zag nu dat ze heel donkere ogen had. Ze fronste haar voorhoofd waardoor ze een strenge blik kreeg. Yazel leek erdoor van zijn stuk gebracht.

'*Escucha* Lefty, in Morningside zitten we redelijk centraal. Je weet hoe de oudjes denken over de kosten. De wijken die jij noemt zijn gigantisch duur geworden. Dit is het beste wat ik kon krijgen en wees gerust; het is een mega-appartement met voor ieder een eigen *dormitorio* … slaapkamer. En dat vind je niet gauw in Manhattan.'

'Lefty vindt het helemaal niet erg om een slaapkamer te delen, toch? De laatste keer heb je de slaapkamer nauwelijks gebruikt. Als je maar kan stappen.'

De donkerblonde vrouw haalde plagend een hand door de donkere krullen van haar collega. Opeens wendde ze zich rechtstreeks tot de cameraman.

'En jij Chris, ben jij ook een stapper?'

De blik waarmee ze hem opnam, kon hij niet plaatsen. Daagde ze hem uit, zag ze hem aan voor een provinciaaltje? Eerlijk gezegd was hij compleet verdwaald in hun gesprekken over New York. Voor hem was het de eerste keer dat hij naar deze stad reisde.

Om zijn onzekerheid te maskeren, staarde hij terug in de grijsblauwe ogen. Ze hield zijn blik vast zonder te knipperen. Geen van tweeën wilde als eerste wegkijken.

Gelukkig begon op dat moment het boarden van hun vlucht. Opeens leek ze haar interesse in hem verloren te hebben. Ze draaide zich om en hing een gigantische leren tas, die haast te groot leek voor haar postuur, over haar schouder. Zonder verder iets te zeggen, liep ze in de richting van de slurf. De rest van de groep volgde haar naar de rij mensen die hun instapkaarten toonden aan het vliegtuigpersoneel. Gedwee liep hij achter hen aan.

De man die ze Yazel had genoemd, draaide zich naar hem om.

'Wat is jouw stoelnummer?'

Chris keek op zijn instapkaart.

'A27.'

'Mooi, dan zit je aan het raam. Kun je New York zien bij de landing.'

Het leek hem plezier te doen dat Chris dit voorrecht had. Aangemoedigd door deze vriendelijke opmerking, wendde Chris zich tot de vrouw met het zwarte haar.

'En jij Lefty, waar zit jij?'

'Eleftheria, mijn naam is Eleftheria Macropoulo. Let niet op die idioten die mijn naam constant verbasteren. Ik zit naast je en ik ben van plan de hele reis te slapen. Mij interesseert dat uitzicht niet.'

Haar accent, dat Chris tot nu toe niet had kunnen plaatsen, viel met zo'n indrukwekkende Griekse naam, op zijn plek.

'Let niet op onze Lefty, Chris. Ze bedoelt het niet zo kwaad.'

Berend mengde zich in het gesprek. Alleen de blonde vrouw bleef hem ontwijken. Aan haar hele houding te merken, was zij degene die de leiding had. Zij moest de regisseuse zijn waar de heren over gesproken hadden. Geen makkelijke tante.

In de slurf op weg naar het vliegtuig, overwoog hij hoe hij haar naar zijn hand zou zetten, want hij was niet van plan om zich nog eens door een vrouw te laten manipuleren.

'Je gaat je uitzicht missen.' Chris schrok wakker van een gemene por in zijn zij. De donkere stem van Eleftheria klonk schor van de slaap.

'Wat kun jij slapen zeg. Je hebt zelfs de lunch gemist.'

De lunch. Natuurlijk. Ze waren tegen de tijd ingevlogen. Na ruim zeven uur vliegen was het pas een uur later in Amerika.

Chris haalde onverschillig zijn schouders op.

'Dat zal niet de eerste keer zijn.'

Hij wendde zich af van zijn buurvrouw en keek naar buiten. Onder hem lag Amerika.

Het vliegtuig zette de daling in en langzaam werden de bomen, gebouwen en wegen groter.

JFK Airport bestond uit grijze betonnen gebouwen met een gesloten karakter. Zo anders dan het open Schiphol waar je dwars doorheen leek te kijken.

Eleftheria was niet geïnteresseerd in de buitenwereld. Ze hield een paar vliegtuigsokken ter inspectie omhoog. Waarschijnlijk konden ze haar goedkeuring wegdragen, want ze stopte ze snel in haar ruime tas waarin ook de restanten van het ontbijt verdwenen waren.

In de stoel voor hem zat de vrouw van wie hem de naam opeens te binnen schoot: Yolanda Rosenthal. Zij was de regisseuse.

Natuurlijk hadden de heren hem tijdens het instructieoverleg de namen van de crew gegeven. Maar die waren hem voor het vertrek van Schiphol ontschoten. Vaag had hij de naam Rosenthal weleens horen noemen in het circuit van programmamakers. Een jong en aanstormend talent.

Chris was geboren met een uitgesproken gevoel voor beeldtaal. Voor zijn vader, een hardwerkende installateur, was dit talent eerder een vloek dan een zegen geweest. Wat moest hij met een zoon die niet geïnteresseerd was in het aanleggen van leidingen?

Het losklikken van de veiligheidsriemen gaf aan dat de koppeling van het vliegtuig aan de slurf was voltooid. Met suffe koppen van de slaap begonnen de passagiers hun bagage bijeen te zoeken.

Chris sjokte achter de menigte aan naar de uitgang. De cabine bleef achter in een chaos van kranten, dekens, kussentjes en bekertjes.

De aankomsthal van JFK Airport leek op de lobby van een gigantisch hotel met die zee van grijsblauwe vloerbedekking met een asymmetrisch patroon waarover reizigers in een rustig tempo voortbewogen. In niets leek deze luchthaven op Schiphol waar iedereen zich over de makkelijk schoon te houden grijze tegels naar het volgende doel haastte.

Gefascineerd keek Chris om zich heen. Er was nog een ander verschil, de originaliteit van de rassen was veel echter. Niemand leek zich te hebben aangepast aan de geldende normen. Grote negervrouwen schommelden over de uitgestrekte vloerbedekking in te strakke kleding waarbij hun billen imponerend naar achteren staken. Groepen kwebbelende Aziaten in kinderlijke kleding met grote opdrukken van Mickey Mouse of Donald Duck, hielden zich op bij de souvenirwinkels.

Bij een schoenenpoetsstation, een houten, verhoogde bank, poetste een oudere neger al zingend een paar bewerkte cowboylaarzen van een Texaan, compleet met een *ten gallon Stetson* hoed. Indianen met vlechten en een dode blik in hun ogen, beschaafde Indische families die zo min mogelijk probeerden op te vallen in hun uitbundige kleding. Er tussendoor haastte het vliegveldpersoneel zich met rolstoelen om de vele mensen met overgewicht op tijd bij hun gate te krijgen.

Van de mensenmassa gleed zijn blik naar het plafond. Zijn vader zou onder de indruk zijn geweest van de hoeveelheid leidingen die aangelegd waren om de luchthaven in de winter verwarmd en in de zomer gekoeld te houden.

Bijna botste hij op zijn collega's die plotseling halt hielden. Yolanda draaide zich naar hen om.

'We kunnen beter gezamenlijk door de douane gaan. Ik heb de documenten van de filmvergunning bij me.'

Zonder op hun antwoord te wachten, ging ze hen voor bij de eindeloze rijen wachtenden voor de douaneloketten. Treuzelend liep hij achter de groep aan, hij had geen zin zich te laten koeioneren door deze jonge vrouw. Eleftheria draaide zich naar hem om.

'Kom Chrisspark. Tijd is geld!'

Drie uur later, zoals Yazel al voorspeld had, reed de taxi die ze vanaf het metrostation genomen hadden, de wijk Morningside Heights binnen. In 116th Street, een straat met aan weerszijden brede trottoirs en bomen, stopte de taxi voor een statig gebouw. New York of liever gezegd Manhattan, leek in niets op Houston waar hij met Heather geweest was. De stad was, ondanks de dichte bebouwing groener dan hij verwacht had. Grote parken, brede lanen met bomen, zelfs in de zomer met hoge temperaturen moest dit een prettige stad zijn.

Houston, waar Heather vandaan kwam, was een stad waar het beton overheerste. Op een enkele *gated community* na, het Amerikaanse equivalent van een woonhof met eigen poort, zwembad en parkje, waren alle gebouwen in Houston grauw van kleur. De kleurschakeringen van de huizen en kantoren in New York waren veel uiteenlopender.

Chris keek omhoog naar het drie verdiepingen hoge woonblok. Boven ieder raam was een prachtige fries gemetseld, afgewerkt met ingewikkeld stucwerk, echt vakwerk dat in Nederland te kostbaar geworden was. De entree van het pand was ruim van opzet. Een grote dubbele deur gaf toegang tot een marmeren hal van een onbestendige beige kleur.

Voor de deur stonden aan beide kanten twee plantenbakken met een chique buxushaagje. Dit zou de komende tijd zijn thuis zijn.

Routineus verzamelde de crew hun bagage. Yazel haastte zich naar de conciërge om de sleutel voor het appartement in ontvangst te nemen. Geeuwend bleven de andere vier buiten op hem wachten.

'Ik heb zin in een lange douche.'

De opmerking kwam van Eleftheria die zonder op te kijken op haar koffer was gaan zitten.

'Ja, dat weten we. Jij bent altijd de eerste, Lefty. Dat hoef je ons niet steeds duidelijk te maken.'

Berend duwde tegen haar koffer, zodat ze even haar evenwicht verloor.

'Ja en jij tweede, meneertje schoon haar.'

Ze maakte een gebaar alsof ze haar haren föhnde. Zachtjes begon ze te neuriën.

'Als je haar maar goed zit, als je haar …'

'Zo kan het wel weer.'

Yolanda zocht zonder op te kijken naar een pakje sigaretten in haar tas. Ze viste er één uit en inhaleerde diep. De temperatuur in New York was fris en de wolkjes sigarettenrook bleven in de lucht hangen. Kleumend trok ze haar schouders hoog op. Toen ze merkte dat Chris haar aanstaarde, hield ze hem het pakje voor.

'Roken?'

'Graag.'

Ze leende hem haar aansteker en wendde zich toen tot de twee anderen.

'Yazel heeft de eerste opname geregeld voor half zes vanavond. Het wordt dus haasten.'

Eleftheria deelde Berend een gemene schop uit, net toen Yolanda zich omdraaide.

'Tuurlijk Yo, zo gauw ik gedoucht heb zoek ik mijn spullen bij elkaar. Je weet dat je op me kunt rekenen.'

Maar Yolanda hoorde haar niet, want op dat moment zagen ze het triomfantelijke gezicht van Yazel.

'*Caray* mensen! Het appartement is werkelijk enorm. Met een eigen badkamer voor ieder van ons.'

Chris keek op zijn horloge. Nog anderhalf uur voor ze de eerste *shoot* hadden. Hij had gehoopt in het vliegtuig alvast nader kennis te maken en alles door te praten. Maar tot nu toe waren ze vreemden voor elkaar en wist hij niet wat hem als nieuwkomer te wachten stond.

Was deze ploeg jonge mensen in staat een goede documentaire te maken? Zijn voorganger Frits, die tijdens de laatste opnames onverwacht overleden was, moest toch ook in dit team gepast hebben. Chris was de opvolger van Frits Geldorf, een naam die in de filmwereld had geklonken als een klok.

Net als zoveel anderen had Frits zijn geluk gezocht in Hollywood, maar daar was hij jammerlijk mislukt. Niet vanwege een gebrek aan talent, maar vanwege zijn halsstarrige Nederlandse 'boterham met kaas'-mentaliteit.

Het was algemeen bekend dat zijn toenmalige vrouw, een forse blondine uit Uithuizermeeden in de provincie Groningen, het leventje in de Verenigde Staten het einde vond. Toen Frits besloot toch weer terug naar Nederland te keren, wilde zij niet mee.

Mevrouw Geldorf liet haar naam en man voor wat het was en stortte zich op de volgende buitenlandse cameraman, een Roemeen met ambitie, waarmee zij het deze keer wel hoopte te maken.

Weer ging zijn blik naar Yolanda terwijl ze energiek het gebouw in liep. Nu pas besefte hij dat hij vastgeroest was geraakt in zijn vorige baan in het Gooi.

Deze crew bestond uit echte vrijbuiters, avonturiers.

Hij rechtte zijn rug, dit was het echte leven. Hij zou laten zien dat een veertiger genoeg veerkracht in zich had om hun tempo te volgen. Even overwoog hij zijn koffer de trap op te dragen naar de eerste verdieping, maar hij bedacht zich en zette zijn zware bagage in de lift.

Praise the Lord!

Protestant

'Lord in Heaven, we praise and thank Your blessings and endless love in our lives. (…) We call upon Your Holy Name to accompany our journey. You will guard and protect our plane from any disturbance and danger. For all the air crew, we pray that You give them guidance so that they may perform their duties and enable us to arrive at our destination in time and safely.'

Toen Chris even later gedoucht en omgekleed de woonkamer in liep, trof hij Eleftheria aan te midden van een slordige hoop opnameapparatuur. Met nat haar stond ze tussen de geluidhengels, lampen, belichtingsschermen en microfoons. Woest viel ze uit.

'Kijk nou wat een troep, dat verwacht je toch niet in een land met de grootste filmindustrie van de hele wereld?'

Wanhopig schopte ze tegen een stapel statieven.

'Yazel!'

Als een duveltje uit een doosje schoot de productieleider uit zijn kamer. Zijn opgewekte blik versomberde bij het zien van zijn woedende collega.

'Waar heb je dit gehuurd? Bij de lommerd? Dit spul komt nog uit de tijd van de stomme film. Hier kan ik niet mee werken.'

De geluidshengel die hij opraapte, knikte op de verkeerde plaats.

'*Tranquilo* … met een beetje tape krijg ik dit wel goed, Lefty. We hebben wel vaker met slecht spul gewerkt. Weet je nog in India?'

Eleftheria schudde het dikke, natte haar naar achteren.

'Het kan zijn dat jij dit soort troep in Cuba gewend was, maar ik kan hier niets mee.'

'Ja, ja. Jullie Grieken hebben natuurlijk het nieuwste van het nieuwste!' beet Yazel terug.

Yazel was dus afkomstig uit Cuba. Een Griekse, een Cubaan, een Nederlander met een Duitse naam en een Nederlandse met een joodse naam. En dan hijzelf met een Engelse achternaam. Een zeer gemêleerd groepje.

Het enige wat Chris van Cubanen wist, was dat het een trots volk was. De 50 jaar lange indoctrinatie van Fidel Castro had hen laten geloven dat zij het beste volk ter wereld waren, waar niemand tegenop kon.

De Griekse had feilloos Yazels achilleshiel weten te vinden. En zo te horen waren ze allebei aan dit soort discussies gewend, want de Cubaan trok zich niets van het commentaar aan.

Zonder verder aandacht aan Eleftheria te besteden, ging hij verder met het samen bossen van de apparatuur.

Chris rekte zich uit en zocht in zijn broekzak naar zijn sigaretten. Hoewel hij heel even op bed gelegen had, voelde hij zich nog steeds alsof hij onder water zwom en alles maar half tot hem doordrong. Nieuwe geluiden, geuren, New York was vreemd en opwindend tegelijkertijd.

Hij liep de gang op in de richting waar hij de keuken vermoedde. Door een openstaande deur rook hij koffie.

Hij volgde zijn neus en kwam in een aangenaam lichte keuken terecht. Het mooie licht werd veroorzaakt door hoge glazen deuren die uitkwamen op een terras. Een van de deuren stond open, een stroom frisse lucht mengde zich met de geur van verse koffie. Zijn lijf was nog in slaapstand en de heldere lucht voelde koud aan. Net toen hij de deur wilde sluiten, hoorde hij iemand achter zich.

'Laat maar open, we mogen niet binnen roken in het appartement. Strikte voorschriften.'

Het licht van het terras had hem zo gefascineerd dat hij haar niet aan de keukentafel had zien zitten.

Yolanda had een asbak en een kop koffie voor zich staan. Chris liet de deur los en schonk zichzelf ook een kop koffie in. Zwijgend ging hij tegenover haar zitten. Haar ogen, waarvan hij eerst gedacht had dat ze grijsblauw waren, leken in het heldere licht dat door de hoge ramen naar binnen stroomde, helderder blauw. Zwijgend zaten ze tegenover elkaar.

'Alles oké?' vroeg ze uiteindelijk.

'Ik wel. Maar Eleftheria was niet blij met het gehuurde opname-materieel.'

Hij stak een sigaret op en liet zijn woorden in de ruimte hangen. Tot nu toe had de regisseuse niet de moeite genomen hem in te lichten over de opnames die in New York gemaakt moesten worden. Als dit haar manier van werken was, moest zij ook maar de verantwoording nemen.

'Oh.'

Geïrriteerd drukte ze de sigaret uit in de asbak. Ze trommelde met haar vingers op tafel, haar blik ver weg. Chris kon het niet laten zijn wenkbrauwen op te trekken.

'Opnamestress?'

Yolanda stond op om nog een kop koffie in te schenken. Chris zag dat ze zich ook had omgekleed. De ruime legerbroek had plaats gemaakt voor een strakke spijkerbroek, DocMartins schoenen en een geruit overhemd. In tegenstelling tot de stoere kleding waren haar bewegingen gracieus en vrouwelijk. Haar armen, de polsen die uit het geruite overhemd staken, breekbaar dun. Het viel hem in deze kleding pas op dat Yolanda veel tengerder was dan Eleftheria. De Griekse had precies de vrouwelijke rondingen waar mannen met een paar glazen bier op, zo over konden speculeren.

Yolanda had hem nog steeds niet geantwoord. Afwezig bladerde ze door een stapeltje papieren dat voor haar lag.

Nooit eerder had hij een dergelijke manier van werken meegemaakt. Het draaiboek voor de opnames moest normaliter ruim van te voren met de crew doorgesproken worden. En dat, nadat het draaiboek na uitvoerig overleg met de opdrachtgever en regisseur was samengesteld. Waar was het draaiboek en wie bepaalde echt wat er ging gebeuren?

'Over de opnames gesproken, wat is vandaag de bedoeling?'

Nonchalant leunde hij achterover.

'Hebben Stattler en Waldorf je niet op de hoogte gebracht?'

Het klonk geërgerd. Ze maakte nog steeds geen aanstalten hem uitleg te geven. Haar houding was duidelijk vijandig. Met zijn blik op het plafond gericht herhaalde Chris routinematig de uitleg die de eigenaren van Twilight Thoughts hem gegeven hadden.

'We maken een documentaire over de belangrijkste religies, en de wijze waarop ze beleefd worden ver van hun oorspronkelijke ontstaan.'

Hij pauzeerde en probeerde de stem van Berensteijn na te doen.

'En onder religie verstaan wij een geloof dat aanspraak maakt op een universele waarheid ongeacht omgeving of etniciteit. Wat inhoudt dat wij internationale portretten maken van mensen die het christendom, de islam, het boeddhisme en het jodendom aanhangen.'

Chris richtte zijn blik weer op Yolanda. Voor het eerst ontdekte hij een zweem van een glimlach rond haar lippen.

'Berensteijn is gek op dit soort Wikipediazinnen.'

Meer zei ze niet. Wilde ze hem nu echt niet wat informatie geven? Chris voelde zich als een braaf schoolkind dat de les goed onthouden had. Hij wilde er net een opmerking over maken, toen ze verder sprak.

'We moeten een objectief beeld schetsen van de manier waarop deze groeperingen ver van huis hun religie belijden, gebonden aan hun cultuur, sociale of economische omstandigheden. Kort en goed, het waarom ontdekken.'

'Ja, dat was de strekking van mijn inhoudsbriefing. Maar wat filmen we nu echt?' vroeg Chris met een scheef glimlachje.

De cynische ondertoon in zijn laatste opmerking ontging haar niet.

'Luister Chris, onze manier van werken zal jou wellicht wat vreemd overkomen. Maar we zijn al een klein jaar bezig met de opnames. Het draaiplan, de locaties, de modus operandi zijn ons al lang bekend. Jij vervangt Frits. Het spijt ons allemaal dat hij is overleden, dat was nooit de bedoeling. Je zult met ons moeten leren omgaan. Wij gaan ons niet, na een jaar, opeens aan jou aanpassen.'

Ze nam doodgemoedereerd een slok van haar koffie en zette haar mok op tafel. Van haar magere pols haalde ze een dik elastiek dat ze gebruikte om haar haren in een staart te binden.

Toen hij niet reageerde, richtte ze haar heldere ogen op hem.

'Ik ben geen kinderjuffrouw. Van de heren heb ik begrepen dat je een cameraman bent met jarenlange ervaring. Ik ben niet van plan je hand vast te gaan houden.'

Het lag duidelijk niet in haar bedoeling hem in te werken of te helpen. Chris liet dit gegeven even bezinken. Waar was hij in terechtgekomen? Een zooitje ongeregeld of een goed geoliede machine? Hij was geneigd het eerste te geloven, want een hels kabaal vanuit de woonkamer drong de rustige keuken binnen. Onder luid gekletter droegen Yazel en Eleftheria het cameramaterieel naar de liften op de gang. Yolanda deed alsof ze niets hoorde.

'Het overlijden van Frits was voor ons allemaal heel onverwachts. Ik neem aan dat je snel genoeg aan onze manier van werken zult wennen.'

Zonder verder iets te zeggen, stond ze op en liep de keuken uit. Chris goot het restant van zijn koffie in de gootsteen en liep achter haar aan naar de woonkamer waar hij Berend aantrof met een koffertje.

'Make-up doe ik wel op locatie.'

Make-up? Ze werkten dus niet met de *slice off*-methode, de opnametechniek waarbij de verslaggever niet in beeld kwam en alleen het antwoord van de geïnterviewde gefilmd werd.

'Jullie werken op basis van live interviews?' vroeg Chris achteloos aan Yolanda.

'Ja, anders wordt het zo gestileerd.'

Ze antwoordde zonder op te kijken, terwijl ze de grote leren tas over haar schouder hing. Bedenkelijk keek Chris naar Berend met zijn zorgvuldig verzorgde haar. Zijn keuze zou nooit op deze man gevallen zijn. Te netjes, teveel nieuwslezer. Liever had hij de mensen zelf aan het woord gelaten.

Yolanda moest zijn gedachten gelezen hebben.

'Frits was een meester in het levendig maken van zo'n gesprek.'

Ondanks het feit dat Chris nog steeds geen idee had wat 'zo'n gesprek' inhield, kwam de laatste opmerking toch harder aan dan hij wilde.

Te laat bedacht hij zich dat het handiger geweest was de eerdere opnames te bestuderen. Hoe had hij zo stom kunnen zijn? Halverwege de serie overstappen op een nieuwe cameraman mocht natuurlijk niet zichtbaar zijn in het eindresultaat. Maar camerawerk was zo persoonlijk.

'Kom je mee?'

Yolanda keek hem onderzoekend aan. Had ze zijn twijfel opgepikt? De liftdeur schoof open en Yazel haastte zich de gang in.

'De taxi staat klaar en alles zit erin.'

Zonder het te vragen nam hij de cameratas van Chris over en verdween weer in de lift. Chris liep achter hem aan. Hij zou gewoon doen waar hij goed in was, opnames maken zoals hij dat wilde. Ongeacht van wat zijn collega's van hem of zijn werk vonden. Daarom had hij deze baan aangenomen.

Het taxibusje schoof door het drukke verkeer langs de Columbia University richting Amsterdam Avenue. Het gaf Chris de tijd om New York in het verdwijnende namiddaglicht te bekijken. Op 125th Street reden ze langs de Apollo Club waar Billy Holiday opgetreden had.

Het was onwerkelijk zo onverwacht langs het gebouw te rijden waar zijn idool na een lange strijd eindelijk haar triomf had beleefd. De cd in Chris' collectie omvatte een imposante verzameling werken van de zwarte zangeres, van haar eerste opnamen tot de laatste voor haar vroegtijdige dood.

Het theater zag er veel kleiner uit dan hij altijd gedacht had. Net wilde hij zijn enthousiasme delen met zijn teamgenoten, toen Berend hem aanstootte.

'Kijk, het kantoor van Bill Clinton. Daar bij dat gebouw met die grote ronde schijf.'

Natuurlijk was Billy Holiday een zangeres die lang voor zijn collega's geboren was. Ze wisten vast niets over haar moeizame gang naar roem in blank Amerika.

'Goh, en dat in Black Harlem.'

Chris probeerde geïnteresseerd te klinken.

'Het is zijn bijdrage om de wijk weer leefbaar te krijgen,' vulde Yolanda Berend aan.

Al snel begreep hij wat ze met die opmerking bedoelde. Verlaten straten en bruine stenen huizen met gemetselde trappen, brandladders en uitpuilende emmers met afval vormden hier het straatbeeld. Zo anders dan de wijk Morningside Heights waar zij logeerden. Hier en daar zag hij iemand op een trap voor een *brownstone* zitten, een met roodbruine steen gemetseld huis van drie verdiepingen. Maar winkels, gezellige bars of zelfs restaurants waren nergens te bekennen. Alleen bij een geparkeerde luxe auto in opzichtige kleuren was het een komen en gaan van mensen.

'*Traficantes* ... drugdealers,' sprak Yazel op vlakke toon. 'Die herken ik op kilometers afstand. In Cuba werken ze precies zo. Het is beter er geen aandacht aan te besteden wanneer we voorbij die jongens rijden.'

Ondanks de waarschuwing staarde Chris uit het taxibusje naar de mensen die rond de glimmende, oude Chrysler hingen. Een paar vuisten gingen dreigend omhoog en een man schreeuwde hen iets onverstaanbaars na. Chris voelde een vreemde tinteling van spanning in zijn lijf.

'*They don't want us here, better hurry on.*'

Het waren de eerste woorden die de tot nog toe zwijgzame, Indiase taxichauffeur hoofdschuddend sprak. Hij gaf gas en reed de benauwde straten uit, een bredere weg in. Halverwege de laan stond aan de rechterkant een gigantische kerk. Chris nam aan dat dit hun eindbestemming was, maar de taxi reed door. Berend draaide zich naar hem om.

'Die moet je van de week ook filmen. Dat is de Abyssinian Baptist Church van Adam Clayton Powell Senior. Slimme jongen, hoor. Hij stichtte begin vorige eeuw de rijkste kerk van Harlem, en krijgt ook een straat naar hem vernoemd. Dat noem ik nog eens business, 14.000 trouwe aanhangers die keurig hun bijdrage aan de kerk leveren. Die jongens bezitten half Harlem, je moest eens weten wat ze allemaal opgekocht hebben!'

'Het zal heus niet alleen om het geld gaan. Je vergeet volgens mij de ideologie.'

De woorden waren eruit voordat hij het wist. De opmerking benadrukte zijn leeftijd, hij was de oudste, de serieuste. Hij had gewoon mee moeten lachen met de anderen om de opmerking van Berend, maar de man stond hem plotseling tegen. De gemanicuurde hand lag op de rugleuning van de autostoel.

'Die kerken zijn hier volgens mij ontstaan uit een gemeenschappelijk beleden geloof. Bovendien deden de zwarte bewoners met een rijke kerk niet onder voor de blanke New Yorkers. Om het alleen als een onderneming te zien, is te simpel gedacht.'

Chris hoorde zijn belerende toon en realiseerde zich dat hij klonk als zijn vader.

'Ach … onzin. Ondernemers, business lui, dat is precies wat al die kerkjongens zijn. Natuurlijk bouwen ze hier een schooltje en daar een zwembad. Ze moeten wat doen om de mensen te laten geloven. Maar het gaat ze toch voornamelijk om het geld en de macht.'

'Lijkt mij een goed uitgangspunt voor een diepte-interview.'

Het cynisme in de stem van Chris ontging Berend die gewoon doorging met zijn tirade.

'Je zult het zien, het stikt hier van de kerken. Baptisten, Afrikaanse methodisten, episcopaalse kerken, presbyterianen, puristen. Stuk voor stuk synodale kerken met hun eigen besturen. Ze verhandelen allemaal hetzelfde product, alleen de marketingmethodes verschillen.'

Berend lachte om zijn eigen spitsvondigheid. Toen Chris niet reageerde, ging hij door.

'Je zult het zien, Spark. Na, zoals wij, zoveel geloofsgemeenschappen bezocht te hebben, geloof je alleen nog maar in je eigen voetbalclub, en zelfs die stelt je nog regelmatig teleur.'

Zonder op antwoord te wachten draaide hij zich weer om, de discussie was gesloten.

Chris observeerde de reactie van de anderen. Die bleef uit. Dat kon twee dingen betekenen. Of ze hadden dit soort opmerkingen van Berend vaker gehoord en besloten geen commentaar te geven, of ze waren het met hem eens.

Het was niet dat Chris behept was met valse sentimenten. Over de kerk had hij al lange tijd niet meer nagedacht, maar in zijn werk was hij overtuigd van twee zaken: Om een goede documentaire te maken had je zowel passie als onbevangenheid nodig. Waren zijn collega's in staat dat op te brengen of waren ze net als Berend?

'Dat geloof in je voetbalclub betaalt alleen niet je salaris, Berend. En je wordt hier goed voor betaald.'

De stem van Eleftheria klonk geïrriteerd.

'Mijn salaris gaat jou niet aan!' beet Berend terug.

Het gezicht van de correct gekapte verslaggever liep rood aan.

Voor het eerst zag Chris het stoïcijnse gezicht van Yolanda vertrekken. Het leek alsof ze wat wilde zeggen, maar toen stopte de taxi voor een laag, grijs gebouw waarop de woorden 'The House of Prayer for all People' te zien waren.

Zijn nieuwe collega's worstelden zich uit de taxi en zochten routinematig hun spullen bij elkaar. Yazel was vooruit gelopen om hun komst aan te kondigen. Even later kwam hij terug, samen met een intens zwarte man in een driedelig pak en wit overhemd. Een oogverblindende glimlach spreidde zich over zijn gezicht terwijl hij zijn handen naar de delegatie uitstak.

'Welkom bij onze kerk, *praise the Lord*!'

Enthousiast sleurde hij zijn gasten mee de eenvoudige kerk in.

Het gebouw zag eruit als een Nederlands dorpsgemeenschapshuis uit de jaren zeventig. Formicatafels met kleedjes, gehavende stoelen, een verhoogd toneel met daarvoor futloze gordijnen, en halverwege de zaal een minuscuul keukentje waar grote aluminium koffiepotten op een gehavend keukenblad stonden.

Een dikke negerin geperst in wat leek op een Trevira 2000 jurkje in een gestreept kleurenmotief, kwam met een blad met koppen koffie op de ploeg af. De naden van het polyester jurkje stonden ter hoogte van haar achterwerk behoorlijk onder spanning. Het garen waarmee het kledingstuk in elkaar was gezet, was gevaarlijk zichtbaar. Haar ronde appelgezicht straalde vriendelijk.

'Dit is mijn vrouw, Mary.'

Dominee Solomon Williams schoof zijn massieve vrouw naar voren. Het echtpaar had niets van de snelle kerkjongens waar Berend zich zo neerbuigend over had uitgelaten. Chris nam twee koppen koffie aan en liep naar Yolanda. Hij bood haar de koffie en een sigaret aan.

'Loop even mee naar buiten. Ik neem aan dat hier niet gerookt mag worden.'

Het commentaar waar hij op gerekend had bleef uit, en ze liep achter hem aan. Ze gingen op een stenen muurtje naast de kerk zitten.

'Wat is de insteek van deze opname?'

'Zwarte methodistenkerk, ongebonden, kleine gemeente. Een van de laatste zogenoemde winkeletalage- of kelderkerken. Komen en gaan als paddenstoelen.'

Ze nam een slok van haar koffie en een trek van haar sigaret. Terwijl ze de rook door haar neusgaten uitblies, ging ze verder.

'De bedoeling is dat wij hem een zo'n eerlijk mogelijk verhaal laten vertellen, we proberen de pure overtuiging te laten zien. Dat gaan we dan later scherp afzetten tegen de kerkondernemingen zoals Berend ze omschreef. We maken een scala, Chris, een kleurenwaaier van licht naar donker, van ideologisch naar commercieel, van onschuldig naar berekenend. We hebben dat in Rusland laten zien met het orthodoxe geloof, waar ondanks het antireligieuze communistische regime, het geloof niet uit te roeien viel. En met de opnames van het hindoeïsme in India. De uitwassen, de rituelen, de eerlijkheid en het verbijsterende, ongrijpbare. Gebruiken die niet meer van deze tijd lijken. Weet je dat ze in een arm land als India wel vierhonderd kilo hout gebruiken om een dode te cremeren?'

Driftig alsof het zijn schuld was, trapte ze haar sigaret uit op het trottoir.

'En dat de weduwe alle rechten verliest? Soms laten we zeer choquerende uitwassen zien. Dat zijn de ingrediënten van onze documentaires.'

Ze zuchtte hardop.

'Je had je in moeten werken, de proefopnames moeten bekijken om een beeld van de documentaire te krijgen. Zo heb ik alleen maar last van je, omdat ik je alles moet uitleggen en voorkauwen.'

Of ze tot nu toe zoveel had uitgelegd! Het lag op het puntje van zijn tong om haar hierop te wijzen, maar ergens wist hij dat dit niet het goede moment was haar tegen de haren in te strijken. Bovendien was het waar wat ze zei.

'Je hebt gelijk, het was beter geweest als ik eerst jullie opnames had bekeken. Van Hemelrijck en Berensteijn leken alleen maar haast te hebben me op dat vliegtuig te zetten.'

Het laatste was een vaag excuus, maar tot zijn opluchting leek ze dat niet zo op te vatten.

'Ze hebben daar hun redenen voor.'

Een bedenkelijke uitdrukking verscheen op haar gezicht. Chris had het vermoeden dat dit niets met hem te maken had. Waarschijnlijk hadden de heren van Twilight haar opzettelijk buiten de sollicitatie-procedure gehouden en stak haar dat. Maar dat kon inhouden dat de eigenaren niet genoeg vertrouwen in haar en haar team hadden.

'Is Berend in staat om met zijn vragen de juiste sfeer te creëren?'

Haar bleke, volle lippen vormden een glimlach, ze was intelligent genoeg om zijn vraag te begrijpen.

'Niet altijd. Maar we schieten genoeg meters voor Eleftheria om er een mooi product van te maken.'

'De montage wordt door jullie zelf gedaan?'

Chris was gewend dat zijn opnames verdwenen naar goed geoutil-leerde montageruimtes waar een team van montagetechnici dagen de tijd kreeg om een perfect product te maken.

'Ja, we zijn een soort 'Nikkelen Nelis', een eenmansband die alle instrumenten zelf bespeelt. We zijn misschien een vreemd team, maar we zijn alle vier in staat taken van elkaar over te nemen. Wen er alvast maar aan, Chris. Want meer geld is er niet.'

Ze glimlachte nu breeduit naar hem. Wow, de eerste glimlach die ze hem vrijwillig schonk. Een tweede tinteling ging door hem heen. Het effect was overweldigend, omdat Yolanda niet gemaakt leek om te glimlachen. Haar bleke huid en etherische trekken, het donker-blonde haar, de volle lippen, de serieuze blik van eeuwenlang lijden van haar joodse voorouders, alles aan haar was het tegenovergestelde van de vriendelijke domineesvrouw die in de deuropening met de buren stond te kletsen. Op haar gezicht was slechts een oneindig vertrouwen in haar geloof af te lezen. Geen overblijfselen van een zwaar zwart bestaan in een wit gedomineerd land, geen sporen van verdriet van jarenlange rassendiscriminatie. Alleen de blijheid van een diep geworteld geloof in het goede.

Chris glimlachte terug.

'Bedankt voor de informatie.'

Hij stond op van het stenen muurtje en pakte haar koffiekop aan. Binnen stond alle apparatuur klaar voor de opname. De dominee zat aan een van de formicatafels met op de achtergrond het podium met de verschoten gordijnen. Berend zat half op de tafel, een been quasi relaxt bungelend. Het stond Chris niet aan. Waarom moest de verslaggever hoger zitten dan de dominee? Als dit de manier van Berend was om een ongedwongen sfeer te creëren, was hij daar niet van onder de indruk.

Yolanda liep naar de twee toe om een aantal laatste aanwijzingen te geven.

Nadat de belichting was getest, stak Berend van wal met zijn vragen. Zijn Engels was vlekkeloos, dat moest Chris hem nageven. Hoewel zijn accent overdreven Brits afstak naast het zwarte Amerikaans. De dominee antwoordde naar alle eerlijkheid en eenvoud, maar snel werd duidelijk dat de vragen van Berend een bepaalde richting op gingen waarbij de eerwaarde Solomon Williams overvraagd werd. De vragen over kerkpolitiek waren duidelijk te ingewikkeld. Een frons van concentratie verscheen op het zwarte gezicht. Steeds vaker wist de dominee alleen nog maar een welgemeend *Praise the Lord* uit te brengen. Het interview liep niet.

Zijn blik ging naar Yolanda. Alsof ze dezelfde gedachte had, keek ze net op dat moment in zijn richting. Chris trok zijn wenkbrauwen op.

'Even pauze, jongens.'

Yolanda stopte de opname en liep naar hem toe.

'Is er wat?'

'Ja, hiermee krijg je niet het beeld dat jij me daarnet schetste. Tenzij je in dit interview gelijk het hele scala wilt opdissen.'

Het laatste klonk hatelijker dan hij bedoelde.

'Wat bedoel je?'

Haar antwoord klonk scherp.

'Onschuld, bevlogen, ideologisch. Yolanda, je kleurenwaaier.'

Met de laatste opmerking maakte hij het nog erger. Het was niet de bedoeling haar bij de eerste opname al op de fouten te wijzen, maar Chris was niet bereid concessies te doen.

'Bedankt voor je opmerkingen, maar kunnen we nu verder, cameraman?'

Hooghartig keek ze hem aan.

Op het moment dat hij haar op haar plaats wilde zetten, zag hij in haar bleke gezicht iets anders. Een spoor van twijfel, heel even een trilling in haar mondhoek.

Snel herstelde Chris zich en dacht na. Het interview was in een fase beland waarbij het charisma van de enthousiaste dominee volledig was opgebruikt. Er was iets anders nodig.

'Kunnen we weer?'

De stem van Berend klonk verveeld. Yazel en Eleftheria keken gespannen naar de regisseuse en de cameraman. Benieuwd hoe dit zou aflopen.

Even vroeg Chris zich af of Yolanda en Frits deze discussies ook gehad zouden hebben. Of waren ze het altijd met elkaar eens geweest? Wat wist hij eigenlijk van de vorige cameraman, anders dan dat Frits Geldorf plotseling was overleden. Hij kende niet eens de omstandigheden. Normaal gesproken zou een dergelijk overlijden onder zijn vakbroeders meteen bekend zijn geworden. Waarom nu niet?

Achter zich hoorde hij iemand giechelen. Hij draaide zich om. Daar stond Mary, de domineesvrouw, met naast haar twee jonge tieners. Ouderwets, maar keurig gekleed. Het meisje met witte strikken in de haren, had haar hand voor haar mond geslagen. Zij moest degene geweest zijn die had gegiecheld. Plotseling kreeg hij een idee.

'Yolanda, kun je de eerwaarde vragen of hij er bezwaar tegen heeft om met zijn kinderen in beeld te komen?'

De ogen van Yolanda lichtten op. Ze had zijn ingeving meteen begrepen. Zonder hem nog een blik waardig te keuren, liep ze naar de dominee en fluisterde hem iets in zijn oor. De dominee stond op met een glimlach die zijn gezicht in twee delen leek te splijten. Hij liep naar zijn vrouw, die zonder iets te zeggen verdween.

Tien minuten later kwam ze terug. Op haar ene arm droeg ze een baby, en aan haar andere hand had ze een kleuter in een wit jurkje. In haar gevolg telde hij nog veertien kinderen. Glimlachend hield ze halt voor de cameraploeg. Haar verlegenheid had plaatsgemaakt voor trots. Zachtjes begon ze te praten.

'Dit zijn Zachariah, Luther, Talitha, onze eerste tweeling Jeremiah en Moises, Rutha, Obdulia, Thaddeus, Isaiah, onze tweede tweeling Lakiesha en Rebecka, Deshawn, Ezequiel, Oretha, Rheba en onze kleine Dulcie.'

Zestien gezichtjes in de leeftijd van een half jaar tot ongeveer zeventien keken verlegen naar de vreemde, witte buitenlanders.

Chris liep met de schare kinderen naar de dominee en zocht het juiste kader voor zijn opnames. Zonder een woord te zeggen, paste Eleftheria, bijgestaan door Yazel, de belichting op de nieuwe opstelling aan. Alleen Berend keek zuur toen hij hem vroeg uit het beeld te gaan.

Chris pakte een stoel en plaatste de domineesvrouw naast haar echtgenoot, met de baby op haar arm. Hij keek naar het tableau en liep terug naar zijn camera die hij op een statief zette.

Yolanda had gezegd dat ze alle vier in staat waren elkaars werk over te nemen. Ze zou hem dit niet kwalijk moeten nemen. Hij drukte op de opnameknop en liep terug naar de familie Williams. Vanachter de camera riep hij naar het groepje: 'Wie van jullie is de oudste?'

Zachariah stak zijn vinger op.

'Vertel mij eens Zachariah, waar we hier zijn.'

'In onze vaders kerk. Ik bedoel in de kerk van onze vader.'

De rest van de kinderen giechelde om zijn vergissing.

'Oh, en waar is jullie vader dan?'

Chris speelde met de Engelse benaming van God als ieders vader.

'Dit is onze vader.'

Een verlegen meisje, met haar vinger in haar mond, wees naar de dominee. Meteen kreeg ze een por in haar zij van een ouder broertje.

'Onze vader is in de hemel, hoog boven ons, maar wij zijn hier in zijn huis.'

De kinderen knikten allemaal instemmend.

'En is jullie hemelse vader net zo lief als jullie eigen vader?'

Heftig knikkende kindergezichtjes.

'Maar hoe weten jullie dat dan?'

Even leken de kinderen te twijfelen. Onzeker keken ze naar hun ouders. De dominee knikte bemoedigend naar zijn kroost.

'Omdat hij goed voor ons is!'

Het oudste meisje Talitha keek trots naar haar broers en zussen. Een van de oudste tweeling, Jeremiah of Moises, wilde niet achterblijven.

'Hij zorgt dat hij eten voor ons laat groeien!'

'En als we verdrietig zijn luistert hij naar ons.'

Obdulia schonk de camera een prachtig beeld met haar serieuze uitdrukking.

'Stoute mensen krijgen straf.'

Dit kwam van een van de jongere kinderen die nu ook hun stem durfden te laten horen.

'Hij laat kinderen groeien in mama's buik!'

Ezequiel kon niet ouder dan vier jaar zijn, maar hij was duidelijk in zijn nopjes met zijn bijdrage.

Nadat Chris nog een aantal vragen op het gezin had afgevuurd die met hetzelfde enthousiasme werden beantwoord, besloot hij met een 'grande finale' te eindigen.

'Jullie willen ons vast laten horen hoe jullie de goede vader in de hemel voor dit alles bedanken.'

Een opgewonden geroezemoes ging door het gezin. Opeens stond de moeder op en met een ragfijne stem die uit haar hart leek te komen, begon ze te zingen.

'*I really love the Lord …*'

Zachtjes begonnen de kinderen mee te neuriën. Bij de derde regel '*You don't know what He's done for me*', zetten ze in.

Chris kreeg kippenvel. Deze beelden waren zo puur, zo ongedwongen. Bij het laatste couplet zong de dominee ook mee.

Na afloop klapte de filmploeg enthousiast in hun handen. Alleen

Berend hield zich afzijdig. Zonder op te kijken pakte hij de make-up spullen in het koffertje. Toen hij klaar was, liep hij naar buiten zonder zijn collega's te helpen bij het demonteren van de cameraopstelling. Even overwoog Chris naar de man toe te lopen en hem te wijzen op zijn gedrag, maar hij besloot het maar zo te laten.

Het bevreemdde hem dat Yolanda hem niet terechtwees. Moest hij ingrijpen of was het beter zich afzijdig te houden? Wie zou er meer problemen opleveren, de koppige regisseuse of de verwaande verslaggever?

Chris verlangde naar een borrel, er was zoveel waar hij niet over na wilde denken en de alcohol zou hem daarbij helpen.

Voor vandaag zat het werk er voor hem op. Buiten was het donker. Te donker om te filmen. Yolanda liep hem achterna. Ze pakte zijn arm en hield hem staande.

'Heb je honger?'

De vraag was het laatste wat hij verwacht had.

'Nee, eerder trek in een borrel.'

'Chris, ik denk dat we moeten praten.'

Met een beweging van haar hoofd wees ze naar de anderen.

'Zij kunnen met het taxibusje terug naar het appartement. Het is laat en we zijn allemaal moe. Ik weet hier vlakbij in Spanish Harlem een aardig eettentje waar ze een goede tequila serveren. Ga je mee?'

Donkerblauwe ogen keken hem onderzoekend aan. Het was nu zijn beurt om verbaasd te zijn.

'Wij met z'n tweeën?'

'Ja, zij redden zich wel. Dit is niet hun eerste keer in New York.'

'Goed, ik ben zo terug.'

Hij liep het simpele kerkgebouw weer in. Nadat hij dominee Williams en zijn vrouw uitvoerig bedankt had voor hun gastvrijheid, voegde hij zich bij Yolanda die buiten met Berend stond te praten. Hij ving nog net de laatste woorden van de verslaggever op.

'… dat zou je Frits nooit toegestaan hebben.'

Berend keek weg toen Chris bij hen kwam staan. Zonder verder commentaar hing Yolanda haar tas over haar schouder en wenkte Chris dat hij haar moest volgen.

Zwijgend liepen ze samen in oostelijke richting. Op de hoek van de straat bevond zich een groen ingangsbord voor de metro.

'Het zijn maar drie haltes, maar dan zitten we meteen in het Spaanse gedeelte van Harlem.'

Vlug liep ze voor hem uit de trap af. Hij snoof de vreemde geur op van de New Yorkse metro. Het rook er ranzig en oud, maar tegelijkertijd hing er ook een belofte van spanning, avontuur en hoop.

In de komende dagen zou Chris de stad steeds beter leren kennen en beseffen waardoor hij deze geur zo interpreteerde. De geur van duizenden mensen die zich dagelijks met de ondergrondse door deze metropool verplaatsten. Door een stad waar alles mogelijk was, waar in de publieke ruimtes geen oordeel over huidskleur, religie, kleding of seksuele voorkeur bestond, maar waar dezelfde bewoners in de verschillende wijken angstvallig waakten over hun leefomgeving. Buitenstaanders werden daar niet getolereerd. Maar dat alles was op deze eerste dag voor Chris nog onbekend terrein, voor hem was New York een sprookjeswereld.

Ze verlieten de ondergrondse bij 116th Street East Side. Het straatbeeld zag er meteen heel anders uit. Ondanks het late tijdstip heerste er een gezellige drukte. De gebouwen in deze straat waren niet meer dan drie verdiepingen hoog. Verschillende bouwstijlen afkomstig uit een vervlogen eeuw toen gestapelde woningen een nieuwigheid waren, wisselden elkaar af. En ondanks het feit dat het merendeel vervallen was, was de oude schoonheid nog steeds te zien in de details van de gemetselde gevels. Veel was weggewerkt achter lagen rode, gele of groene verf. De panden waarin winkeltjes, een keur aan bedrijfjes, stomerijen, barretjes en restaurants met uithangborden en bonte luifels gevestigd waren, kleurden het straatbeeld. Ondanks het verval heerste er een energieke sfeer. Na een aantal honderd meters door de drukte gelopen te hebben, duwde Yolanda de deur van een restaurantje met de naam 'El Barrio' open.

De hitte sloeg Chris als een warme handdoek in zijn gezicht. Ze wrongen zich door de menigte naar een leeg tafeltje. Een ober met het uiterlijk van Antonio Banderas stond gelijk naast hun tafel.

'*Que quieren tomar?*'

Hij nam niet eens de moeite in het Engels te vragen wat ze wilden drinken. Zonder de kaart te raadplegen, bestelde Yolanda in vlot Spaans twee glazen tequila en iets te eten.

'Je vindt het toch niet erg dat ik voor je bestel? Ik ben hier vaker geweest. Ze hebben een heerlijke Asopao, een Porto Ricaanse stoofschotel met avocado.'

Het was het laatste wat Chris verwacht had in New York te eten. Bij Amerika dacht hij alleen aan hamburgers en hotdogs. De keren dat hij met Heather in Houston geweest was, waren ze naar restaurants gegaan waar hij gigantische steaks voorgeschoteld had gekregen.

Binnen luttele minuten stonden de glaasjes met tequila met schijfjes citroen en een vaatje zout voor hen op tafel.

'*Salud!*'

Hij keek gefascineerd toe hoe Yolanda het citroensap op haar tong uitperste, gevolgd door een snufje zout, waarna ze het glas tequila in één keer leegdronk.

Chris had wel vaker tequila gedronken, maar dan in een cocktail waarbij het zout op het randje van het glas zat. Voorzichtig beet hij in het schijfje citroen. De citroen smaakte zoeter dan hij in Nederland gewend was, hij volgde Yolanda's voorbeeld en dronk het glas met een snufje zout leeg. Eerst verwarmde de drank zijn slokdarm en maag, daarna trok het een aangenaam spoor door zijn hele lichaam. Dat smaakte zeker naar meer.

'Je spreekt Spaans?' vroeg hij achteloos.

'Ja, onder andere.'

Ze vond het kennelijk niet nodig om hem meer te vertellen. Chris besloot er niet verder op in te gaan. Hij stak zijn hand op naar Antonio Banderas en maakte het universele teken voor een nieuwe ronde. Yolanda keek hem onderzoekend aan.

'Het moet wel wennen zijn.' Even pauzeerde ze, waarbij ze hem vanonder haar dikke wimpers aankeek. 'Ik bedoel onze ploeg.'

Omdat hij niet zo gauw wist hoe hij hier het beste op kon reageren, gaf Chris geen antwoord. Het bevestigen zou als zwak overkomen, maar ontkennen zou een leugen zijn.

Na een lange stilte waarbij ze allebei deden alsof ze afgeleid waren door de bezoekers van het restaurant, besloot Chris haar vraag te beantwoorden.

'De ploeg is oké, ik heb alleen nog geen goed beeld van de opnames. Maar misschien heb je gelijk en werkt een draaiboek niet.' Even dacht hij na.

'Ondanks de gelijkenissen die jullie inmiddels gezien hebben in de geloofsbeleving, denk ik toch dat we ons bij iedere opname opnieuw moeten laten verrassen. Dat heb je vanavond gezien.'

De opmerking bleef op tafel liggen als een observatie, die niet beaamd of ontkend werd. Dat kon alleen maar betekenen dat ze het met hem eens was.

De slanke hand van Yolanda speelde met het peper-en-zoutstelletje op tafel. Haar vingers waren lang, de nagels goed verzorgd, maar kort. Ze was geen vrouw die uren besteedde aan het vijlen en lakken van nagels. Haar handen waren bedoeld als gereedschap en geen decoratiemiddel om haar vrouwelijkheid te accentueren.

Er werden twee nieuwe glazen gebracht en ze herhaalden het ritueel. Langzaam voelde Chris zijn spieren ontspannen.

'Je wilde met me praten?' vroeg hij uiteindelijk, om het gesprek op gang te brengen.

Ze keek op van het peper-en-zoutstel, haar ogen plotseling als twee koplampen op hem gericht.

'Ja, ik weet niet goed of ik je in vertrouwen kan nemen, maar als wij samen willen werken zal ik je toch eerst wat moeten vertellen.' Dit klonk niet goed.

Het contract dat de heren hem aangeboden hadden, was voor twee maanden. Geen vaste aanstelling, maar dat had hij op de koop toe genomen. Twee maanden vrijheid. Dat was precies wat hij op dat moment nodig had. Twee maanden weg van Heather, van Nederland, van alles waar hij mee wilde breken.

Tegen de tijd dat de documentaire gereed was, zou deze ploeg meer dan een jaar aan het product gewerkt hebben. Een lange periode, dat realiseerde hij zich nu. Grote speelfilms werden veelal in kortere periodes gedraaid.

'Dat klinkt spannend!'

Chris observeerde de regisseuse tegenover hem, hij schatte haar midden dertig. Aan haar vingers was geen ring te ontdekken. Single en gedreven. Maar dat was speculatie. Of hoopte hij het? Opeens onderbrak ze zijn mijmeringen.

'Je hoeft niet zo neerbuigend te glimlachen, Chris. Dit is niet de eerste productie die ik voor Twilight verzorg.'

Hij had zich niet gerealiseerd dat hij bij de gedachte aan haar geglimlacht had. Snel hief hij zijn glas naar haar op.

'Terwijl je er zo jong uitziet.'

Haar ogen vernauwden zich. Even leek het of ze wat wilde zeggen, maar zwijgend dronk ze haar derde glas ook in één keer leeg. Een machtsspel.

Opeens werd het hem allemaal duidelijk. Met het heengaan van Frits was de hiërarchie in de groep gaan schuiven. Frits was ongeveer twintig jaar ouder dan Chris geweest, veruit de oudste van de groep, met de meeste ervaring. Degene die de opnames aan het einde van de dag wist te bewerken tot een goed product.

Het bevreemdde hem opeens dat zijn werkgevers met geen woord over de situatie gerept hadden. Ze hadden hem juist de indruk gegeven dat het zíjn project zou worden en dat de filmploeg tot zijn beschikking stond. Maar nu bleek dat hij met een eigenzinnige regisseuse, een ijdele verslaggever, een explosieve geluids- en montagedame en een trotse Cubaanse productieleider door één deur moest zien te komen.

Langzaam dronk hij zijn glas leeg. Het warme restaurant draaide voor zijn ogen, de vermoeidheid zorgde ervoor dat de drank heftiger binnenkwam dan normaal. Opeens had hij genoeg van de spelletjes en geheimzinnigheid. Met zijn volle gewicht boog hij over de tafel en pakte haar beide handen.

'Je kunt aardig drinken, dame. En ik geloof best dat je meerdere producties gemaakt hebt, maar wat Berend vanavond trachtte neer te zetten sloeg nergens op. Dat moet jij toch ook gezien hebben? Of wist Frits hier 'wel wat van te maken'?'

Schertsend herhaalde hij de woorden die ze die middag in de keuken van het appartement gesproken had.

Haar bleke huid werd nog witter, ieder spoortje kleur was verdwenen. Zowel Frits als Berend waren een gevoelig punt. Ze probeerde haar handen uit de zijne te bevrijden, maar ze werd gered door twee dampende borden die door de ober neergezet werden.

Chris negeerde de gekwetste blik in haar ogen en nam een paar happen van de Asopao, die heerlijk smaakte. De alcohol had hem hongerig gemaakt. Zwijgend leegden ze hun borden.

Yolanda leunde achterover, het leek of ze door de heerlijke schotel haar zelfvertrouwen weer hervonden had.

'Je hebt gelijk. Berend drukte de dominee in een hoek. Hij is soms een beetje humeurig na een lang eind vliegen. Sorry, maar ik ben aan zijn buien gewend. En hij is alles wat we hebben.'

De gelatenheid waarmee ze de verslaggever verontschuldigde, verbaasde Chris.

Yolanda was veel te jong, veel te perfectionistisch om samen te werken met mensen waar ze zich voor moest verontschuldigen. Wat was de reden hiervoor?

De ober haalde de lege borden weg en Yolanda bestelde nog een rondje tequila.

'Excuses aanvaard, nog eentje voor het slapen gaan?'

Chris had nog nooit een vrouw meegemaakt die net zoveel dronk als hij. Heather dronk altijd mineraalwater.

'Ja goed.'

Weer leek ze te twijfelen over wat ze hem wilde vertellen. Of was dit het? Dat Berend een slecht humeur had?

Tussen de drukke latino clientèle van het restaurant zaten ze zwijgend tegenover elkaar. Een stille nucleus in een Spaans sprekende tornado.

'Ik wilde je eigenlijk spreken over Twilight.'

Ze haalde diep adem.

'Ons bureau bevindt zich in moeilijkheden.'

Op haar gezicht was een innerlijke strijd af te lezen. Had hij zich dan toch vergist, wilde ze hem niet de les lezen of het baasje uithangen? Ze wilde hem op de hoogte stellen van iets, en wat ze hem moest vertellen, viel haar klaarblijkelijk zwaar. Haar stem was zo zacht dat hij haar nauwelijks kon verstaan in het drukke restaurant.

'Het geld is steeds vaker een probleem. Deze documentaire is de laatste strohalm van het bedrijf. We moeten er een succes van maken, anders zijn we allemaal werkloos!'

Chris keek haar verwonderd aan. Dit was het laatste wat hij verwacht had. Het luxe kantoor, de oude heren die in goeden doen leken te zijn, de solide naam die ze door de jaren heen hadden opgebouwd. Nooit had hij verwacht dat het bureau in moeilijkheden verkeerde. Frits had jaren voor hen gewerkt, veel cameramannen waren jaloers geweest op zijn werk. De vrijheid die hij bij Twilight had om zijn creativiteit in de producties te verwerken …

Plotseling ging Yolanda gepassioneerd verder.

'Jij moet ook gemerkt hebben dat producties zoals wij die maken steeds vaker als 'ouderwets' bestempeld worden. Mensen zijn niet meer geïnteresseerd in de geëngageerde beelden zoals wij die schetsen.'

Dat wist Chris maar al te goed. Juist vanwege het gebrek aan inhoudelijkheid van de programma's die hij moest maken, had hij plotseling besloten weg te gaan bij zijn vorige werkgever. Het was hem tegen gaan staan dagelijks zijn ziel te verkopen voor geld. Hoewel dat, als hij eerlijk was, niet de enige reden was geweest. Maar daar wilde hij nu verder niet over nadenken. Niet over Heather, niet over wat was voorgevallen. New York was een uitstekende plek om dat allemaal tijdelijk te vergeten.

Toen hij bleef zwijgen ging Yolanda door.

'Ik kan me voorstellen dat je dit niet verwacht had. De heren zullen jou hier niet over ingelicht hebben, maar zo liggen de kaarten.'

'Ja, het komt inderdaad als een verrassing,' was alles wat hij antwoordde. Zijn verwachtingen waren wel het laatste wat hij met haar wilde bespreken.

'Zijn de anderen op de hoogte?'

'Nee.'

Chris hoorde een lichte aarzeling in haar stem en hij vermoedde dat ze nog iets achterhield.

'Nee, maar ik denk dat ze wel wat vermoeden. De salarissen worden steeds vaker te laat betaald, het gehuurde materieel is van mindere kwaliteit. Ze moeten een vermoeden hebben, maar ik wil het ze nog niet vertellen.'

Wat hield ze voor hem achter? Bijna freudiaans beet ze op haar onderlip. Alsof ze haar woorden in wilde slikken en nu al spijt had dat ze hem op de hoogte gebracht had. Onrustig schoof ze heen en weer op haar stoel.

'Waarom vertel je het nu wel tegen mij?' vroeg Chris zachtjes.

Even leek het alsof ze zijn vraag niet gehoord had. Ze had zich omgedraaid en riep de ober om de rekening. Langzaam draaide ze zich weer naar hem toe.

'Ik kan jou niet voor de gek houden.'

De opmerking verbaasde hem. Voor hij kon reageren, ging ze zachtjes verder.

'Vanavond … hoe jij dat probleem met Williams oploste … Ik heb je nodig, Chris.'

De woorden hadden een onverwacht erotische uitwerking op hem. Het was lang geleden dat een vrouw iets dergelijks tegen hem had gezegd. Wantrouwend keek hij haar aan. Werd hij handig bespeeld? Maar haar bleke gezicht stond ernstig.

Verward zocht hij naar een antwoord, maar op dat moment kwam de ober met de rekening en twee glazen tequila van het huis. Chris pakte de rekening, maar Yolanda trok hem uit zijn handen.

'Werkoverleg,' zei ze droog.

Terwijl ze betaalde, nam Chris een beslissing. Deze hele situatie zou hij professioneel aanpakken, de machtsstrijd tussen cameraman en regisseuse was een subtiel spel, waar hij zijn kop bij moest houden. De jetlag en de drank speelden hem op dit moment teveel parten. Het beste was nu meegaand te zijn.

'Ik ben je man, Yolanda. Laten we er een Oscarwinnende productie van gaan maken.'

Hij hief het glas naar haar op.

'*Praise the Lord*!'

Een opgeluchte glimlach verscheen om haar mond.

Maar eenmaal op weg naar het appartement, met de gonzende stad om hem heen, kon Chris zich niet aan het gevoel onttrekken dat zij deze eerste ronde gewonnen had.

'When it rains it poors'

De volgende morgen werd Chris gewekt door een vreemd geluid. Zijn mond voelde droog aan. De tequila had er ingehakt. Het geluid hield aan. Trillende elektronische bliepjes aangevuld met iets wat leek op stromend water.

Hij tilde zijn hoofd van het kussen. Op zijn nachtkastje lag zijn iPhone zich druk te maken. Met gesloten ogen grabbelde hij zijn mobiel van het kastje. Het queensize bed bleef hem warm omarmen. Langzaam probeerde hij zijn ledematen te bewegen. Dat voelde niet goed. Hij kreunde, alles deed hem pijn.

De lange wandeling van het restaurantje naar Morningside Heights over 116th Street had hem spierpijn in zijn kuiten bezorgd.

'Tijd om weer eens naar de sportschool te gaan, Chris-jongen,' verweet hij zijn alter ego laf.

De sportschool was een plaats die hij zijn hele leven al strategisch meed. Met zijn ogen op kleine kiertjes keek hij naar de telefoon. Een bericht van Steven, zijn zoon.

'Pa bel mij!!'

Zijn hoofd viel terug op het kussen. Dat was binnen 24 uur de tweede al die hem nodig had. Een ongekend fenomeen. De telefoon zweeg, maar het geluid van stromend water hield aan. Moeizaam richtte hij zich op en toen zijn voeten de vloer raakten, werd hem gelijk duidelijk waar het geluid vandaan kwam. Regen kletterde door het openstaande raam op de houten vloer. Hij stond moeizaam op en liep naar het raam. Bezweet van de lange wandeling had hij gisterenavond het raam van zijn slaapkamer opengezet. Daarna was hij nog half aangekleed op het bed gaan liggen en in een eindeloze diepe slaap gevallen. Zijn overhemd stonk naar ongewassen Chris. Het was niet koud, maar het regende gestaag. Een slechte opname- dag. Lamlendig liet hij zich weer achterover op het bed vallen, met de iPhone nog in zijn hand. De twee uitroeptekens waren dwin- gend.

Steven, zijn zoon. Zeventien jaren had hij voor de opgroeiende jon- gen gezorgd. En nu bleek het misschien niet eens zijn kind te zijn.

Hij was na de laatste ruzie met Heather het huis uitgestormd en niet meer teruggekomen. Die nacht had hij bij een vriend geslapen. Zonder daarvoor de reden te vertellen. Haar openbaring was te schokkend geweest om met iemand te delen. De schaamte om te zijn bedrogen.

Maar nu, alleen met zijn gedachten in het verre New York, kon hij niet langer om de werkelijkheid heen. De zoon waar hij zich zo mee verbonden had gevoeld, was waarschijnlijk niet van hem. Met wie was Heather vreemdgegaan? En hoe vaak? Toen Steven geboren werd waren ze, verdomme, al bijna twee jaar getrouwd!

Het speculeren was weer begonnen, hij kon zijn malende gedachten geen halt meer toeroepen. Was het een van hun vrienden geweest? Ze had aangegeven minnaars gehad te hebben.

Voor het eerst sinds de ruzie ging hij het rijtje af. Gezichten en na- men van vrienden bevolkten zijn gedachten.

Was het misschien Frank Andriessen? Die bleef altijd hangen na feesten. Om mee te helpen opruimen. Nee, nee, die kon het niet zijn. Frank had een gezin gezocht om bij te horen, hij wilde nooit naar huis. Bij niemand. Daar werden vaak genoeg grapjes over ge- maakt.

'Haal Frank in huis en je hebt geen huisdier nodig. Hij eet je restjes op en slaapt ergens waar hij een rustig hoekje kan vinden, zonder dat je last hebt van haren op je bankstel.'

Nee, Frank kon het niet zijn. Steven had niets van Frank met zijn scherp getekende gezicht en wijduitstaande oren. Bovendien had Frank op dertigjarige leeftijd nog steeds zijn piemel niet ontdekt.

Of was het Bert, Bert Verspui, die met zijn grote handen altijd zo nodig de ranke Heather moest optillen bij het begroeten. Hij had de jolige accountant vaker betrapt in de keuken, als hij weer een van die kolenschoppen op Heathers achterwerk had liggen.

Chris herinnerde zich nu nog met schaamte de ruzie die ze daarover gehad hadden. Bert werkte voor dezelfde opdrachtgever als Chris, en Heather vond dat hij iets moest doen aan de handtastelijkheden. Maar Chris vond haar kinderachtig.

'Laat hem toch, hij bedoelt er niets mee. Hij vindt je gewoon *petite*.'

Dus had Heather zelf de koe bij de horens gevat en hem de waarheid verteld. Nee, Bert kon het ook niet geweest zijn.

Een allesverzengende haat golfde in zijn maag omhoog. Ze had al die jaren in Nederland een dubbelleven geleid. Met een hypocriete Amerikaanse ethiek die alles toestaat wat niet ontdekt wordt, zolang het plaatje, het prachtige plaatje maar klopte.

En een mooi plaatje was het geweest. Het door hun vrienden bejubelde echtpaar, waarbij de vrouw een succesvolle zaak had opgebouwd en Chris, de moderne man, de taken in het huishouden had overgenomen. Wat een grap bleek dat huwelijk nu te zijn.

Niet dat ze een grootse bruiloft gevierd hadden, dat was toen zo ouderwets geweest. Ze waren gewoon op een dinsdag naar het stadhuis gegaan om het papiertje te halen. Een paar dagen later waren ze naar Houston gevlogen om de plechtigheid daar in het bijzijn van haar familie te herhalen. Niet omdat ze zo gek was op haar familie, maar omdat ze haar Amerikaanse burgerschap niet wilde opgeven, ondanks het feit dat ze haar huwelijk nodig had om zich in Nederland te mogen vestigen.

Maar dat was toen. Ze waren heftig verliefd geweest en helemaal in elkaar opgegaan. Tenminste, dat had hij altijd gedacht. Nu wist hij dat niet zo zeker meer. Steven, zijn oogappel. De enige prestatie waar hij werkelijk trots op was. Hij had de jongen een geweldige jeugd en opvoeding bezorgd.

Hij draaide zich op zijn zij en staarde naar de natte vloer. Voor het eerst realiseerde hij zich dat hij maar acht jaar ouder was geweest dan Steven nu toen hij vader werd. Hij zuchtte.

Had hij Steven op de hoogte moeten brengen van zijn beslissing om bij Heather weg te gaan? Waarschijnlijk wel. Maar dan had hij open kaart moeten spelen. En dat had hij hem niet willen aandoen. Hij was nog zo jong, zo onschuldig.

Chris keek op zijn horloge. Half negen, in Nederland was het vier uur in de middag. Hij schudde zijn hoofd, hij zou hem later bellen.

Hij stond op en liep naar de badkamer. In de lange spiegel die op de deur van de badkamer bevestigd was, bekeek hij zijn naakte lichaam. Daar waar zijn huid ooit strak en gebruind was geweest, begon deze nu langzaam zachter te worden. Zijn borsthaar werd lichter en warriger.

Hij liep dichter naar de spiegel toe. Zag hij daar bij zijn slapen nu al grijze haren of was het de lichtval? Hij trok zijn bovenlip op, gelukkig waren zijn tanden, dankzij Heather, spierwit. Een witte glimlach haalt tien jaar van je leeftijd af, was haar motto. Het was de enige ingreep die hij haar had toegestaan. Stug roken en vele glazen drank hadden zijn tanden een gelige aanslag gegeven en hij was blij die kwijt te zijn. Zijn ogen dwaalden in conversaties altijd af naar de mond van de spreker. Een vies gebit en een slechte adem waren twee zaken die hij niet kon verdragen.

Toen hij twintig was, was hij mager geweest. Die tijd had hij achter zich gelaten, zijn middel begon langzaam breder te worden. Maar zijn buik bleef strak. Wanneer hij zijn adem inhield, kon hij zelfs zijn ribben zien. Maar boven zijn heupbotten begon hij kleine vetbandjes te krijgen. Neukteugels, zoals hij wel eens had horen zeggen.

Zijn lid hing er weifelend bij, net niet hard genoeg voor een ochtenderectie. Maar gelukkig recht en goed gevormd. Dat was een ding waar hij zich nooit voor had hoeven schamen.

Hij draaide zich om en probeerde zijn achterkant te zien. De billen zaten nog stevig en klein tegen zijn onderlijf aan. Ze waren ooit kleiner, maar de extra kilootjes hoorden bij hem, die gaven hem gewicht en zekerheid.

Hij draaide de knop van de douche om en stapte onder het warme, stromende water.

Schoongewassen, geschoren en met een nieuw setje kleren aan, liep hij even later de woonkamer in. Die lag er stil en verlaten bij. Door de lange, smalle gang liep hij naar de achterkant van het appartement. De geur van koffie kwam hem tegemoet. Aan de keukentafel trof hij Yazel aan achter zijn laptop. De Cubaan keek op en gebaarde naar het keukenblad.

'Koffie en broodjes.'

'Ook goedemorgen,' antwoordde Chris met meer opgewektheid dan hij voelde.

'Ja, jij ook.'

Aan de opgeruimde ontbijttafel te zien was Chris na Yazel de eerste die zich uit zijn slaapkamer had gewaagd.

'Ben ik vroeg?'

'*Sí, sí*,' antwoordde de Cubaan afwezig, hij wees naar buiten.

'Je hebt het weer vast al gezien, niet?'

Yazel sprak goed Nederlands, maar het zangerig Caribische accent klonk door aan het einde van zijn zinnen.

'Slecht weer om gebouwen te filmen, perfect weer om je derdehandse auto te verkopen.'

'Hoezo?' Yazel keek hem verbaasd aan.

'Glimt de lak mooi.'

Chris schonk een grote kop koffie in. Hij had nog geen trek in de broodjes die bij de delicatessenzaak in dezelfde straat waren gekocht. Ze zagen er duur en te ingewikkeld uit.

'Heb je een alternatief plan voor vandaag?'

Misschien was Yazels improvisatievermogen beter dan zijn broodjeskeuze.

'*Vále*, ik probeer een paar binnenopnames naar vandaag te verplaatsen. Maar daar heb ik toestemming voor nodig en voor negenen krijg ik hier niemand aan de lijn.'

Chris lachte schamper.

'Religie is avondwerk. Wie staat er nu 's ochtends op met een dringende behoefte aan het geloof? Ik heb dan echt een heel andere behoefte.'

'Welke behoefte?'

Yolanda kwam de keuken in. De tequila en het serieuze gesprek leken geen invloed op haar gehad te hebben. Fris en energiek liep ze op de koffie en de broodjes af.

'Dat ziet er goed uit, Yazel.'

Ze ging tegenover Chris zitten en beet met haar rechte witte tanden in een broodje zalm met rucola.

'De behoefte aan een goede douche en een sigaret. Daar word ik 's ochtends meestal mee wakker,' antwoordde Chris.

Hij keek haar strak aan. De vertrouwelijkheid van de vorige avond leek geheel verdwenen. Ze had gisteren haar eerste punt behaald en vandaag lag het spel weer geheel open. Hij besloot haar voor te zijn.

'Yazel is al bezig een alternatief plan op te stellen voor vandaag.'

Door de rustige manier waarop hij het bracht, leek het alsof hij Yazel aan het werk gezet had.

'Mooi, goed. We kunnen vandaag een aantal grote kerken van binnen filmen. Blijven we bij de protestante kerken of gaan we gelijk door naar de katholieke gemeenschappen?'

Op deze vraag had hij niet gerekend. Hij had zich nog steeds niet in het programma verdiept.

'Ja, wat gaan we eerst doen, Yazel?'

Handig schoof hij de vraag door naar de productieleider. Yazel was zo geconcentreerd bezig dat de onderstroom van de machtsstrijd in de keuken hem totaal ontging.

'A ver … we hebben het materieel voor de binnenopnames al hier liggen. Ik zou de huur van het materieel voor de buitenopnames een dag kunnen opschuiven. Als ik de weersverwachting mag geloven, is het morgen droog en zonnig. Het weer hier in New York schijnt veranderlijker te zijn dan … dan …'

Zijn Nederlands was niet goed genoeg om een goede vergelijking te vinden.

'Dan een vrouw,' vulde Chris aan.

Yolanda wierp hem een ijzige blik toe.

'Ja.'

Yazel glimlachte nu ook. De vergelijking ging klaarblijkelijk ook in Cuba op.

'Dat houdt in dat we vandaag de St. Mark's United Methodist Church, de St. Philip's Protestant Episcopal Church, de Abyssinian Baptist Church, St. Ann's and the Holy Trinity Church en de Plymouth Church of the Pilgrims moeten doen. Dan hebben we genoeg opnames van de protestante kerken.'

'Dat zijn veel heiligen op een dag, die katholieken weten ze wel te benoemen,' grapte Chris.

'De katholieken hebben we nog niet gehad, dit zijn Amerikaanse versies van de Engelse staatskerk,' verbeterde Yolanda hem automatisch.

'En de binnenopnames in de zwarte kerken?'

'Daar hebben we een afspraak lopen op donderdag om een kerkkoor te filmen. Volgens de dominee is de voorzanger familie van Whitney Houston.'

'Ja, ja, dat zal wel. Zeggen ze allemaal,' antwoordde Yolanda afwezig.

'Haal die Trinity Church op Broadway er vandaag uit. Die wil ik samen met St. Paul's Chapel filmen.'

Chris kon zijn verbazing niet verbergen.

'Een kerk op Broadway?'

Hij kende de naam alleen maar van alle grote musicaltheaters. Daar had zelfs Joop van den Ende Theaterproducties een paar musicals gedraaid. Als je het op Broadway gemaakt had, kon je overal terecht – was een van de oudste uitdrukkingen die hij kende uit de filmwereld.

'Ja, Broadway betekent gewoon de brede straat. Daar liepen ruim honderd jaar geleden de koeien nog in de wei. St. Paul's Chapel was een kerk met een plataan ervoor die niet verplaatst mocht worden. Broadway is daarom meters verlegd.'

Hij begon zich af te vragen of Yolanda er plezier in had om hem te verbeteren of de les te lezen.

Ze zuchtte nadrukkelijk.

'Het kapelletje ligt naast de twee WTC gebouwen die bij de aanslag op 11 september zijn ingestort. Wonderlijk genoeg is het kerkje gespaard gebleven. Tijdens de zoektocht naar overlevenden van de aanslag op de Twin Towers, hebben de brandweerlieden deze kapel gebruikt als slaapplaats. Ik wil daar graag draaien.'

Als om zijn onwetendheid te benadrukken, wendde Yolanda zich van hem af en praatte verder met Yazel.

'En de opnames van de joodse synagoge?'

'*Lo siento* ... het spijt me, de joodse gemeenschappen hebben ons geen toestemming gegeven binnen te filmen.'

'Oh.'

Ergernis tekende zich af op haar gezicht.

'De opnames van de joodse gemeenschappen in Rusland en Marokko zijn toch voldoende?'

Yazel keek haar vragend aan.

'Daar gaat het niet om.'

Voor het eerst schemerde onder haar kalme uiterlijk een driftig karakter.

'Europese joden, Arabische joden, Amerikaanse joden. Het gaat niet om de hoeveelheid opnames, het gaat om de verscheidenheid. Dat moet je onderhand na zoveel maanden werk toch wel begrepen hebben, Yazel,' zei ze geïrriteerd.

'Ja, Yazel, je snapt het weer niet.'

De stem van Eleftheria klonk schor. Gekleed in een roze pyjama met witte teddybeertjes slofte ze de keuken in. Haar weelderige haardos stond alle kanten op.

'*Madre de Díos*, jij ook al! Ik zit hier vanaf vanmorgen vroeg de dag te organiseren en jullie kunnen niets anders dan mij kritiseren.'

Yazel snoof hoorbaar.

'Be-kritiseren.'

Eleftheria ging met een kop koffie naast hem zitten.

'Of jouw Nederlands zo perfect is.'

'Haha ...'

Ze trok een meesmuilend gezicht en gaf hem een vriendschappelijk duwtje.

Chris keek op zijn horloge. Het was over negenen. Hij was gewend aan een strakke dagindeling.

'Laat geworden, Eleftheria?'

'Ja, het was al weer bijna licht.'

Ze geeuwde luidruchtig.

'Maar maak je niet druk, Chrisspark, ik ben een professional, het komt vandaag helemaal goed! Is Berend al op?'

'Ja, allang. Je weet hoe fanatiek hij is. Hij is gaan hardlopen in Central Park. Voor hem geen late nachten met veel drank.'

Yazel grinnikte veelbetekenend.

'Nou, zo kan het wel weer.'

Energiek stond Yolanda op.

'Stuur Berend een berichtje, als je wilt. We vertrekken over een half uur. En Lefty, vanavond kun je niet uit. Dan doen we de opnames van het Brooklyn Tabernacle Choir.'

Eleftheria zuchtte hoorbaar.

'Jezus Yo, New York heeft meer dan vierhonderd kerken in alle maten en soorten. En allemaal met hun eigen koor. Waarom moeten we nu precies vanavond dat ene koor filmen?'

'Luister, niet alle kerken hebben een koor, en dit koor is wereldberoemd. Waar zit je nou eigenlijk mee?'

'Dat we zeven dagen per week twaalf uur per dag werken. Dat is toch niet normaal?'

'Je kunt ook een kantoorbaan zoeken. Gewoon van negen tot vijf. In Nederland, en 's avonds eten en slapen bij je ouders. Dat kan ook.'

Yolanda keek haar koeltjes aan.

Eleftheria verschoot van kleur. Yolanda had duidelijk een gevoelige snaar bij haar geraakt.

'Dat is niet …'

'Nee, dat is wat je ouders het liefste zouden willen, Lefty. En dat je trouwt met een leuke Griekse jongen van jullie eigen kerk.'

'Je hoeft niet zo …'

Eleftheria keek ongemakkelijk naar Chris. De bemoeizucht van Griekse ouders was een bekend fenomeen, maar het was niet aan Yolanda om dit zo duidelijk in te wrijven, waar iedereen bij was.

Plots had hij medelijden met de jonge vrouw. Gisteren bij zijn eerste opnamedag had hij haar gadegeslagen. Haar totale concentratie op haar werk was hem als eerste opgevallen. Een harde werkster. Dat moesten ze bij Twilight ook weten. Waarom liet ze zich zo in de hoek zetten door de regisseuse? Het kon best zijn dat ze met deze baan aan een verstikkend leven trachtte te ontsnappen, maar dat was haar privézaak. Daar mocht ze professioneel niet op afgerekend worden. Hij besloot om Yolanda een hak te zetten.

'Ik heb nog weinig van het nachtleven van New York gezien, Eleftheria. Mag ik een keer met je mee?'

Haar ogen lichtten op.

'Met mij uit?'

Ze leek verbaasd. Even ging haar blik naar Yolanda.

'Ja natuurlijk, maar jij betaalt, Chrisspark!'

Echrissie Parkes. Zo klonk zijn naam met haar Griekse tongval.

Hij glimlachte vrolijk naar haar.

'Natuurlijk betaal ik, maar dan moet het wel de moeite waard zijn!'

Haar bruine ogen glansden ondeugend bij de laatste opmerking. Op dat moment wist hij dat hij zich verheugde op het afspraakje.

Om vier uur 's middags met nog een paar uur daglicht te gaan, reed het taxibusje over Brooklyn Bridge, de oudste hangbrug van New York, in de richting van de gelijknamige wijk. Het was eindelijk opgehouden met regenen.

Brooklyn of Breukelen, wat de originele Hollandse naam was van deze wijk, lag op het vaste land. Door de achterruit van het busje maakte Chris een prachtige opname van het schiereiland Manhattan, het duurste gedeelte van New York.

Ze waren op weg naar de Plymouth Church of the Pilgrims, de laatste kerk van die dag.

Het busje hield in Hicks Street halt voor een kerkgebouw.

In vergelijking met de kerken die Chris eerder die dag gefilmd had, was dit een bescheiden gebouw. Voor de kerk stond een bronzen standbeeld van een blanke dominee, Henry Ward Beecher, in een lange jas. Onderaan de sokkel van het standbeeld hurkten twee zwarte kinderen.

Yolanda wrong zich uit het busje en kwam naast hem staan. Ze wees naar een van de twee kinderen.

'Dat moet Pinkie zijn. Een negermeisje dat dominee Beecher heeft helpen ontsnappen.'

'Heeft helpen ontsnappen?'

'Dit is een historische kerk, Chris. In de eerste helft van de negentiende eeuw heeft deze bronzen man in deze kerk onderdak geboden aan massa's gevluchte zwarte slaven. Zijn zus, Harriet Beecher Stowe, heeft het boek *De Negerhut van Oom Tom* geschreven. *Uncle Tom's Cabin* is belangrijke Amerikaanse literatuur.'

Was het haar bedoeling om hem een absolute idioot te laten lijken, of was het gewoon haar betweterige karakter?

Chris haalde zijn schouders op. Hij was moe. De hele dag had het berichtje van Steven hem niet losgelaten. De moed om zijn koekoeksjong te bellen, had hij echter nog niet kunnen opbrengen.

'Roken?'

Hij hield haar zijn pakje sigaretten voor.

'Ja, doe maar.'

Peinzend keek ze naar de kerk.

'We hebben hier extra licht nodig. De kerk heeft onderaardse gangen waar ze vroeger de negerslaven verstopten.'

Chris keek haar vanuit zijn ooghoeken aan. Ze leek totaal geen last te hebben van het harde werken en de onregelmatige uren. Ze bukte zich en stopte haar lichte regenjack in de ruime handtas. Ze droeg vandaag de strakke spijkerbroek die ze gisterenavond ook aan had, maar nu met een strak, grijs T-shirt. Zijn ogen gleden snel langs haar tengere vormen.

'Heb je de teksten voor de *voice-over* klaar liggen, Yo?'

Berend was naast hen komen staan.

'Ja, wil je die vanavond gelijk invoegen?'

'Als je het na deze opnames verder zonder mij redt?'

Veelbetekenend keek Berend naar Chris.

Yolanda nam de beide mannen in zich op. Berend had zich de hele dag voorbeeldig gedragen. Zijn slechte humeur van gisteren was als sneeuw voor de zon verdwenen. Zonder het geföhnde haar en de make-up zag hij er beter uit. Hij droeg een versleten spijkerbroek met daarop een nauwsluitende sweater met steekzakken. Alleen een man met een afgetraind lichaam kon dit dragen.

Onwillekeurig spande Chris zijn buikspieren aan en rechtte zijn rug. Het was echt te lang geleden dat hij de sportschool had bezocht.

'Geen probleem Berend, dat gaat ons wel lukken. De opnames van het koor vanavond zijn stilstaand. Yazel en Lefty zijn voldoende assistentie voor Chris.'

'Oké, mooi.'

Zijn stem klonk neutraal, haast gelaten.

Dat had Chris niet verwacht. Waar had Berend gisteren dan zo moeilijk over gedaan? Had hij hem inmiddels geaccepteerd?

Chris draaide zijn hoofd naar Yolanda. Die staarde haar collega haast vorsend aan.

'Ga je naar het appartement? Je gaat toch niet ...'

'Nee, maak je niet druk, mama. Ik zal op tijd in mijn bedje liggen.'

'Ik ben je moeder niet, maar wel verantwoordelijk voor deze productie. We kunnen ons geen missers veroorloven!'

Veelbetekenend keek Yolanda hem aan. Maar Berend knikte zonder iets te zeggen. Voordat hij naar zijn collega's liep om de opnameapparatuur de kerk in te dragen, wierp hij Chris een blik toe die deze niet kon duiden.

Twee uur later waren ze nog niet veel verder. De ingehuurde lampen hadden het begeven. Yolanda had alles en iedereen verwenst. Kostbare tijd was verloren gegaan met zekeringen vervangen en de draden na te trekken. Niemand durfde meer in haar buurt te komen. Na een uur rondbellen had Yazel uiteindelijk nieuwe lampen weten te bemachtigen. Maar nu was de taxi met de lampen erin ergens in het drukke avondverkeer blijven steken.

De frustratie was op het bleke gezicht van Yolanda af te lezen.

'Jullie kunnen morgen ook onze wekelijkse jeugdbijeenkomst filmen. Of de Bijbelstudiegroepen. We hebben bijeenkomsten voor vrouwen en mannen waarbij we over verslaving praten. Er is zoveel te doen in onze kerk ...'

De kerkelijk werker, een vrouw van middelbare leeftijd met de wel-luidende naam Bunny Thompson-Wandelaar, ratelde maar door.

Bunny had Berend met veel woorden op de hoogte gebracht van de geschiedenis van de kerk, waarbij zij benadrukte dat haar gemeenschap, hoewel de slavernij allang was afgeschaft, zich nog steeds inzette voor het tegengaan van mensenhandel in andere landen.

Berend was handig bij haar weggelopen, en nu had Bunny zich aan Yolanda vastgeklampt.

De maag van Chris rommelde hoorbaar. De broodjes die Yazel ergens onderweg van Manhattan naar Brooklyn had gekocht, waren op. Hij overwoog op zoek te gaan naar een café. Maar een blik op het slanke figuur van Berend weerhield hem. Zolang de anderen geen teken van honger vertoonden, zou hij zich aanpassen. Het was wel eens goed om wat minder te eten. Misschien zou een sigaret de trek stillen.

Hij liep naar buiten waar het weer pijpenstelen regende. Onder een afdakje zocht hij naar zijn pakje Marlboro's. Hij stak een sigaret aan en inhaleerde, de rook drong diep door in zijn longen.

Plotseling voelde hij een hand op zijn schouder. Eleftheria was naast hem komen staan.

'Dit haat ik echt in ons beroep, het wachten! Mijn vrienden kijken zo tegen me op. - Oh Lefty, jij ziet altijd zoveel van de wereld, we zijn zo jaloers! - Maar ze weten niet dat we soms dagen verspillen met wachten. Wachten op het goede moment. En dan valt het weer tegen, of kunnen we net die zonsondergang niet filmen, of is er weer iets met die stomme apparatuur.'

Chris schoot in de lach, haar accent klonk zo grappig toen ze haar vrienden imiteerde.

'Zijn dat je Griekse vrienden?' vroeg hij onschuldig.

'Ja, alsof mijn ouders me met anderen laten omgaan.'

Ze snoof luidruchtig.

'Dus Yolanda had vanmorgen gelijk.'

De twinkeling in haar bruine ogen verdween. Ze trok haar schouders op.

'Ja, maar het was niet aardig om het zo te zeggen. Dat was niet eerlijk. Ik verraad haar toch ook niet?'

Even zweeg ze.

'En dat geldt ook voor de anderen. We weten genoeg van elkaar om dit soort persoonlijke dingen niet te gebruiken.'

Defensief kruiste ze haar armen voor haar borst en wreef met haar handen over haar bovenarmen.

Chris wist niet wat hij moest antwoorden en zwijgend stonden ze naast elkaar. Wat bedoelde ze met die laatste zin? Was het onbevangen luidruchtige groepje mensen dat hij op Schiphol had zien zitten niet wat het leek? Hij sloeg een arm om haar schouders.

'Hé luister, ik zie uit naar onze afspraak. Hier zijn geen Griekse ouders om je in de gaten te houden. Wat zeg je ervan?'

Even schrok ze van zijn aanraking, maar toen ontspande ze.

'Je zult de avond van je leven hebben, oude man.'

Plagend haalde ze haar handen door zijn warrige, blonde haar.

'Noem je mij oud? Jij durft. Kijk maar uit dat ik je niet op tijd naar bed breng en een verhaaltje voorlees.'

'Oh, een verhaaltje, daar hou ik je aan. En dan mag je me ook instoppen.'

Plagend keek ze onder haar dikke wimpers verleidelijk pruilend naar hem op.

Een gele taxi stopte vlak voor hen. Yazel stapte uit. Hij keek bedenkelijk naar het stel op de trappen, maar zei niets.

Eleftheria sprong op om hem te helpen met uitladen.

Plotseling voelde Chris zich een stuk beter. De regenachtige dag, het slechte materiaal waarmee hij moest werken, het luimige humeur van de regisseuse, het waren maar momentopnamen. Het vooruitzicht met Lefty uit te gaan maakte alles goed.

Hallelujah

Catholic
'In the name of the Father, the Son and the Holy Spirit. Amen. Long ago You saved the children of Israel, who crossed the Red Sea, their feet dry … (…)… Now we beg You: Bless us with a safe trip and good weather. Bless us with the guidance from Your angels, so that the crew of this aircraft lead us to our destination safely …'

De volgende morgen stond Chris zwaar hijgend met z'n handen op zijn knieën voor het appartement in Morningside Heights. Zijn T-shirt was doorweekt van het zweet, de wilde haardos plakte tegen zijn voorhoofd. In een opwelling, ingegeven door het strakke lijf van Berend, had hij die morgen besloten om te gaan hardlopen.
Om vijf uur was hij, geplaagd door de jetlag, wakker geworden met de muziek van het Brooklyn Tabernacle Choir nog in zijn oren.

Het gebouw in Smith Street waar het koor optrad, was in eerste instantie teleurstellend geweest, het leek eerder op een oud overheidsgebouw dan op een kerk. Maar eenmaal binnen, was het idee van een rijksgebouw verdwenen. De kerk, als je het gebouw zo mocht noemen, was compleet ingericht als theater. Nergens zag hij zichtbare tekenen van het geloof, geen beelden, kansels of kaarsen. Alleen maar zitplaatsen, een balkon en een groot podium.
Hij kon nu begrijpen dat president Barack Obama en zijn vrouw Michelle deze kerk graag bezochten. Het was een van de mooiste koren dat hij ooit in zijn leven gehoord had. En Yazel had toestemming gekregen om een repetitie van het volledige, tweehonderdtachtig leden tellende koor te mogen filmen.

'*Glory - Hallelujah, let the Holy Ghost come on down. Glory - Hallelujah to the King!*'

De woorden van het laatste lied klonken nog steeds in zijn hoofd. Het was een buitenkans geweest opnames te mogen maken van deze wekelijkse repetitie. Gekleed in vrijetijdskleding, zonder make-up en de haren ongestyled, zagen de koorleden eruit of ze zo van de straat geplukt waren. Iets wat voor sommigen ook werkelijk gold. Daklozen met een mooie stem hadden nu weer een reden om voor te leven. Gezichten van mensen die een onvervalst geloof in het leven leken te hebben, verbonden in zang. En dat had hij vastgelegd. Het was een waardevolle opname geweest, maar het had ook anders kunnen lopen.

Yazel had alles heel krap ingepland. Nadat ze eindelijk afscheid genomen hadden van de opdringerige Bunny Thompson-Wandelaar, waren ze maar net op tijd geweest om het koor in de Brooklyn Tabernacle te filmen.

Vermoeid strekte hij zijn rug, hij had alleen nog maar het Morningside Park en het complex van de Columbia Universiteit rondgerend en hij was al kapot. Een oudere dame met een abrikooskleurig poedeltje aan de riem slofte voorbij. De vrouw droeg haar ochtendjas en liep op pantoffels.

'*Good morning to you,*' zei ze vriendelijk.

Chris groette terug. Manhattan leek in niets op wat hij verwacht had. De mensen gedroegen zich hier eerder als inwoners van een klein dorp. Zelfs in een plaatsje als Blaricum waar Chris de afgelopen jaren gewoond had, groetten de mensen elkaar niet meer.

Hij viste zijn mobiele telefoon uit zijn joggingbroek; half zeven. In Nederland was het nu één uur in de middag. Als het goed was, had zijn zoon middagpauze op school. Hij drukte op de sneltoets en zijn mobiel ging over.

'Hé Chris, eindelijk!'

Sinds een klein half jaar had Steven de gewoonte zijn vader bij diens voornaam te noemen. Chris had het hem deels uit gemakzucht, deels uit vertedering niet verboden. Hij slikte iets weg, een gigantische prop die in zijn keel was gaan zitten.

'Ha jongen, hoe gaat-ie?'

'Goed, goed. Waar ben je?'

'Ik zit in New York. Heeft je moeder dat niet verteld?'

Opeens schoot hem te binnen dat hij Heather niets over zijn reis verteld had. Het ging haar niet meer aan wat hij deed, waar hij was en met wie. En met wie! Dat laatste besefte hij zich nu pas. Hij was vrij om te gaan en staan waar hij wilde.

'Gaaf, man! Nee, ma heeft niets gezegd, ik zie haar trouwens weinig. Je weet hoe ze is, altijd aan het werk.'

Er klonk geen verwijt in zijn stem, daar had Chris jarenlang aan gewerkt. Hij had Heather altijd de hand boven het hoofd gehouden. Zij moest werken, zij had een eigen bedrijf, een belangrijke taak. Haar schoonheidsinstituut was bekend in het Gooi, de dames en heren liepen de deur bij haar plat om rimpels weg te laten werken, neuzen te verbouwen, kaaklijnen te veranderen, tanden te bleken of hele gebitten te laten restaureren. Ze was een expert in het verfraaien van gezichten. Instituut Perfect Visage. Hij lachte meesmuilend. Alles voor het uiterlijk. Zo typisch Amerikaans. Het had hem in het begin aangetrokken, maar was hem in de loop van de jaren steeds meer gaan tegenstaan. Maar zelfs dat had hij kunnen accepteren …

'… neem aan dat je het wel goed vindt?' hoorde hij zijn zoon aan de andere kant van de lijn zeggen.

'Eh, sorry jongen, ik was even afgeleid. Waar had je het over?'

Steven zuchtte hoorbaar. De laatste tijd liet hij steeds vaker merken dat hij geen geduld meer had met zijn ouder wordende vader. De subtiele omslag van verering naar ergernis had zich het afgelopen jaar ingezet. Laat, volgens sommigen van zijn ex-collega's die te maken hadden met jong puberende kinderen. Maar de band tussen Steven en hem was dan ook anders geweest.

'Volgend weekend,' sprak hij langzaam in staccato, alsof zijn vader traag van begrip aan het worden was. 'Of ik mee kan met Freddy en zijn vrienden. Naar Ouddorp.'

'Hoe zit het dan met school?' vroeg Chris verward.

Onverwacht moest hij zich weer verplaatsen naar Nederland, naar zijn taken als vader. School was net weer begonnen na de vakantie en Steven zat in het laatste jaar tweetalig vwo.

'Geen probleem. We gaan vrijdagavond weg en zijn zondagavond weer terug. Deze maand hebben we nog geen huiswerk,' antwoordde zijn zoon alsof hij nog steeds te doen had met een vroeg dementerende vader.

Razendsnel dacht Chris na. Had hij het met Heather overlegd? Of had Steven besloten het rechtstreeks aan hem te vragen? De jongen woonde bij zijn moeder, het was dan toch normaal dat hij het aan haar zou vragen. Of gebruikte Heather haar zoon om erachter te komen waar Chris was?

'Wat vindt je moeder?' vroeg Chris kort, ze moest toch iets gezegd hebben over zijn afwezigheid.

'Heb ik niet gevraagd. Trouwens ma is dat weekend ook weg. Zit ik toch alleen thuis.'

Chris haalde diep adem, de vroege ochtendlucht van New York hintte al lichtelijk naar de herfst. Vochtige bladeren gemengd met een lichte rioollucht en de geur van oude gebouwen. Hij wilde niet aan Nederland denken, niet aan zijn mislukte huwelijk. En vooral niet aan een opgroeiende zoon.

'Oké, maar neem je mobiel mee en zorg dat je niet in de problemen komt. Je weet wel wat ik bedoel.'

Hij had zijn zoon al genoeg onderwezen over de gevaren van onveilig vrijen en drank. Gewoon uit voorzorg, want hij had nooit het idee gehad dat Steven uit de bocht zou vliegen.

'Cool, Chris. Spreek je later.'

En weg was Steven. Chris glimlachte. Sinds wanneer was het woord 'cool' weer in?

'Wat sta jij hier in je eentje te grinniken?'

Chris schrok op van een bekende stem achter zich. Eleftheria hield een blad met bekers Starbucks koffie voor hem.

'Koffie?'

'Lekker. Heeft Yazel je eropuit gestuurd?'

Eerst zag hij een verontwaardigde blik over haar gezicht glijden, maar toen glimlachte ze.

'Nee Chrisspark, Yazel heeft zijn smaak in z'n kont zitten. Die broodjes van gisteren waren niet te eten. Ik snap niet dat Yolanda hem blijft aanmoedigen die vieze troep te kopen.'

Ze trok haar neus op.

'Er zit hier een Starbucks om de hoek. Die koffie is lekker, waarom moeten we dan dat vieze bocht in ons appartement drinken. Daar ga ik niet voor naar Amerika.'

Chris lachte nu hardop.

'Is dat een Griekse uitdrukking?'

'Hoezo?'

Verbaasd keek ze hem aan.

'Zijn smaak in z'n kont.'

'Ja, waarschijnlijk. Wij Grieken houden van goed eten.'

Hij zag nu pas dat ze in haar andere hand een papieren zak had. Triomfantelijk zwaaide ze hem voor zijn gezicht heen en weer.

'Kijk, verse croissants met boter en jam.'

'Lekker, dat klinkt goed.'

Zijn maag reageerde hoorbaar op de croissants. Hij had honger. Heupwiegend liep Eleftheria voor hem uit. Ze duwde met haar schouder de zware deur naar de hal open.

'Als je lief voor me bent, mag je er ook eentje,' riep ze plagend over haar schouder. Chris deed een speelse greep naar de zak met broodjes, maar ze weerde hem met haar heup af.

'Pas op voor de koffie!'

Ze keerde zich naar hem om en duwde het blad in zijn richting.

'Hier, dan mag jij die dragen. Ben jij vandaag mijn *bitch*.'

'Ik dacht het niet.'

Hij griste de zak met broodjes uit haar handen en rende snel naar het trappenhuis naast de liften.

'Oh, dat is niet eerlijk. Kom hier.'

Op haar Converse gympen rende ze hem achterna de trap op, maar het blaadje met de koffiebekers verhinderde haar snel te lopen.

Voor ze hem kon inhalen, had Chris de eerste verdieping bereikt. Hij wilde net op de bel van hun appartement drukken toen de deur openzwaaide. Berend in sporttenue keek verbaasd naar het tweetal dat hijgend voor de deur stond. Zelfs in zijn sportkleding zag hij er verzorgd uit.

'Drukke ochtend gehad?' vroeg hij Chris koeltjes.

Hij was klaarblijkelijk de avond bij dominee Williams nog niet vergeten. Voordat Chris een snedig antwoord kon bedenken, liep Eleftheria langs de twee mannen de gang van het appartement in.

'Hier zeurkous, je koffie. Of wil je die na je training?'

Er klonk lichte spot door in haar laatste woorden.

'Nee, geef maar hier. Het eerste stuk loop ik rustig om op te warmen.'

Berend pakte de koffie van haar aan en liep zonder verder iets te zeggen de deur uit. Eleftheria trok een grimas naar de gesloten deur.

'Meneertje precies, je zou niet zeggen dat …'

Opeens hield ze haar mond en haalde haar schouders op.

Chris trok zijn wenkbrauwen veelbetekenend op, maar ze bleef zwijgen. Haar vrolijke gezicht stond opeens ernstig.

'Kom Chrisspark, we gaan kijken wat Yazel vandaag voor ons op het programma heeft staan.'

Ze draaide zich om en liep voor hem uit de keuken in.

'Jezus, Yazel! Van de zesennegentig katholieke kerken in New York, kies jij deze zeven! Kon dat niet anders?'

Yolanda en Yazel zaten over het draaiboek gebogen. Yolanda keek niet op van haar stukken toen Chris en Eleftheria de keuken in kwamen.

'*Caray* Yo, we hebben niet meer budget. Jij kunt prachtige ideeën in je hoofd hebben, maar ik ben verantwoordelijk voor het geld. Behalve de Saint Patrick's kathedraal aan 5th Avenue zijn ze allemaal gratis.'

'Dat is die kathedraal op Rockefeller Square?'

'Ja. Naast 'The Top of the Rock'. Yazel knikte bevestigend.

'Kunnen we hem vanaf het Rockefeller gebouw filmen?'

'Dan ga je niet veel bijzonders zien en de toegangskaarten voor 'The Rock' zijn heel duur.'

Yolanda keek bezorgd.

'Dan houden we het maar klein.'

Yazel lachte.

'Klein is niet echt het woord dat bij deze kathedraal past. Buiten dat het een *magnífico* gebouw is, is het een toeristische attractie van jewelste. Weet je dat ze net zo'n uitgebreide souvenirwinkel hebben als in het Vaticaan?'

Hij meesmuilde.

'De kerk heeft als slogan - *in de stad die nooit slaapt, heeft iedereen een plaats nodig om te bidden* - commercieel of niet?'

Eleftheria ging aan tafel zitten en mengde zich in het gesprek.

'Het kan nog erger. Herinner je je vorig jaar december dat reclamebord op die kerk in Vegas nog - *doe uw kerstschenking nu en vermijd de kerstdrukte* - een giller!'

'Hé, blijf even bij de les!'

Yolanda keek met een schuin oog naar Chris.

'We hebben op gekkere plaatsen opnames gemaakt met Frits, dus dit moet ook wel lukken.'

Steeds weer die naam van Frits. De keren dat Chris opnames gemaakt had in het buitenland was hij niet veel verder gekomen dan Berlijn, Barcelona en Londen. Korte opdrachten waar hij hoogstens een paar dagen mee bezig geweest was. Maar hij was een goede cameraman, dat wist hij zeker. Hij nam zich voor zich niet door de naam van Frits uit het veld te laten slaan. Hij stond op en liep naar zijn spullen.

'Als iedereen klaar is met de koffie wilde ik beginnen, het licht is nu goed. Kan ik vanavond op tijd de stad in met Lefty.'

Yolanda negeerde zijn opmerking. Alleen een klein trekje van haar mondhoek verraadde haar ergernis.

Chris grijnsde breeduit naar Eleftheria. De Griekse deed alsof ze niets doorhad, maar toen Yolanda wegliep wierp ze hem een samenzweerderige blik toe die Chris goed deed.

'Church of the Most Precious Blood' stond er te lezen op de gietijzeren boog ingeklemd tussen twee gebouwen. Na een overdaad aan grote en protserige kerken, stonden ze voor een kerkje dat meer

op een kleine uitdragerij leek. Her en der stonden in de buiten-
lucht beelden van heiligen uitgestald. De naam van de kerk alleen al
was zo vreemd. 'De kerk van het meest waardevolle bloed'. En dat
voor een katholieke kerk die als een nietje de wijk Little Italy en
Chinatown samenvoegde. Chinese en Italiaanse invloeden hadden
dit kerkje tot een rommelig geheel gemaakt. Een kakofonie van
kleuren en beelden.

Yolanda was in gesprek met een kerkmedewerker die hen binnen
had gelaten. De man met het Chinese uiterlijk had zich voorgesteld
met de vreemde naam Rossini Chang.

Met theatrale Italiaanse gebaren toonde hij zijn gasten de wonderen
van de kerk. Het geheel werkte op Chris' lachspieren. Zonder met
Yolanda te overleggen, besloot hij met zijn camcorder een opname
van haar en deze Italiaanse Chinees of Chinese Italiaan te maken.
Voorzichtig liep hij dichterbij en drukte de opnameknop in.

'... de kelk is altijd blij met iedele media-aandacht die wij kunnen klijgen. Hoe meel gelovigen wij in ons halt kunnen sluiten, hoe
betel,' verklaarde hij enthousiast.

Yolanda knikte geduldig. Tot nu toe had iedere kerkmedewerker dit
verklaard, maar nog nooit met een Chinees-Engels-Italiaans accent.
Yolanda werkte de gebruikelijke vragen in snel tempo af. Hoeveel
gelovigen, wat voor soort missen en welke nationaliteiten. Zij deed
het voorwerk, dan kon Berend er meteen achteraan met het echte
interview.

Chris had nu wel door dat in New York voor iedere nationaliteit
een kerk te vinden was. Met allemaal een gemeenschap die zich inzette voor jeugdwerk, ouderen, moeders met baby's, het behoud van
het kerkgebouw, missiewerk. Overal hoorden ze dezelfde verhalen.
Berend wist op het laatst nauwelijks zijn verveling te verhullen.

Chris zoomde in op Yolanda's gezicht. Plotseling kreeg ze in de gaten
wat hij deed en verschrikt keek ze in de lens. De Italnees ging intussen door met de verhandeling in zijn moeilijk te verstane Engels.
Alsof ze zijn gedachten kon lezen, glimlachte Yolanda opeens.

'Wat een interessante naam heeft u? Was uw vader of moeder
Chinees?'

'Vadel Italiaans, moedel Chinees. Chinese achtelnaam is vool-naam.'

'Dus u heet eigenlijk Chang Rossini?'

'Ja, Rossini eigenlijk achtelnaam.'

Hij glimlachte breed.

'En de pastoor, welke nationaliteit heeft hij?'

'Pastool is vadel Chinees, moedel Italiaans, maar heet Peng Pia-ziola, is gegeven naam.'

De pastoor moest geliefd zijn, want de glimlach op het gezicht van de medewerker werd nog breder toen hij over hem sprak. De ver-warring op het gezicht van Yolanda was schitterend. Chris bleef fil-men, terwijl hij met zijn hand gebaarde dat ze door moest gaan met vragen stellen. Met haar blik half op Chris gericht, improviseerde ze verder, de lijst met standaardvragen vergeten in haar hand.

'In welke taal worden de diensten gehouden? Chinees, Italiaans, Engels?'

'Soms in Chinees, soms in Italiaans, mensen niet komen vool Engelse dienst.'

Yolanda onderdrukte nu een glimlach. Het was geen wonder dat de diensten in het Engels niet goed liepen.

Na een dolkomisch gesprek van tien minuten met de Italnees vond Chris dat hij genoeg opnamemateriaal had. Hij maakte een 'stop-pen'-gebaar naar Yolanda. Ze bedankte Rossini Chang hartelijk en liep naar Chris toe.

'Dit zal Berend niet leuk vinden,' zei ze stijfjes. 'Waar is hij trou-wens?'

'Hij is zich aan het voorbereiden in een café in de buurt. Je weet wel; tekst lezen, make-up.'

'Ja, ja. Ik snap al wat je bedoelt.'

'Yolanda, dit was geweldig. Heel natuurlijk, heel spontaan. Dit zijn de opnames zoals ik ze wil maken.'

Stug bleef ze voor zich uit kijken. Chris zuchtte.

'Zet vanavond gewoon de voice-over van Berend achter dit in-terview. Dan heb je zijn tere gevoelens gespaard.'

'Ja, dat zouden we kunnen doen.'

Het klonk niet overtuigd.

'Yolanda, je weet net zo goed als ik dat dit goed was. Je bent filmbeest genoeg om aan te voelen dat we iets authentieks te pakken hadden. Ga nou niet de moeilijke regisseuse uithangen. Berend komt hier heus overheen. Trouwens, we gaan zo naar St. Patrick's Old Cathedral in Mott Street, waar de opnames van *The Godfather* gemaakt zijn. Daar kan hij zich helemaal uitleven.'

Ze bleef twijfelend kijken. Waarom was ze zo gevoelig voor de mening van Berend? Het was niet de eerste keer deze reis dat ze hem duidelijk in bescherming nam.

Ineens was hij het zat, hij had geen zin om iedere keer wanneer de naam Frits of Berend viel op gepaste afstand te blijven. Híj was nu de cameraman, híj wist wat hij wilde filmen en hij was hier goed in. Hij borg zijn camera op en rekte zich uit.

'Ik denk dat ik ook even een kroeg op ga zoeken om me voor te bereiden op de volgende opname. Je weet wel, even in de sfeer komen.'

Wat Berend kon, kon hij ook.

Yolanda wendde haar gezicht af, maar hij zag nog net de gekwetste blik. Dat moest dan maar, hij kon niet op zijn tenen blijven lopen.

'We hebben nu eenmaal ...'

Ze maakte haar zin niet af.

'Een bepaalde manier van werken. Ja, dat heb je me nu al vaak genoeg laten merken. Maar ik ben Frits niet, en dat zal ik ook nooit worden. En tenzij je een kerk vindt waar je hem weer uit de doden kunt opwekken, zul je het met mij moeten doen.'

Zonder op haar reactie te wachten, liep Chris weg.

De rest van de dag was slopend geweest, maar de opnames zaten erop. De ploeg zat voor het laatste en leukste kerkje van die dag op de stoep op de taxi te wachten. Het kerkje stond in West 49th Street, midden in het drukke uitgaansgebied van New York. Saint Malachy's Church was druk, vol en dramatisch, maar dat hoorde bij deze kerk die ook wel de Acteurs Kerk genoemd werd.

Dat was merkbaar geweest, want zelfs tijdens de opnames schoven de aanwezige kerkleden, een gemeenschap bestaande uit bekende dansers, presentatoren, toneel- en filmacteurs, zo onopvallend mogelijk door het beeld. In een van de bezoekers hadden ze de bekende presentator David Letterman herkend.

De temperatuur was mild. Chris strekte zijn benen. Het was een lange dag geweest en zijn spieren waren stijf van het staan. Maar hij was tevreden. De opnames waren goed. Yolanda plofte naast hem neer.

'Dit was een goede dag.'

De irritatie leek vergeten, want ze bood hem een sigaret aan die hij dankbaar aanpakte. Toen ze zich voorover boog om hem een vuurtje te geven, streek haar donkerblonde haar langs zijn arm. Een aangename tinteling ging door hem heen. Diep inhaleerde hij de sigarettenrook.

'Dat is fijn om te horen, baas.'

Even keek ze hem schuin aan.

'Jij mag mij gewoon Yolanda noemen, hoor!' grinnikte ze.

'Hé baas! Hebben we toestemming om vanavond de stad in te gaan?'

Eleftheria maakte handig gebruik van de euforische stemming. Even zag hij Yolanda licht verstijven.

'Wie zijn wij?'

'Chrisspark en ik.'

Uitdagend keek ze naar Chris.

'Iemand moet hem toch inwijden in het nachtleven van New York.'

'En daar ben jij de aangewezen persoon voor?' vroeg Yolanda koeltjes.

'Precies. Berend en Yazel zullen dat zeker niet doen.'

Ze lachte veelbetekenend naar haar twee mannelijke collega's. Toen gleed er opeens een onzekere blik over haar gezicht.

'Tenzij jij plannen in die richting had?'

Chris keek zo onopvallend mogelijk van de ene vrouw naar de andere. Waren die twee in een onderlinge strijd verwikkeld? Eleftheria was duidelijk jonger dan Yolanda, maar dat was ook alles wat hij van hen wist.

'Nee, natuurlijk niet!' antwoordde Yolanda. 'Ik heb trouwens vanavond nog genoeg werk te doen.'

Het pakje sigaretten stopte ze terug in haar grote handtas. Verdwenen was haar vrolijke bui. Zonder op de rest te wachten, begon ze de opnamespullen bij elkaar te zetten. Berend, Yazel en Chris stonden op om haar te helpen. Eleftheria bleef demonstratief op de stoep zitten. Toen het busje uiteindelijk vertrokken was, stond ze op.

'Kom Chrisspark, we gaan naar Times Square, dat moet je gezien hebben.'

Zwijgend liepen ze door de steeds drukker wordende mensenmassa richting het plein.

Na een poosje vroeg Chris voorzichtig aan haar: 'Is moeder boos?'

Maar Eleftheria lachte niet zoals hij verwacht had. Ze hield haar pas in en keek hem ernstig aan.

'Yo heeft het niet makkelijk, Chrisspark. Je moet haar beter leren kennen, ze is geen slechte baas. Ze heeft alleen …'

Een groep toeristen liep tussen hen door en Chris verstond het laatste deel van haar zin niet.

'Sorry, wat zei je?' vroeg hij toen ze weer naast elkaar liepen.

'Ach, laat maar. Er speelt veel wat jij nog niet weet.'

Ze beet peinzend op haar onderlip.

'Eigenlijk weet ik ook niet of ik het mag vertellen.'

'Is het Frits, zit ze daar mee?'

Eleftheria keek bedenkelijk.

'Nee, dat geloof ik niet. Dat zou je haar zelf moeten vragen, mij heeft ze dat nooit verteld.'

Opeens vroeg hij zich af waarom dit zo belangrijk voor hem was. Hij was niet onzeker over eigen zijn werk. Waarom vond hij het dan belangrijk wat Yolanda van Frits vond? Hij zuchtte. Ook hij had zaken die hij liever niet ter sprake bracht, die verborgen moesten blijven. Op dat moment besloot hij niet verder te wroeten in iets wat hem niet aanging.

Ze liepen verder. De neonreclames op de gebouwen werden steeds groter en feller. En de mensenmassa was nu zo groot dat ze haast niet meer naast elkaar op het trottoir konden lopen.

De stadsgeluiden van New York werden overstemd door het gonzende geluid van duizenden mensen die verrukt opkeken naar het immense elektronische billboard op Times Square. In de lucht hing een elektrische lading die energie leek af te geven.

Een vreemd soort opwinding maakte zich van Chris meester. De vermoeidheid in zijn benen was verdwenen en opeens sloeg hij een arm om Eleftheria's middel en tilde haar op.

'Lefty, we zijn in New York! Kom, we gaan een leuk jazzcafé zoeken.'

Zijn uitgelatenheid werkte aanstekelijk. Eleftheria sloeg haar armen om zijn nek en met haar hoofd achterover liet ze zich ronddraaien. Chris lachte hard, met haar zachte rondingen tegen zijn borst aangedrukt, draaide hij haar rond en rond. Alles was nieuw, alles was deze avond mogelijk.

Op het laatst moest Lefty zich duizelig op de grond laten zakken. Vrolijk lachte ze naar hem.

'Ik weet iets veel beters! Maar eerst wil ik wat eten, ik heb honger.' Demonstratief streek ze met haar handen over haar buik. Op dat moment vond Chris haar de meest sexy vrouw die hij sinds lang had ontmoet.

Snel liep ze voor hem uit naar de metro. Ze kocht twee kaartjes en rende naar het poortje. Hij kon haar maar net bijhouden.

'Rennen, dan halen we hem net!'

Hij holde achter haar aan en ze vielen lachend neer op de stoeltjes in de metro.

'Times Square is voor toeristen. Wij gaan naar Greenwich Village!' hijgde ze.

Bij 12th Street stapten ze uit en liepen naar een restaurantje. Tot zijn verbazing zag Chris dat de bestrating hier uit ouderwetse kinderkopjes bestond. Dat had hij niet verwacht in zo'n grote stad. De hele wijk deed dorps aan, met smalle, lage huizen en intieme pleintjes. Het restaurant waar Eleftheria hem mee naar toe troonde, heette 'Café Cluny'. Een uiterst sfeervol eetcafé op de hoek van de straat.

'Hier hebben ze de lekkerste salades van de hele wereld!'

Ze trok hem enthousiast mee naar binnen.

Het café was afgeladen, maar na een paar minuten wachten werd een tweepersoons tafeltje voor hen vrijgemaakt. Nadat de serveerster hun bestellingen had opgenomen, haalde Eleftheria het elastiek uit haar staart. Weelderig viel het haar over haar schouders. Chris moest zich bedwingen om het niet aan te raken.

De Griekse was niet uitgesproken knap, haar lichaam eerder een ouderwets schoonheidsideaal, dan aangepast aan deze tijd waarin slank zonder tekening van vormen de norm was. Eleftheria bezat een heerlijke vrouwelijkheid, een pure elegantie waar Chris zijn ogen niet van af kon houden. De zelfverzekerdheid van al haar bewegingen was hypnotiserend. Alleen om het plezier de mond te zien bewegen waar parelwitte korte tanden achter de rode lippen glommen, verzon hij een vraag.

'Hoe zijn jouw ouders eigenlijk uit Griekenland in Nederland terechtgekomen?'

Een vreselijke clichévraag, maar dat kon hem op dat moment niet schelen.

'Halsstarrigheid en eigenzinnigheid,' antwoordde ze kortaf.

Verbaasd keek hij haar aan, hij had een lang verhaal verwacht over de economische malaise in Griekenland en de traditionele vlucht naar een land waar het hen beter zou gaan.

'Wil je er iets meer over vertellen?' vroeg hij voorzichtig, om haar niet in een verkeerde stemming te brengen.

'Ben je echt geïnteresseerd?'

'Ja.'

Even leek ze te aarzelen. Toen zwiepte ze haar dikke haar naar één kant en begon ze haar verhaal. Haar ouders kwamen van Poros, een vulkanisch eiland in de Egeïsche zee. Een van de meer dan zestienhonderd eilanden die Griekenland telde. Poros-stad was met zijn blauwwitte huisjes in de Griekse bouwstijl tegen de heuvels opgebouwd en vertederde en verraste de toeristen die met de ferry op het eiland aankwamen. Behalve het fotogenieke stadje zelf, was het heiligdom van Poseidon in het noorden een rasechte attractie.

Maar dat was de buitenkant. Het Griekse leven bleef voor diezelfde toeristen op een afstand. Eeuwenlange tradities hadden ervoor gezorgd dat de bewoners van Poros leefden naar het voorbeeld van hun voorouders. Eleftheria's moeder Delia was daar tegenin gegaan en had voor apotheker gestudeerd in de Griekse hoofdstad Athene. Toen ze terugkwam op het eiland en in een plaatselijke apotheek ging werken, werd ze door de bewoners met de nek aangekeken. Het paste een vrouw niet zo'n belangrijk beroep uit te oefenen. Toen ze op haar dertigste vervolgens besloot alleen een kind te krijgen, werd ze door haar werkgever ontslagen.

De vader van Eleftheria, een studiegenoot uit Athene, was teruggegaan naar de hoofdstad, naar zijn vrouw en kinderen. Om voor haar kind te kunnen zorgen, had Delia een baan aangenomen in het beste restaurant van Poros, van de familie Marcropoulo. Met haar opleiding, haar welbespraaktheid en goede manieren, bleek ze een aanwinst voor het restaurant waar de welgestelde families van Poros bijeenkwamen.

Waar ze echter niet op gerekend had, was dat de zoon van de eigenaar, Alcides Macropoulo, tot over zijn oren verliefd werd op de eigenzinnige Delia. Maandenlang maakte hij haar het hof, maar Delia bleef zich verzetten. Het paste niet in haar beeld van een vrijgevochten vrouw die veel had moeten verduren, om zich zomaar aan iemand te binden.

Alcides moest alle zeilen bij zetten om haar te overtuigen van zijn liefde. Zijn vader, die ervanuit was gegaan dat zijn zoon het restaurant op termijn over zou nemen, was zeer verbolgen toen hij achter de passie van zijn zoon kwam. De familie had jaren geleden al besloten dat Alcides zou trouwen met een dochter van een zeer gewaardeerde familie van Poros. Maar hij had geen interesse, hij wilde Delia en niemand anders.

De vader kon maar één ding doen, hij ontsloeg Delia. Toen Alcides dit hoorde, verliet hij uit woede het familiebedrijf en zocht zijn geliefde op in haar kleine huis waar ze samen met baby Eleftheria woonde. Delia, die ook de steun van haar eigen familie had verloren, nam toen het besluit het bekrompen eiland te verlaten en terug te keren naar Athene, de stad waar zij tijdens haar studie gelukkig was geweest.

Alcides raakte in paniek. Wat kon hij in de hoofdstad betekenen? Hij zou daar werk moeten vinden als eenvoudige ober in een restaurant. En dat, terwijl de naam van zijn familie op het kleine eiland ontzag inboezemde. Hij zag maar één oplossing, en dat was emigreren naar een land waar ze allebei de mogelijkheid hadden een eigen bestaan op te bouwen.

Alcides koos Nederland. Van toeristen had hij gehoord dat dit een land was waar veel vrijheid was en waar vrouwen een gelijke behandeling kregen. Het was een moedige stap. Alcides had het vliegtuig naar Nederland genomen. Via een Griekse vriend had hij informatie gekregen over een restaurant in Zutphen dat te koop stond. Rillend van de kou had hij midden in de winter de trein genomen naar het antroposofische bolwerk in het midden van Nederland. Het stadje deed hem ondanks de kou toch gemoedelijk aan, de smalle straatjes, de winkeltjes, het marktplein.

Chris kon niet anders dan de man zijn hardnekkigheid en moed bewonderen. Had hij ooit het leven van Heather zo bekeken? Zij was per slot ook uit haar land vertrokken om ergens anders haar geluk te beproeven. Maar nee, dat was geen vergelijk. Heather had deze stap niet genomen omdat zij heftig verliefd was geweest.

'En toen? Wat gebeurde er met je moeder?'

Hij was benieuwd hoe de jonge Griek uiteindelijk de eigenzinnige Delia had weten over te halen om naar Nederland te komen.

'Oh, natuurlijk stribbelde ze tegen. Maar toen mijn nieuwe vader haar vertelde dat er in Zutphen veel gewerkt werd met alternatieve geneesmiddelen en homeopathie, was Delia toch geïnteresseerd geraakt. Schoorvoetend had ze ingestemd. Nadat ze alle papierwerk geregeld hadden en in stilte in Athene getrouwd waren, zijn ze nu ruim twintig jaar geleden naar Nederland vertrokken, hun families in Griekenland boos achterlatend.'

'Hebben ze ooit nog contact gehad met hun familie?'

'Uiteindelijk is het met de familie van Alcides, die ik gewoon papa noem, goed gekomen. Maar de familie van mijn moeder heeft nooit meer wat laten horen. Wat ik van mijn moeder weet, is dat die eigenzinnigheid als een rode draad door haar familie loopt. Een van haar tantes is ooit van het eiland weggelopen om in de eerste jaren na de oorlog, op Cyprus, een duikschool te beginnen.'

Chris glimlachte, het verhaal verklaarde veel over het vrijgevochten karakter van Eleftheria. Ze hief haar glas naar hem op.

'En wat is jouw verhaal, Chrisspark? Waarom ben jij hier?'

Chris had de directe vraag niet verwacht. Zijn gedachten waren nog bij de jonge Eleftheria, het kind van een ander dat uiteindelijk gelukkig terechtkomt bij een liefhebbende vader. Zou hij ook van Steven kunnen blijven houden? Zeventien jaar lang had hij zich vader geweten van de jongen met de bruine krullen. Die liefde ging toch niet plotseling over?

Lefty staarde hem afwachtend aan. Nu pas zag hij dat er in haar donkere pupillen goudkleurige vlekjes dansten.

'Om camerawerk te verrichten. Dat zal je nu toch wel duidelijk zijn?'

Hij had zin een lok van haar haren aan te raken.

'Ja, duh …'

Opeens pakte ze zijn hand.

'Vind je mij te jong?'

'Te jong voor wat?'

'Wil je me niet vertellen wat je hier echt doet?'

'Natuurlijk wel. Voor het camerawerk. Dat zeg ik je toch!'

'Nee, niemand gaat zomaar voor Twilight werken. Iedereen weet dat het bedrijf er niet goed voor staat. Waarom neemt een bekende cameraman zomaar de baan van Frits over? Dat vragen wij ons alle vier af.'

'Alle vier?'

De ploeg wist dus wel dat het bedrijf kwakkelde. Yolanda had net gedaan of ze alleen hem in vertrouwen nam. Dat de anderen niet wisten dat het bedrijf slecht liep. Vreemd. En nu bleek dat ook zij zich afvroeg waarom hij bij Twilight was komen werken.

'Ja. Yolanda dacht eerlijk gezegd …'

Ze liet de zin hangen in de stilte en beet weer op haar lip.

'Wat dacht Yolanda?'

'Ze dacht dat jij door de concurrentie gestuurd bent!'

'De concurrentie?'

Eleftheria legde haar hand op die van Chris en keek hem diep in de ogen.

'Ja Chrisspark, de concurrentie. Yolanda's ex-echtgenoot. Zij vermoedt dat ze met een overname van Twilight bezig zijn.'

Chris' ogen werden groot als schoteltjes. Een overname? Dit waren zaken waar hij zich nooit in had hoeven verdiepen. Daarom was Yolanda dus zo op haar hoede.

Hij liet de informatie bezinken. Zolang hij niet wist wat er allemaal speelde, kon hij maar beter ontkennen noch bevestigen. Handig stuurde hij het gesprek een andere richting op.

'En waar ligt jouw loyaliteit, Lefty? Bij Stattler en Waldorf of bij degene die straks jouw salaris gaat betalen?'

Eleftheria trok haar hand terug. Nerveus plukte ze nu aan een streng haar die voor haar gezicht was gevallen.

'Dat is een gemene vraag, Chrisspark. Ik wil het liefste blijven doen wat we doen. Daar hebben we bij Twilight alle vrijheid voor gekregen. Als Yo's oude partner de zaak overneemt, word ik misschien wel een geluid- en montagevrouw die de hele dag in een afgesloten kamertje filmpjes mag monteren die gemaakt zijn waar ik niet bij was. En dat wil ik niet. Ik moet het product tot stand zien komen.'

Haar stem sloeg over en hij wist dat ook hij een tere snaar bij haar geraakt had.

'En je wilt graag weg van huis.'

'Ja, ook dat,' antwoordde ze zachtjes.

Dat had Yolanda dus niet verzonnen. Plotseling kreeg hij medelijden met haar. Zelf had hij ook afscheid genomen van een baan met precies dezelfde invulling als waar Eleftheria bang voor was.

'Ach kom, Lefty, dat gaat nooit gebeuren. Je bent een harde werker, dat kan niemand ontgaan.'

'Denk je?'

'Natuurlijk. Ik heb met veel mensen gewerkt, dus ik kan het weten.'

De achterdocht jegens zijn persoon was nog niet helemaal weg, maar hij zag dat ze bij de laatste opmerking haar rug rechtte. Haar zelfvertrouwen was terug en hij had haar vraag handig weten te omzeilen.

'Wie is die ex-echtgenoot van Yolanda?'

Vreemd dat hem dit was ontgaan. Hoewel hij niet echt geïnteresseerd was in roddel en achterklap, moest hij het toch geweten hebben. Zo groot was de filmwereld niet in Nederland.

'Richard Edelman.'

Chris floot tussen zijn tanden.

'Was ze met hem getrouwd?'

Richard Edelman was hem niet onbekend. Een jonge, slimme entrepreneur die grote risico's had genomen. Hij had de moed gehad, in een land waar de film- en theaterindustrie gedomineerd werd door John de Mol en Joop van den Ende, Paul Verhoeven, Alfred Maassen en Joram Lürssen, een eigen productiebedrijf te starten. Edelman had door de jaren heen vele hoogte- en dieptepunten gekend, maar hij had volgehouden en met succes overleefd.

De laatste tijd deden geruchten de ronde dat de veertigjarige ondernemer met zijn bedrijf een beursgang wilde maken. Maar daar had hij natuurlijk massa voor nodig. Mensen en producten. Twilight Thoughts zou daar prima in passen.

'Ja, wel tien jaar volgens mij.'

De serveerster bracht twee enorme borden met knapperige salades. Eleftheria had gekozen voor de salade Niçoise en Chris had een Caesar salad met gegrilde kip.

'Hoelang zijn ze uit elkaar?'

'Dat weet ik niet precies.'

Eleftheria keek bedachtzaam op.

'Ik denk een paar maanden voordat ze bij Twilight kwam werken, en dat is nu iets meer dan een jaar geleden. Ik weet nog goed dat ze aan ons voorgesteld werd door de oudjes - dit is jullie nieuwe regisseuse Yolanda Rosenthal, zij gaat voortaan jullie producties leiden.'

Eleftheria glimlachte bij de herinnering.

'We waren niet al te makkelijk voor haar! Stattler, ik bedoel Ernst

Berensteijn deed het regiewerk altijd zelf. We waren aan hem gewend. Maar hij kon op het laatst niet meer met ons op reis. Zijn gezondheid liet het afweten.'

Chris kon het nog steeds moeilijk geloven. Edelman was een vlotte causeur, een goedlachse man met een boeventronie. Het was moeilijk om zich Yolanda samen met deze man voor te stellen. Zij was serieus, had diepgang, maar ze had ook iets anders in zich, iets wat niet klopte. Soms leek het alsof ze anders was dan ze zich voordeed.

'Hoe lang werk jij al voor het bureau?'

'Ik ben op mijn tweeëntwintigste begonnen, zo van de filmacademie af. Mijn ouders wilden dat ik in het restaurant kwam werken. Mijn moeder was vreemd genoeg bang dat ik de familievloek van de vrouwen in haar familie had geërfd. Zie je het voor je, Restaurant Delphi met van die witte Dorische zuiltjes op het raam, rood-wit geblokte tafelkleedjes, en ik in een lange schort de hele dag souvlaki en tzatziki serveren?'

Chris trok een grimas. Het was inderdaad moeilijk zich deze libertijns Griekse in een onderdanige rol voor te stellen.

'Maar dat is al zes jaar geleden, hoewel mijn ouders nog steeds niet de moed opgegeven hebben dat ik op een dag het licht zal zien en de zaak ga overnemen.' Ze zuchtte. 'De gedachte alleen al!'

Ze wenkte de serveerster voor de rekening. Gebrand op haar fooi stond het meisje binnen luttele seconden aan hun tafel. Eleftheria graaide in haar tas naar haar portemonnee. Chris maakte aanstalten om de rekening te betalen, maar ze hield afwerend haar hand op.

'Laat mij dit betalen, dan mag jij de drank bij 'Smalls' betalen.'

Chris trok vragend zijn wenkbrauwen op.

'Jij wilde toch jazz? Dan gaan we naar 'Smalls Jazzclub' hier vlakbij in 10th Street.'

Ze legde het geld voor de rekening neer en haastte zich naar buiten.

'Kom Chrisspark, vannacht ben je van mij!'

Ze haakte haar arm in de zijne. Haar zachte borst duwde tegen zijn bovenarm, hij rook haar vrouwelijke geur. De olijfkleurige, warme huid gaf een gouden gloed aan haar gezicht. Opeens was Nederland, Twilight, zijn huwelijk en alles wat daarbij hoorde ver weg.

Het was drie uur 's nachts toen Chris de kamer van Eleftheria verliet. Wankelend liep hij, met zijn gymschoenen in z'n hand, door de lange gang naar zijn eigen kamer. Het hele appartement draaide voor zijn ogen. De vermoeidheid had ervoor gezorgd dat hij niet meer zo goed tegen de drank kon.

Hij kon zich niet eens meer herinneren hoe ze thuisgekomen waren. En tot zijn schaamte was hij op bed bij Lefty in slaap gevallen. Ze was er niet veel beter aan toe dan hij. Met haar schoenen nog aan, was ze tegen hem aan in slaap gevallen.

Voorzichtig schuifelde hij naar de keuken, op zoek naar een glas water. De vloer van het oude appartement kraakte. Hij hield zijn adem in en luisterde of hij de rest wakker had gemaakt. Opeens hoorde hij het geluid van stemmen. Hij stond doodstil in het donkere appartement. Iemand had de radio aan gelaten.

Voorzichtig liep hij verder. Het geluid werd duidelijker, het waren Nederlandse stemmen, maar hij kon niet verstaan wat er gezegd werd.

Het duurde even voordat hij zich realiseerde dat het geen radio was. Het geluid kwam uit de kamer van Yolanda. Opeens was het stil en hoorde hij alleen maar een zacht gesnuif. Het klonk alsof ze huilde. Zou hij bij haar aan kloppen? Misschien had ze hulp nodig.

Aarzelend bleef hij bij haar kamerdeur staan.

'Dat kun je niet van me vragen … Ik denk er niet aan. Dit …!' Een luide kreet werd gevolgd door het geluid van iets dat door de kamer vloog. De blikkerige stem lachte. De harde klik die volgde, leek op het dichtklappen van een laptop. Hij dacht terug aan het verhaal van Eleftheria over Yolanda's ex. Dit moest die Edelman zijn. Plotseling hoorde hij een plof, daarna een zacht sloffend geluid. De stappen naderden de slaapkamerdeur.

Zou hij vragen of hij haar kon helpen? Hij twijfelde. Misschien was het toch niet zo'n goed idee om in zijn huidige staat met haar te praten. Het glas water moest maar tot later wachten. Vlug legde hij de laatste meters naar zijn kamer af en sloot de deur voorzichtig achter zich.

Nieuwe ontdekkingen

Tot zijn verbazing was de keuken de volgende morgen leeg. Chris liep terug naar de woonkamer, maar ook daar heerste diepe stilte. Hij keek op zijn horloge. Negen uur. De tijd waarop normaal gesproken de hele ploeg paraat was.

In een van de slaapkamers hoorde hij een zacht geschuifel. Het was de slaapkamer van Berend.

Chris klopte op de deur. Het geschuifel hield aan, maar niemand antwoordde. Nog een keer klopte hij, zachtjes, om de anderen niet wakker te maken. Toen er weer geen reactie kwam, duwde hij voorzichtig de deur een stukje open. In de kamer keek Berend verschrikt naar hem op. In zijn handen had hij iets dat op dameslingerie leek. Berend had gezelschap! Chris zag dat de deur van de badkamer op een kier stond. Plotseling kreeg hij het warm. Wat als de vrouw in de badkamer Yolanda was?

Misschien was ze gisterenavond na het Skype-gesprek met haar ex naar de kamer van Berend gegaan om met hem over Richard Edelman te praten. Chris kon het zich haast niet voorstellen. De afstandelijke verslaggever, die meer leek te geven om zijn kapsel dan om zijn collega's, en de regisseuse? De gedachte aan een relatie tussen de twee was op de een of andere manier moeilijk te verdragen. Ze had toch ook bij hem aan kunnen kloppen?

Opeens realiseerde hij zich dat ze dat misschien wel gedaan had, toen hij nog bij Lefty was. Wat als Yolanda er achter was gekomen dat hij op de kamer van Eleftheria was? De gedachte was intrigerend. Wat zou ze gedaan hebben? Haar schouders opgehaald? Of was ze teleurgesteld geweest? In ieder geval was ze dus uiteindelijk naar de kamer van Berend gegaan.

Om hen beiden niet in verlegenheid te brengen, trok Chris de deur weer naar zich toe. Door de smalle kier zei hij: 'Sorry Berend, ik wilde je niet storen. Maar jij leek de enige die wakker was. Waar is iedereen? Het is al negen uur geweest.'

'Het is zondag, man. De enige dag dat we niet van Twilight zijn.' De stem klonk geërgerd. Chris kon het hem niet kwalijk nemen. Het was dom van hem, dit had hij kunnen weten.

'Ach, vergeten. Sorry hoor.'

Zachtjes trok hij de deur dicht. In de woonkamer haalde hij tussen alle opnameapparatuur de aluminium koffer tevoorschijn die hij tot dan toe ongemoeid had gelaten. Hij haalde er een lichte camcorder uit.

Het weer was ideaal voor buitenopnames. Eindelijk was hij vrij om New York op zijn manier te ontdekken. Ondanks zijn kater voelde hij een nieuwe energie. Fluitend zocht hij zijn materiaal bij elkaar.

Hij trok een licht jack aan met genoeg zakken om zijn spullen in kwijt te kunnen. Na alles in zijn zakken gepropt te hebben, liep hij met de camcorder in zijn hand naar de deur. Opeens zag hij tussen alle rommel een rugzak liggen. Alle ploegleden hadden er een met het Twilight Thoughts-logo erop gekregen. Alleen Chris hadden ze in de haast overgeslagen.

De rugzak op de vloer was van Yazel, hij had met een markeerstift zijn naam onder het logo geschreven. Zou hij de rugzak vandaag nodig hebben? Chris nam aan van niet. Het zou ideaal zijn om zijn camcorder in op te bergen. Dan kon hij minder opvallend door Manhattan wandelen en hoefde hij de camera alleen tevoorschijn te halen wanneer hij hem nodig had. Zonder er verder over na te denken, haalde hij de eigendommen van Yazel uit de tas. De papieren legde hij in een keurig stapeltje op tafel. Hij wilde al weggaan toen hij zich bedacht. Hij vond een stukje papier en schreef *Heb je rugzak geleend, Chris'*.

Met de camcorder veilig opgeborgen, liep hij de trap af. Buiten wachtte een stad die nooit sliep en waar altijd iets te filmen viel.

De gigantische klok midden in Central Station gaf twee uur in de middag aan toen Chris vermoeid aan een tafeltje in het souterrain van het gigantische gebouw ging zitten. Overdonderd was hij door het schitterende, natuurlijke licht dat door de hoge gewelfde ramen naar binnen viel. Aanvankelijk was hij teleurgesteld geweest. Het grijze stationsgebouw zat ingeklemd tussen hoge wolkenkrabbers die het nietig hadden doen lijken. Alleen de grote stenen adelaar op het betonnen balkon naast het bordje 'Vanderbilt Avenue' verried de grandeur van een van de architectonische hoogstandjes van New York.

Groot was zijn verrassing toen hij het station dat aan de buitenkant zo oninteressant had geleken, binnenliep. Op het metershoge plafond waren sterrenbeelden geschilderd, die beschenen werden door een zacht kunstlicht.

Als liefhebber herkende Chris onmiddellijk het decor van een aantal klassieke films. *North by Northwest* van Alfred Hitchcock, *The Cotton Club* van Francis Ford Coppola en de film *Midnight Run* waarin Robert de Niro als niets- en niemand ontziende premiejager furore gemaakt had, waren hier opgenomen.

De zich eindeloos uitstrekkende vloer van goudgeel marmer, de prachtige detaillering van de ramen en muren ... Het was geen wonder dat Jacky Kennedy haar invloed jaren had aangewend om de gemeente New York zo ver te krijgen het gebouw niet te slopen. Dankzij haar was het station weer in oude glorie hersteld.

Chris was helemaal tot in de verre krochten gelopen, daar waar de treinen naar hun verre bestemmingen vertrokken. De eeuwenoude geur van stof, kolen en dieselolie kleefde aan de imposante gietijzeren balken van de ondergrondse perrons. De warme lucht leek je mee te zuigen naar vreemde oorden.

Met gesloten ogen had hij op een van de verlaten perrons gestaan, terwijl hij zijn fantasie de vrije loop liet. Tot hij door een bewaker verzocht werd de ruimte te verlaten. Een vreemde man met een rugzak; de schrik voor terroristen zat nog steeds diep verankerd in de bewoners van Manhattan. Hij was teruggelopen naar het drukke gedeelte, de hal waar onder de gewelven de cafetaria's gevestigd waren.

Op een houten bank met daarboven de originele bagagerekken uit oude treinstellen zette hij zijn rugzak neer. Hij viste de camcorder uit de tas en bekeek de opnames die hij had gemaakt. Als een echte toerist had hij de verleiding niet kunnen weerstaan 'Strawberry Fields' in Central Park te filmen. Het straatmonument in de vorm van een grote cirkel was opgericht door de weduwe van John Lennon, tegenover het gebouw waar de populaire zanger van de Beatles was doodgeschoten door een gek die op bekendheid uit was. Maar hij had ook straatopnames van Amsterdam Avenue en Columbus Avenue gemaakt.

Alles verbaasde hem in de enorme stad die bewoond leek door vertegenwoordigers van iedere natie op deze wereldbol. Zwervers, dikke politieagenten, zwarte portiers wier enige taak leek zittend op een stoel een gebouw te bewaken. Mensen die gekleed gingen om zoveel mogelijk op te vallen, en mensen die zich juist onopgemerkt door het straatbeeld bewogen.

De stad was op zondag bevolkt door straatartiesten. Een zwarte streetdance groep had indruk op hem gemaakt door hun energie en de opmerking die de leider aan het einde van hun optreden gemaakt had: '*The more money you give us, the more we have!*' Alleen al om deze ironie van de straat moest je wel van New York houden.

Hij was van de oostzijde dwars door Central Park naar de westkant gelopen. Aan weerszijden kon hij de statige appartementenblokken zien waar de rijke eigenaars miljoenen dollars voor betaalden. Het groen was in de septembermaand langzaam bezig haar kleur te verliezen. Ondanks dat bleef het park in trek bij jonge bruidspaartjes. Onderweg was hij minstens vijf Japanse stelletjes tegengekomen die geflankeerd door hun familie, trouwfoto's aan het maken waren.

Bij de oude Bandstand, het podium waar in de zomermaanden optredens van wereldberoemde artiesten als Andrea Bocelli plaatsvonden, was Chris op een muurtje gaan zitten en had het park in zich opgezogen. De vochtige lucht vermengd met de geur van het gras, de bomen en de glanzende vijvers. Van de drukke stad was niets te merken. Alleen het geruis van de bomen en gesprekken van wandelaars bereikten zijn oren.

Hij was doorgelopen tot de Wollman Rink, een geasfalteerd stukje grond in de vorm van een ovaal, waar iedere zondag rolschaatsers hun kunsten lieten zien.

Eindeloos gefascineerd had Chris hier gefilmd. Een zwarte man in een kleurige lange broek die hij bij zijn enkels met elastiek bijeen had gebonden, was hem vooral opgevallen. Zijn bovenlijf was ondanks de frisse morgen ontbloot. Groot en imposant als een Turkse harembewaker zonder zwaard had hij de baan gedomineerd.

Een vrouw had in stille bewondering naar de man staan kijken. Toen Chris weg wilde lopen, had zij hem met een gedempte stem waar het stille verlangen naar deze zwarte man in doorklonk, toevertrouwd dat hij hier al jarenlang elke zondagmorgen zijn kunsten vertoonde.

Chris haalde het plastic dekseltje van de beker koffie. Het broodje dat een ongeïnteresseerde cafetariamedewerker hem had aangereikt, zag er goed uit. Hongerig nam hij een hap. Het was het eerste wat hij die dag at. De genereuze hoeveelheid saus droop uit het broodje en viel op zijn shirt. Onhandig probeerde hij de vlek te verwijderen met de flinterdunne servetjes die op tafel lagen.

Een man in islamitische kleding, een lange *kurta* met daaronder een lange broek, keek hem glimlachend aan. Hij had zich tegen de frisse najaarsdag gewapend met een warme anorak. Hoewel zijn hoofd bedekt was met een wit hoofddeksel, had hij geen baard.

'Moeilijk eten, die broodjes,' zei de man. Zijn Engels had een Arabisch accent.

Chris knikte slechts en pakte meer servetten uit de doos, maar de witte flinters van het dunne het papier maakten de vlek alleen maar erger.

'Hier, probeer wat water.'

Medelevend gaf de Arabier Chris zijn flesje water. Uit de zak van zijn anorak haalde hij een zakdoek, die Chris na enige aarzeling aannam. Het water en de zakdoek werkten inderdaad beter dan de dunne servetjes. Maar nu zat de zakdoek onder de smurrie. Kon hij die zo teruggeven?

Alsof de man zijn gedachten kon lezen, antwoordde hij: 'De zak-doek was al oud. Laten wij die hier achterlaten.'

De vreemde woordkeuze, meer nog dan het vriendelijke gebaar, bracht een glimlach op Chris' gezicht. Hij stak zijn hand uit.

'Chris Spark, cameraman.'

Waarom hij zijn beroep toevoegde, was hem een raadsel, maar het had een verrassend effect op de islamiet.

'Hussein Jaaved, geheim agent.'

Verbouwereerd keek Chris hem aan.

'Werkelijk? Voor welke organisatie, als ik dat mag vragen? U ziet er niet echt gevaarlijk uit.'

'Ha, nu heb ik uw volledige aandacht. Maar u bevestigt wat de meeste mensen denken. Dat wij islamieten niet veel goeds in de zin hebben.'

Hij wees naar de camcorder die half uit de rugzak stak.

'Ik had al gedacht dat u een cameraman was. Dit is niet een gewoon toestel, niet?' Hussein had de gewoonte zijn woorden als vragen te laten klinken, doordat zijn stem aan het einde van de zin langzaam in toon omhoog ging.

'Ja, dat klopt, dit is de XF300. Een professionele videocamera met een kleine sensor en vaste L-Lens. Het videomateriaal wordt opgeslagen als MXF bestanden. Deze camera werkt met een *color sampling* van 4:2:2 en dat geeft je vier keer zoveel kleurinformatie in je opnames en dat kun je heel goed zien ...'

Chris wilde enthousiast doorratelen, maar Hussein hield een hand omhoog.

'Ho, ho, zoveel weten wij nu ook weer niet. Ik vond alleen dat hij er indrukwekkend uitziet.'

'Ja, voor zo'n kleine camera kan hij veel. Maar ... eh ... Hussein, wie bedoel je met ons?'

Kon hij deze man gewoon vragen voor wat of wie hij geheim agent was? Of was het een grapje geweest? In Nederland kon je dat doen, maar Amerikanen waren over het algemeen wat serieuzer.

'Ben je werkelijk van de inlichtingendienst?'

De Arabier moest nu hard lachen, zijn hoofddeksel schudde op zijn hoofd. De kleine pientere ogen straalden pret uit. De lach was zo aanstekelijk dat Chris meelachte.

'Ja, de Amerikaanse Inlichtingendienst.'

Dat betekende de CIA. Opeens voelde Chris een verhaal aankomen dat hij misschien wel kon gebruiken voor de documentaire. Zijn hand ging naar zijn camera en nog voor hij goed en wel een plan gevormd had, hoorde hij zichzelf de vraag stellen: 'Mag ik je filmen?' Hij legde Hussein zo goed mogelijk uit wat de bedoeling van de documentaire was. Hij hoopte met zijn onbeschaamde vraag de vriendelijke man niet beledigd te hebben. Hussein keek hem onderzoekend aan.

'Nederland zegt u. Zijn uw mensen werkelijk geïnteresseerd?'

Met deze simpele wedervraag sloeg de man de spijker op de kop. Chris kon niet anders dan hem zijn beste antwoord te geven.

'Dat hopen we ... wij willen juist de aandacht vestigen op alles wat anders is dan het lijkt, en u lijkt mij anders ...'

'Ja,' grinnikte de man, 'ik ben niet gewoon, niet waar ik vandaan kom en niet wat ik doe. Alles is anders aan mij.'

De zin die aan het einde omhoog liep, wekte de indruk dat hij er zelf ook verbaasd over was.

'Maar het is goed, goed dat mensen weten. Geheim agenten zijn alleen nog maar in films te zien. Ik ben een echte.'

Hij lachte weer die aanstekelijke lach.

Chris keek om zich heen naar een rustige plek met mooi licht en verzocht Hussein daar plaats te nemen. Het was een eenmalige kans en het laatste wat hij wilde was de opname verprutsen. Hussein begreep hem zonder dat hij het hoefde uit te leggen. Chris installeerde zijn camera, zoemde in en vroeg hem gewoon wat over zichzelf te vertellen.

Het eenvoudige Engels van de Arabier gaf precies de eerlijkheid aan het verhaal waar Chris op gehoopt had. Hij vertelde over het magische eiland Socotra bij Jemen waar hij opgegroeid was. Hussein was geboren en getogen in de hoofdstad Hadiboh. Zijn ouders waren arme islamieten, zijn vader had slechts geld voor één vrouw. Hussein kon goed leren, maar zijn gretigheid zich verder te ontwikkelen, viel niet in goede aarde. Zijn vader wilde dat hij net als de rest van zijn familie schapen ging hoeden. Maar Hussein wilde meer.

Op een dag las hij in een buitenlands tijdschrift dat de westerse cosmetica-industrie veel heil zag in een werkzaam bestanddeel van de aloë vera-plant. Het deed wonderen voor de huid, iets wat de Socotranen al eeuwen wisten. De plant kwam in overvloed voor op het eiland en moeders gebruikten hem al generaties lang voor het helen van de meest uiteenlopende kwaaltjes.

Een plan had zich in het hoofd van Hussein gevormd en eindeloos had hij geprobeerd zijn familie ervan te overtuigen geld in het kweken van de aloë vera te steken. Maar ze wilden er niets van weten. Uiteindelijk was hij ten einde raad naar een hotel gegaan waar vaak buitenlanders kwamen.

Na dagen in de lobby rondgehangen te hebben, viel hem een donkere man op in een maatpak met gouden ringen aan zijn vingers en een enorm gouden horloge om zijn pols. Steevast zat de neger iedere donderdagmorgen aan hetzelfde tafeltje, waar hij mensen te woord stond. Hij leek Hussein een wijs man, want zijn bezoekers behandelden hem met veel respect. Van omstanders had hij begrepen dat de man Abi Kpaka heette en Somaliër was. Omdat Abi 'de wijze' betekende, had dit zijn idee versterkt dat het hier om een belangrijke raadgever ging.

Uiteindelijk had Hussein al zijn moed bijeengeraapt, de man aangesproken en hem verteld van zijn wensen om een handel in aloë vera-grondstoffen op te zetten.

Eerst had de grote man hem wantrouwend aangekeken, maar na een gloedvol pleidooi verdween de grote geringde hand van Abi Kpaka in diens binnenzak, waarna hij een onwaarschijnlijk grote hoeveelheid geld met een klap op tafel legde.

Abi gaf hem een jaar om het geld terug te verdienen, waarbij hij iedere maand een hoge rente moest betalen. Hussein had een snelle rekensom gemaakt. Hij had het totale bedrag niet in één keer nodig, dus de eerste aflossingen kon hij doen van het geleende geld dat overbleef. Islamitische banken zouden hem nooit zoveel geld geleend hebben en rente vragen mocht niet, dus Hussein had geen andere keuze. Ergens bevreemde het hem wel dat hij geen contract hoefde te ondertekenen, maar hij nam aan dat dit was omdat rente betalen over een lening officieel niet was toegestaan.

Al snel had Hussein een Duitser met een cosmeticafirma gevonden die zijn producten af wilde nemen. Hij huurde een kantoortje in de haven, van waaruit hij de handel met Duitsland dreef. Langzaam begon zijn bedrijfje te groeien en kon hij van de winst iedere maand Abi Kpaka zijn rente betalen. Tot hij op een onfortuinlijke dag in zijn kantoor opgewacht werd door de lokale politie.

Nog nooit eerder was Hussein in aanraking gekomen met de dienaren van de wet, hij was een eerzaam burger en de schande die dit over zijn familie zou brengen was groot. Steeds maar weer had hij geroepen: 'Wat heb ik gedaan? Allah wees mij genadig. Wat heb ik fout gedaan?' Hij werd meegenomen naar een kamer in een onopvallend gebouw, en daar had een Amerikaanse man met een aktetas op hem gewacht.

'En dat,' lachte Hussein, 'is waar mijn werk voor de geheime dienst is begonnen.'

De man met de aktetas was van de CIA. Hij had hem verteld dat Abi Kpaka een slechte man was die vissers ronselde om schepen in de golf van Aden te overvallen. De CIA-agent vertelde Hussein dat ze inlichtingen over hem ingewonnen hadden. Dat hij slim was en vast zou begrijpen wat ze hem gingen voorstellen. Amerika had heel veel interesse in zijn mooie eiland, het zou een goede basis voor de Amerikaanse marine zijn, maar dan moesten ze eerst die piraten zien kwijt te raken.

De vissers brachten hun opbrengsten vaak verpakt in een maaltje vis naar de Somaliër, maar de CIA moest harde bewijzen hebben om de bende op te kunnen rollen. Het enige wat Hussein hoefde te doen, was een microfoontje in het pak van de neger te stoppen zodat de geheime dienst diens gesprekken kon opnemen.

'Allah is mijn getuige, ik was op dat moment zo bang dat ik weg wilde rennen.'

Zijn stem ging deze keer aan het einde van de zin zo omhoog dat hij bijna leek te zingen.

Natuurlijk had hij tegengesputterd, tot de geheime dienst hem gevraagd had wat hij van hen terug verwachtte. Toen was hij na gaan denken. Hij zou geld kunnen vragen voor zijn hele familie. Weer moest hij lachen.

'Ik had zoveel geld kunnen vragen dat ik wel vier vrouwen had kunnen nemen.'

Maar dat had hij niet gedaan, hij had om een opleiding op het vaste land gevraagd.

'Misschien vind jij Hussein raar. Maar ik dacht met een goede opleiding betere hersenen te krijgen en nog rijker te worden. Dan zou ik meer vrouwen kunnen trouwen.'

Chris glimlachte bemoedigend, maar gaf geen commentaar.

Of Allah het zo gewild had waren een dag nadat hij het microfoontje onopgemerkt in de jaszak van Abi Kpaka had laten glijden, twee vliegtuigen opzettelijk in de Twin Towers in New York gevlogen.

'Wat gebeurde er na die aanslag?'

Chris kon zijn nieuwsgierigheid niet bedwingen.

Hussein vertelde dat de Amerikanen toen boos waren op alle islamieten in de hele wereld. Maar de man met de aktetas wist dat Hussein een goede islamiet was, die nooit geweld zou gebruiken. Het was een slimme man, die Hussein voorstelde naar New York te gaan en daar opgeleid te worden als geheim agent. Zij garandeerden hem daarna een baan bij de Amerikaanse overheid.

'Ze wilden jou van geloof laten veranderen en daarna moest je bij de moslims infiltreren?' vroeg Chris voorzichtig.

Hussein schudde zijn hoofd.

'Educatie is sterker dan geloof. Begrijpen is beter dan vechten. Het was mijn taak om als moslim de verstoorde balans in de gemeente New York te herstellen.'

Het Engels van Hussein leek opeens beter geworden nu hij over zijn huidige taak sprak. Chris keek hem wantrouwend aan, werd hij door de goedlachse Arabier in de maling genomen?

'Jij gelooft me niet?'

Alweer leek het alsof Hussein zijn gedachten kon lezen. De camera liep nog steeds, Chris dacht snel na over zijn volgende vraag.

'Waarom zou de Amerikaanse overheid dit willen doen? Ik zie geen economisch belang.'

'Toch wel. In New York wonen veel welgestelde islamieten. Goede zakenmensen. Zij hebben een economisch belang in Amerika, maar willen ook het recht op hun eigen religie.'

'En daar hadden ze jou voor nodig?'

Zijn vraag klonk sarcastischer dan hij wilde. Ondanks zijn wantrouwen vond hij de Jemeniet sympathiek.

'Nee, niet mij.'

Hussein glimlachte breed.

'Daar zijn anderen beter in. Nee, het ging om het Cordoba Initiatief. Imam Rauf vecht al jaren voor het vreedzaam samenleven van christenen, joden en moslims in New York. Maar er zijn altijd mensen die dit initiatief willen ... eh ... willen kapotmaken.'

'De bewoners van New York?'

'Nee, Amerikanen die in kleine gehuchten in achtergebleven staten wonen, die niet begrijpen dat er ook andere geloven zijn. Net als op mijn eiland, mensen die dom zijn.'

'Of die dom gehouden worden door hun kerkvaders,' voegde Chris spontaan toe.

'Of door politici die dit goed uitkomt. Dat herken je vast wel.'

Nu was Chris echt verbaasd. Hoe wist deze goedlachse Arabier die soms niet eens goed uit zijn woorden kwam, van de machinaties van de wereldmachten?

'Wat is jouw taak, Hussein? Of mag je daar niets over zeggen?'

'Mijn taak is zeer uitgebreid, Chris Spark.'

Voor het eerst tijdens het interview leek Hussein niet dieper op de vraag in te willen gaan. Had Chris met zijn camera de aandacht van de Arabier getrokken? De waarheid begon langzaam tot hem door te dringen. De veiligheid in New York werd misschien onopgemerkt bewerkstelligd door een leger aan mensen die dag en nacht de bevolking registreerde en in de gaten hield. Burgemeester Michael Bloomberg had zijn handen vol aan deze sprookjesstad, een stad waar letterlijk al je dromen uit konden komen. Maar niet alleen de mooie dromen, er was ook plaats voor nachtmerries.

Net wilde Chris de volgende vraag stellen, toen zijn telefoon rinkelde. Snel stopte hij de opname en graaide in de zakken van zijn jas naar zijn telefoon. De display gaf het mobiele nummer van Heather weer. Hij wilde het gesprek wegdrukken, maar bedacht zich. Er kon iets met Steven zijn.

'Chris,' blafte hij.

De magie van New York, Central Station en het verhaal van Hussein Jaaved was plotseling verdwenen.

'Waar ben je? Je opdrachtgever vertelde me dat je ontslag hebt genomen. Wat ben je allemaal aan het doen?'

'New York, ik zit midden in een opname, dus hou het kort.'

Het was twee weken geleden dat hij haar voor het laatst gesproken had. En dat gesprek wilde hij zich nu liever niet voor de geest halen. Hij hoorde haar zuchten. Had ze gehoopt dat hij anders zou reageren? Dan had ze geen idee van de diepte van zijn woede. Zelfs nu, op een ander continent, ver van haar verwijderd, voelde hij weer de neiging bij hem opkomen haar geweld aan te doen. Alleen al bij het horen van haar stem.

'Hoelang blijf je daar nog?' vroeg ze verder.

Het ging haar niet aan, maar uit de macht der gewoonte beantwoordde hij knorrig haar vraag.

'Ligt aan de opnames, ik denk een week of wat.'

Even viel er een stilte aan de andere kant, toen sprak ze weer.

'Ik heb de echtscheiding aangevraagd, Chris. Dat wilde ik je even laten weten.'

Haar stem klonk vlak, emotieloos.

Wat was de reden dat ze hem dit nu wilde vertellen? Hoopte ze op een verzoening, dat hij nu het vliegtuig zou pakken en terug naar Nederland vliegen om haar te smeken het nog eens te proberen?

'Goed. Ik hoor wel van je advocaat.'

Nijdig hing hij op.

Hussein had niets van het Nederlands begrepen, maar de toon was duidelijk niet vriendelijk geweest.

'Problemen?'

'Mijn vrouw. Of binnenkort ex-vrouw. Hoe is het eigenlijk met jou afgelopen, Hussein?'

Voordat hij het wist had hij de vraag gesteld.

'Heb je nu je vier vrouwen?'

Het enige wat Chris wilde was het telefoongesprek zo snel mogelijk vergeten en weer terugkomen in de magie van New York.

'Nee, één vrouw is genoeg. Hier is het niet makkelijk om meerdere vrouwen te hebben. Op Socotra kun je vrouwen wegsturen met de schapen, dan rustig in huis.'

Hussein verviel in zijn gebrekkige Engels. Zijn taak zat erop, de Nederlander vormde geen gevaar en de boodschap was overgebracht. Maar Chris wilde hem nog niet laten gaan.

'Maar je kunt toch onder de Amerikaanse wet scheiden?'

'Islamieten scheiden niet, wij gaan naar de moskee met al onze problemen, wij hebben niet dat gedoe van therapie. Onze imam is een wijze man, hij zegt wat wij moeten doen om de vrouw weer gelukkig te maken.'

'En wanneer de man niet gelukkig is met zijn vrouw?'

'Dan neemt hij een nieuwe vrouw.'

Hussein vond de vraag kennelijk zeer vermakelijk of misschien wel overbodig. Hij lachte zijn aanstekelijke lach. Chris kon het niet laten te reageren.

'Maar dat kan alleen wanneer je genoeg geld hebt. Een man is dus volgens jullie alleen zelf verantwoordelijk voor zijn eigen geluk?'

Hij dacht even na en ging toen door.

'In onze wereld, Hussein, ben je met zijn tweeën, heb je een gelijke verantwoordelijkheid voor je relatie.'

'Bij ons is de man verantwoordelijk voor relatie. Als de man het niet goed doet, gaat de vrouw klagen.'

'Bij ons klagen vrouwen ook,' zei Chris glimlachend.

'Wat doe jij dan?'

'Dan nemen we ze mee uit of kopen we een mooie bos bloemen, of we gaan in relatietherapie.'

'En dat helpt?'

'Soms wel, soms niet.'

'En wat als het niet lukt?'

'Dan gaan wij scheiden.'

'Ook als er kinderen zijn?'

'Ja, want het individu heeft bij ons een eigen verantwoordelijkheid.'

'Is dat wel zo'n goede oplossing?'

'Misschien wel, misschien ook niet. De kinderen lijden er vaak onder. Maar ongelukkige ouders zijn ook niet goed voor kinderen.' Hussein antwoordde niet, maar keek bedenkelijk. Toen sprak hij zachtjes.

'Dat is niet goed voor kinderen.'

'Nee, dat zegt onze religie ook, maar wij gaan daar anders mee om. Wij zijn zelf verantwoordelijk voor onze daden.'
Even twijfelde Chris, hij dacht aan zijn eigen situatie, aan Steven. Na een korte stilte antwoordde de Arabier weer in feilloos Engels, alsof hij de problemen waarin Chris verkeerde, kende.

'Jullie geloven in de zelfredzaamheid van het individu. Wij moslims geloven in een allesbeslissende macht die het beste met ons voorheeft. Een onderdeel van de weg naar het perfectioneren van ons geloof is om datgene met rust te laten wat ons niet aangaat.'

'Dat klinkt erg fatalistisch. Geloof jij daar werkelijk in?'
Het was nu de beurt aan Hussein om bedenkelijk te kijken. Na een poosje antwoordde hij zachtjes.

'Misschien ben ik een beetje te eigenwijs om een echt goede moslim te zijn. Mijn fout, Dutchman, is dat ik niet alles wat men beweert zomaar aan wil nemen. Mijn gedachten zijn te sterk, Allah vergeve mij dit. Maar ik wil laten zien dat wij goede mensen zijn, en geen domme terroristen die alleen in de beloofde 72 maagden en zinloos geweld geloven.'

'Maar het is wel verleidelijk, 72 maagden!'
Ze moesten allebei hard lachen.

'Nee, één vrouw toch genoeg.'
Een grote groep toeristen onder leiding van een gids die een belachelijk groen opblaasbaar Vrijheidsbeeld op zijn hoofd droeg, had

de rustige hoek van Chris ontdekt. Luid kwetterend bewoog de groep zich in hun richting.

Hussein werd onrustig, Chris zag zijn ogen het grote stationsgebouw afspeuren.

'Ik heb genoeg van je tijd in beslag genomen, Hussein. Ik dank je voor je eerlijkheid. Mag ik deze opname gebruiken voor onze documentaire?'

De man glimlachte.

'Natuurlijk, Dutchman. Zeker wanneer meneer Wilders een van jullie kijkers zal zijn.'

Voordat hij van zijn verbazing bekomen was, was de Jemeniet opgelost in de drukte van het stationsgebouw.

Het speet Chris dat hij deze laatste woorden niet had kunnen filmen, de Arabier was meer op de hoogte dan hij hem had willen laten geloven. Even overwoog hij om hem achterna te rennen, maar toen bedacht hij zich. Het was beter zo, de documentaire was niet politiek bedoeld.

Chris wilde de rugzak van de bank pakken om de camera op te bergen. Maar hij greep mis, de tas viel op de grond en de inhoud rolde er uit. Onhandig bukte hij om de spullen weer op te bergen, toen hij een opgevouwen stuk papier op de grond zag liggen. Hij pakte het op en vouwde het open. Hij zag een telefoonnummer, een aantal letters met daarachter een willekeurige reeks cijfers. Op de achterkant van het papier stond de afdruk van een schoenzool. Alsof het papier daar al langer op de grond gelegen had. Of kwam het uit de rugzak? De cijfers en letters gaven hem geen aanwijzingen over de eigenaar.

Hij keek op zijn horloge, het was bijna half vijf, de opnamen met Hussein hadden lang geduurd. Voordat het licht verdween, wilde Chris nog een paar opnames buiten maken. Snel stopte hij het papier in de rugzak en liep naar de uitgang van het station.

Manhattan Blues

'Weet je wel hoeveel werk dit is?' Eleftheria snoof luidruchtig. 'Deze opnames komen helemaal niet overeen met de rest. Om dit aan te passen ben ik uren bezig om een goede overgang en flow te vinden voor het verhaal van die man, die Hussein. Daarnaast zit ik met het probleem van de akoestiek. Als ik het volume van de opname omhoog schroef, hoor je gelijk de achtergrondgeluiden van het station. En dan heb ik het nog niet over het timbre van het geluid, dat wijkt af van de rest van onze opnames. Je hebt met je kleine camcorder gewerkt, Chris.'

Ze keek hem beschuldigend aan.

'Je had op zijn minst een richtmicrofoon moeten gebruiken. En wat denk je van de kleuren, ik heb geen dure *colouring* software op mijn computer zitten om dat allemaal aan te passen. Dit krijg ik niet goed.'

Toen hij de vorige avond thuiskwam, was het appartement leeg geweest. Iedereen was weg. Er was zelfs geen briefje voor hem achtergelaten.

Broeierig had hij de ene na de andere sigaret op het terras gerookt, zijn teleurstelling verwerkend. Waarom hadden ze hem niet mee de stad in gevraagd? Uiteindelijk was hij in zijn eentje op pad gegaan. Om half twee 's nachts, toen hij met een paar borrels teveel op thuiskwam, was het appartement in stilte gehuld.

Steels keek hij naar de Griekse, ze had niets gezegd over het feit dat hij naast haar in slaap gevallen was. Misschien had ze het niet eens meegekregen.

Eleftheria wendde zich opnieuw gefrustreerd tot Yolanda.

'Yo, je ziet toch ook dat dit stroef gaat lopen met de rest van de documentaire?'

Yolanda keek bedenkelijk naar de beelden.

'De opname past niet helemaal in het format, dat ben ik met je eens.'

Maar haar blik bleef op de beelden gevestigd.

'Maar het interview is goed! Ik wil het er toch in hebben. Als je nu eens om dat probleem van de *set noise* heen werkt door eerst het achtergrondgeluid eruit te halen. Je haalt het geluid van het interview naar voren en zet dan een repeterende geluidsopname terug van zachte achtergrondgeluiden. Geen hond die het verschil merkt.'

'Hmpff.'

Eleftheria wist dat Yolanda gelijk had. Met het wegpoetsen van de achtergrond konden ze de opname rustiger en krachtiger maken.

'De documentaire is een visuele vertelling, daar mogen best wat kleurverschillen in zitten. Voor de variatie ben ik niet zo bang, zolang het niet extreem wordt. We zouden deze opname met een *plug-in* van een paperclip juist kunnen laten afsteken bij de rest.'

Chris wist dat Yolanda de verleiding niet had kunnen weerstaan de opname met Hussein in de documentaire te verwerken. Ook al hield dit in dat Eleftheria extra uren moest maken. Hij schraapte zijn keel.

'Hussein vertelde me over dat Cordoba Initiatief. Ik heb ze gegoogeld. Ze opereren vanuit de islamitische sociëteit van Bay Ridge aan de 5th Avenue in Brooklyn. Het zou aardig zijn wanneer we daar ook opnames konden maken. Dan gebruiken we het interview als plug-in. En we kunnen de opnames zo aanpassen dat de overgang naar Hussein wat minder opvalt.'

De beide vrouwen keken hem nu onderzoekend aan. Eleftheria sprak als eerste.

'Oké, jij wint Chrisspark. Ik zal zien wat ik kan doen.'

Zuchtend draaide ze zich terug naar haar computer.

'Maar doe mij een lol en ga op je vrije dag leuke dingen doen en kom niet terug met extra werk.'

Zonder dat Eleftheria het zag, maakte Yolanda achter haar rug een jubelbeweging en glimlachte naar Chris.

Het dikke, zwarte haar van Eleftheria plakte op haar blote rug. Ze had een uitdagend topje aan dat meer van haar blootgaf dan fatsoenlijk was. Chris probeerde niet naar haar uitstulpende borsten te kijken. Ze tilde het haar van haar schouders en rekte zich uit als een zelfvoldane kat. Chris keek weg en zag dat Yolanda haar blik op hem gericht had. Hij stond op van de geïmproviseerde werktafel in de woonkamer en liep naar de keuken waar hij Yazel driftig tikkend achter zijn laptop aantrof. Berend zat naast hem zijn nagels te vijlen.

'Zo vakantieganger, heb je onze Eleftheria met extra werk opgezadeld?'

De opmerking van Berend was onmiskenbaar snerend bedoeld.

'Ja, ik heb mijn vrije dag nuttig doorgebracht. Hoe gaat het hier?' Chris had geen zin zich door de verslaggever de les te laten lezen. Omdat hij met de regisseuse sliep had hij nog niet het recht een dergelijke houding aan te nemen.

'Prima. Hard aan het werk, de *presupuestos* … budgetten moeten er vandaag uit.' Yazel beantwoordde de vraag die bedoeld was voor Berend. Chris had geen idee dat dit ook een onderdeel van zijn takenpakket was. In de organisatie waar hij voorheen werkte, waren de budgetten de verantwoordelijkheid van de boekhouder. Nu viel hem pas de stapel bonnetjes naast Yazels laptop op.

'Is dat geen tijdverspilling? We zitten hier met een hele cameraploeg te wachten om opnames te gaan maken. Kunnen we de bonnetjes niet aan het einde van de reis doen?'

Chris wist dat hij zich met deze opmerking op glad ijs begaf. Wie was hij om kritiek op de werkwijze van zijn collega's te leveren? Maar Yazel antwoordde hem gelaten.

'Het had voor mij ook niet gehoeven. Maar de heren willen iedere week een kostenoverzicht toegestuurd krijgen.'

Chris liep naar de koffiepot en schonk een beker koffie in. Hij besloot met de Cubaan te sympathiseren.

'Een hele klus, lijkt me. Krijg je het een beetje rond?'

Zuchtend stopte Yazel nu met het driftige tikken.

'Nee, om je de waarheid te vertellen hebben we een groot tekort, en ik hoop dat jij ook nog niet eens aan komt zetten met een stapel onkostenbonnen.'

Chris had er niet bij nagedacht dat hij onkosten kon declareren. Hij was nooit goed geweest in administratieve zaken. Heather had die altijd voor haar rekening genomen.

Nu hij erover nadacht, besefte hij dat hij eigenlijk alles de afgelopen twintig jaren aan Heather had overgelaten. Er was altijd geld geweest wanneer ze het nodig hadden voor Steven, de vakanties, de grote woning. Tuinmannen, werksters, een ploeg medewerkers die hun leven in luxe mogelijk hadden gemaakt.

Hij had zijn camerawerk en was verantwoordelijk voor de opvoeding van hun zoon en Heather zorgde ervoor dat ze in welstand konden leven. Een welstand die hij nooit met zijn creatieve baan bij elkaar had kunnen verdienen. Hij had al die luxe nooit gewild, maar ook dat zou vanaf nu anders geworden. Geld was iets waar hij over na moest gaan denken. De huur van zijn armzalige onderkomen in Amsterdam werd van zijn bankrekening afgeschreven. Opeens vroeg hij zich af of daar wel genoeg op stond. Zijn salaris werd naar die rekening overgemaakt. Stel dat Twilight ook hem niet kon uitbetalen. Waar bleef dan zijn vrijheid?

Onhandig voelde Chris in zijn zakken. Op Schiphol had hij wat geld gewisseld in Amerikaanse dollars. Maar die waren zo goed als op. Uit zijn zakken viste hij een gebruikt servetje en wat flyers die hem door proppers in zijn handen waren gedrukt. Meestal had hij de bonnetjes achteloos op tafel laten liggen.

'Nee, Yazel. Die heb ik geloof ik niet bewaard.'

Berend hield op met het vijlen van zijn nagels. Chris negerend wendde hij zich tot de producer.

'Onze cameraman leeft voor zijn werk. Dat is je toch wel duidelijk, Yazel. Geld is niet belangrijk voor hem. Wij gewone stervelingen hebben aardse behoeftes die geld kosten. Daar wordt deze man niet door gehinderd.'

De vijandigheid die Chris na de eerste opnamedag gevoeld had, was nog steeds niet verdwenen. De verslaggever had hem zijn inmenging in de opname bij dominee Williams nog steeds niet vergeven. Even overwoog Chris een insinuatie over Berend zijn aardse behoeftes, maar op dat moment ging zijn mobiele telefoon. Hij liep door de openslaande deuren van de keuken naar het terras.

'Steven, jongen!'

Hij probeerde zoveel mogelijk warmte in zijn stem te leggen.

'Ha Chris, hoe is het daar in New York? Heb je de Apple Store al gezien?'

De stem van zijn zoon klonk opgewonden. Dat was vreemd. Steven was eerder geïnteresseerd in zijn wetenschappelijke blaadjes dan in nieuwe Apple-gadgets.

Heimwee naar de jongen met het weerbarstige bruine haar overspoelde hem plotseling. Zijn moeder had fouten gemaakt. Vreselijke fouten. Maar hij kon niet uitvlakken dat Steven al die jaren zijn oogappel was geweest. Vanaf het moment dat het kleine hoopje mens in zijn leven was gekomen, had hij zielsveel van hem gehouden.

'Nee jongen, nog geen tijd gehad. Hoe was je weekend?'

'Helemaal gaaf! Ik heb de jongens verteld dat je in New York bent. Kun je wat voor me doen? Zou je die nieuwe iPad voor me mee kunnen nemen. Die schijnt helemaal te gek te zijn!'

Verward staarde Chris naar de keuken waar zijn collega's hem vragend aankeken.

'Eh ja, ik zal kijken.'

'Vet! Trouwens dit weekend ga ik weer met mijn vrienden uit. Dat is wel goed toch? Heather vond het geen probleem ...'

Dit was zo niet Steven. Maar misschien was het tijd dat hij meer uitging met zijn leeftijdgenoten, tijd dat hij een eigen leven ging leiden.

'... zit ik toch in de weg.'

De verbinding was slecht. Chris ving het laatste deel van zijn zin op.

'Waarom zit je in de weg?'

'Nou, je weet wel. Maar dat gaat mij verder niets aan.'

Zou Heather hem ingelicht hebben over de op handen zijnde scheiding? Chris voelde zijn hart samenkrimpen.

'Luister jongen, we praten wel wanneer ik weer in Nederland ben, goed?'

'Wat je wilt, ouwe. Zeg ik moet gaan, pauze is over. Zie je!'

Ouwe? Zo had hij hem nog nooit genoemd. Met een bedenkelijk gezicht liep Chris de keuken in.

'*Todo bien?*'

Yazel keek op van zijn laptop.

'Ja, mijn zoon vroeg me de laatste iPad mee te nemen. Weet jij wat zo'n ding kost?'

Yazel haalde zijn schouders op.

'Ze zijn wellicht goedkoper hier in Amerika, maar toch wel iets van vijfhonderd euro.'

Dat was meer dan waar Chris op gerekend had.

'Daarom heb ik geen kinderen, die kosten je alleen maar geld.'

Zonder verder iets te zeggen liep Berend de keuken uit.

'*Caray macho*, laat hem,' zei Yazel glimlachend. 'Kinderen zijn belangrijk, Chris. Koop die jongen toch zo'n ding. We hebben vanmiddag opnames in downtown Manhattan. We kunnen onderweg best even stoppen bij die store.'

Gesterkt door het advies van de Cubaan besloot Chris die middag zijn creditcard te trekken.

Een paar uur later stonden ze met de hele ploeg aan de Hudson Rivier bij Battery Park. Een waterig zonnetje scheen door de bladerentooi van de bomen. Ondanks de stralende zon was het fris. Chris zat al geruime tijd te wachten op de trappen van de lange boulevard die als aanlegkade diende voor de veerboten naar het Vrijheidsbeeld en Ellis Island. De kou van de stenen trap trok langzaam in zijn botten. Hij stond op en liep op en neer om het weer wat warmer te krijgen.

Op dat moment legde een van de veerboten aan en ontdeed zich van een vracht opgewonden mensen bepakt met camera's, rugzakken, kinderwagens en trolleys.

Het was Yolanda's idee geweest om op de minst drukke dag van de week een opname te maken van dagjesmensen die deze veerboot namen. Een van de meest toeristische attracties van New York stond garant voor een aanbod van mensen uit de hele wereld.

En ze had gelijk, een parade van toeristen met inheemse klederdrachten, diverse huidskleuren en onbekende dialecten was aan hen voorbij getrokken. Maar tot nu toe hadden ze geen noemenswaardige interviews kunnen vastleggen. De meeste dagjesmensen waren te opgewonden door het vooruitzicht dat ze eindelijk het beroemde Vrijheidsbeeld en het eiland waar in het begin van de twintigste eeuw emigranten uit heel de wereld aankwamen, van dichtbij gingen zien. Ze hadden een aantal mensen geïnterviewd, maar de verhalen waren niet goed genoeg om de documentaire inhoudelijk te verdiepen.

Yolanda kwam naast Chris staan en bood hem een sigaret aan.

'Nog niet echt wat we zoeken, hè?' verzuchtte ze.

'De TROS is misschien blij met deze opnames. Kan zo in een van die tranentrekkende familieprogramma's waar mensen elkaar na jaren gaan zoeken.'

Chris nam een forse haal van zijn sigaret en schopte tegen een loszittende steen. Een vermoeide blik trok over het gezicht van Yolanda.

'Ik snap dat je baalt, maar dit is wat documentaires maken nu eenmaal inhoudt, soms hebben we geluk, vinden we in een dag goed materiaal, maken we mooie opnames. En soms verknoeien we dagen met rondhangen en missers maken.'

Chris bleef voor zich uit kijken en ging niet in op wat ze zei. Het etentje van dagen terug was hem nog steeds bijgebleven. Waarom had ze hem niet verteld van Edelman? Klaarblijkelijk vertrouwde ze hem nog steeds niet.

Maar hij was geen pion van Edelman, van haar ex die bezig was het bedrijf van Twilight over te nemen, hij was hier om mee te werken aan een geweldige documentaire. Een documentaire waar Twilight belangrijke prijzen mee zou winnen.

Zwijgend rookten ze hun sigaret. Yolanda staarde over de Hudson Rivier. Hij observeerde haar silhouet. Een blonde pluk haar streelde haar wang. Hij weerstond de verleiding die aan te raken. Haar bleke gezicht zag er kwetsbaar uit.

Voor de zoveelste keer vroeg hij zich af of ze wel een goed plan had. Tot nu toe leek het eerder of ze bij de dag leefde, of ze iedere morgen pas als ze opstond besloot wat ze ging doen.

Het leek alsof ze zijn gedachten gelezen had.

'Oké, misschien was dit niet een van mijn beste ingevingen. Maar jij had gisteren echt geluk in Central Station.'

Bij de gedachte aan Hussein moest Chris ongewild weer glimlachen. De man was echt een gouden vondst geweest. Zijn glimlach werd door Yolanda anders uitgelegd.

'Of vind je mijn manier van werken raar?'

Kouwelijk trok ze haar jasje strakker om haar lijf. De nervositeit die ze uitstraalde werd bijna tastbaar.

'Weet jij het beter te doen met een klein budget, twee antieke opdrachtgevers op een zinkend schip en ...'

'Ja, en wat? Een lastige cameraman? Was dat wat je wilde zeggen?'

Hij maakte de zin voor haar af en gooide zijn sigaret op de grond. Een plotselinge woede welde in hem op. Voordat hij het kon voorkomen, waren de woorden eruit.

'Nee, we zetten een strak geföhnde verslaggever met een geaffecteerde stem uit een klein landje ergens in Europa bij de veerboten naar het Vrijheidsbeeld, en iedereen vertelt spontaan een interessant verhaal. Pah! We moeten een goed script hebben, en desnoods de opnames ensceneren.'

Yolanda keek hem aan alsof ze hem voor het eerst zag. Haar blik leek zich opeens te verzachten.

'Het draaiboek en het script zijn mijn probleem, Chris. Daar heb je gelijk in.'

En onverwachts voegde ze eraan toe: 'En ik heb geen moeite met dwarse mensen.'

Van zijn stuk gebracht door haar eerlijkheid, wist hij niet wat hij moest zeggen. Zwijgend stonden ze naast elkaar. Opeens zag hij uit zijn ooghoek een opmerkelijk gezin van de veerboot komen. Zonder omhaal greep hij Yolanda's arm.

'Kijk, daar. Die moeten we hebben!'

Samen keken ze naar de Amish familie die als laatste aan wal stapte.

Gekleed als een boerenfamilie uit de negentiende eeuw vormden de ouders met vier kinderen een vreemd schouwspel in het moderne Manhattan. De vader droeg een zwart pak met wit overhemd zonder stropdas, op zijn hoofd had hij een hoge hoed. Een lange baard kwam bijna tot op zijn borst. De pijpen van zijn broek waren iets te kort, waardoor zijn voeten in de leren schoenen absurd groot leken. Hij werd gevolgd door drie jongens die hetzelfde gekleed waren als hun vader, alleen hadden de zoons geen baard. De moeder en haar dochter droegen lange rokken, gemaakt van gestreept tijk. Op hun hoofden hadden ze een mutsje. De blozende gezichten verraadden hun leven op het platteland. Langzaam kwam het groepje de kant van de cameraploeg op.

Nog voordat Yolanda Berend kon waarschuwen, liep Chris op de familie af. De vader aanvaardde schoorvoetend de uitgestoken hand.

'Samuel Buntrager.'

Ondanks zijn sombere uiterlijk was zijn stem vreemd licht.

'Chris Spark. Samuel, wij zijn bezig met een documentaire en we zouden u ... en uw gezin ...'

Vragend keek Chris naar de rest van het groepje. De man antwoordde terughoudend maar beleefd.

'Dit is mijn vrouw Miriam, mijn zoons Isaac, Mark, Andy en mijn dochter Naomi.' Zijn vrouw en kinderen bleven op gepaste afstand, maar knikten bij het horen van hun naam vriendelijk naar de cameraploeg. Onverschillig stond Berend op een afstand met zijn armen over elkaar naar het tafereel te kijken.

'Wij zouden u en uw gezin graag wat vragen willen stellen.'

Als een volleerde propper deed Chris snel zijn verhaal waarna hij naar Berend toe liep en hem aan zijn arm meetrok naar de buitenissige familie.

'Dit is mijn collega Berend, hij zou graag met u in gesprek komen ...'

Zo vlug als hij kon om de aandacht van de Amish niet te verliezen, praatte Chris door. De houding van Berend straalde dit verlangen niet echt uit.

'... maar zijn onwetendheid met betrekking tot uw geloofsovertuiging maakt hem wat terughoudend. We zouden het een enorme eer vinden als u hem zou willen vertellen waarom u vandaag hier in New York bent.'

Langzaam fixeerde Berend zijn blik op Chris, in zijn ogen las hij een vreemde mengeling van onwil maar ook respect.

De vader draaide zich om naar zijn familie en overlegde op fluister-toon. Uiteindelijk leek er een beslissing genomen.

'Wij zijn hier in New York om onze zoon Isaac op te halen. Voor ons een feestdag want hij heeft net zijn *rumspringa* afgerond. Hij heeft een half jaar in New York mogen leven, voordat hij zich definitief gaat wijden aan ons Amish-bestaan in Ohio. Wij hebben besloten dat u Isaac vragen mag stellen.'

De familie liep weg en de jongen bleef zenuwachtig achter. Zijn wangen waren hoogrood gekleurd. Rumspringa of wel het 'rond-springen' van de Amish was bedoeld om de jongelui de tijd te geven om alles te doen wat verboden was, voordat ze zich definitief tot het geloof bekeerden.

Berend was professioneler dan Chris had ingeschat. Hij wist verba-zend veel over deze religieuze groepering die nog steeds leefde zoals men dat in de negentiende eeuw had gedaan, met paard en wagen als enig vervoer, zonder elektriciteit of andere moderne gemakken. Maar wat Berend de jonge Amish ook vroeg, Isaac wist hem keurig te beantwoorden volgens de regels van zijn geloof.

Chris' ogen dwaalden af naar de rest van de familie die op een afstand naar het tafereel stond te kijken. Het jonge meisje Naomi stond half achter haar moeder verscholen. Met grote ogen keek zij naar Eleftheria, die behendig de hengel met microfoon op haar broer Isaac richtte.

De montagevrouw droeg een donkergroene wollen tuniek op een zwarte legging. Daaronder had ze een paar lange Uggs aangetrok-ken. Geen overbodige luxe wanneer je de hele dag in de kou moest staan. Om haar hals had ze een donkerrode sjaal gewikkeld. Maar ondanks de dikke kleding waren de ronde vormen van Eleftheria duidelijk zichtbaar.

Voorzichtig trok het meisje aan de mouw van haar moeder en wees naar de Griekse. Haar moeder boog zich voorover en fluisterde wat in het oor van haar dochter.

Chris richtte de camera op het plaatje; de moeder en haar dochter, beiden onder de indruk van de stoere montagevrouw, die niet de moeite genomen had haar lichaam te verhullen.

Daarna gleed zijn camera naar de twee jongens, die geboeid naar hun oudere broer stonden te kijken. Isaac was als eerste het avontuur aangegaan, zij zouden nog volgen. De antwoorden die hun broer de verslaggever gaf, leken hen meer te boeien dan het uiterlijk van de Griekse.

'En Isaac, wat heb je het meeste gemist hier in New York, en wat denk je dat je straks het meeste gaat missen in Ohio?'

Voor het eerst moest Isaac nadenken. De beide broers lachten onzeker en keken elkaar aan.

'Hetgeen ik hier het meeste gemist heb is iemand om mee te praten, die precies denkt zoals wij denken en eh ...'

Hij aarzelde en keek naar zijn ouders die buiten gehoorsafstand rustig stonden te wachten.

'... wat ik het meest ga missen van New York, is de openheid van de mensen. Niemand lijkt zich te generen voor wat hij gelooft of denkt, mensen zijn hier zeer zelfbewust. Dat komt bij ons minder voor, wij zijn bescheiden en accepteren het leven zoals het komt.'

Chris moest opeens aan zijn eigen zoon denken. De iPad die hij mee moest nemen uit New York. Steven was aan het veranderen, het was pijnlijk voor Chris, maar zijn zoon hoorde niet meer exclusief bij hem, maar ook bij zijn vriendengroep. Dat was nu zijn leven, en met dit nieuwe leven ontstond ook een andere Steven. Deze Amish-jongen had een half jaar van dat andere leven mogen proeven en daarna was het afgelopen. Nu keerde hij terug in de schoot van zijn familie.

Opeens voelde Chris een verlangen naar zo'n simpel bestaan. Alle materiële zaken die hij door de jaren heen met Heather had verzameld, hadden hem niet gelukkiger gemaakt. Die spullen hadden eerder voor een aangename verdoving gezorgd die Heather en hem had afgeleid van waar het werkelijk om ging in het leven.

Maar hij wist ook dat het te laat was, hij kon de situatie niet meer veranderen. Niet in zijn eentje. Hij zou dat verrekte ding voor Steven halen, al was het maar om het korte moment van dankbaarheid dat hij zou krijgen.

Het interview liep ten einde. Zonder overleg met Berend te plegen, riep Chris opeens vanachter zijn camera naar de jongeman.

'Oh Isaac, nog een vraagje voor mij. Hoe waren de meisjes in New York. Heb je nog wat kunnen scoren?'

De jongen werd knalrood. Naomi, het jongere zusje, probeerde met haar hand voor haar mond het gilletje dat haar ontsnapte tegen te houden. Het witte kapje met de twee lange linten schudde van haar ingehouden gegiechel.

'Eh … nee, of ja, ik denk het wel. Ik heb wel gezoend … maar mijn lichaam is rein gebleven.'

'Met een meisje?'

Wat als de jongen ontdekt had dat hij andere seksuele voorkeur had, wat zou er dan gebeuren in deze familie, met deze jongen?

'Ja, natuurlijk.'

Isaac antwoordde vastberaden, met een blik op zijn ouders.

Miriam de moeder, leidde haar dochter hoofdschuddend weg en de vader kon niet anders dan afkeurend, maar in zijn hart trots, naar zijn zoon kijken. Chris was blij dat hij de camera aan had laten staan en met dit beeld af kon sluiten. Alleen Berend keek hem nijdig aan. De spontane vraag van Chris was de beste van het hele interview geweest.

Vlakbij Central Park hield het taxibusje stil bij een plein met daarop een glazen monument. Verbaasd keek Chris naar Yazel die zich naar hem omdraaide.

'De Apple Store, Chris.'

Natuurlijk, de iPad voor zijn zoon. Chris stapte uit en keek om zich heen, het was hem niet duidelijk waar de winkel zich bevond. Yazel zag zijn aarzeling en liep met hem naar het glazen monument.

'De winkel zit ondergronds, je moet met de trap naar beneden.' Naast het glazen monument met de bekende appel liep een trap naar beneden. Yazel ging hem voor. Een gezoem van opgewonden mensenstemmen kwam hen tegemoet. Onder het plein met het monument bevond zich een enorme winkel met overal toonbanken waarop een collectie van de nieuwste computers, iPads en iPhones van Apple was uitgestald. Even schoot Chris het leven van de Amish familie te binnen, het contrast met dit walhalla van vooruitstrevende technologie kon niet groter zijn.

Maar ook in deze wereld liepen families, vader en zoons, dochters en jonge stelletjes. Aan de wand hingen grote schermen die een bestaan van virtueel cybergeluk voorspelden. Eindeloze mogelijkheden waarbij de mens zich nooit meer alleen hoefde te voelen en iedereen op elk moment van de dag verbonden was met vrienden, familie, diensten, nieuws en de laatste updates.

De winkel in wit en zilver met hier en daar houten elementen had iets van een hedendaagse kathedraal, en de mensen die er rondliepen geloofden allemaal in hetzelfde. Chris rende de trap op en pakte zijn camera uit het busje.

Dit was de nieuwe religie. De kracht van de cybercultuur, de belofte dat we niet alleen zijn.

Hij ging zo op in het filmen van deze ondergrondse tempel waarin de technologie vereerd werd, dat hij schrok toen hij een hand op zijn schouder voelde.

'Kom Chris, we staan dubbel geparkeerd. Welke moet je hebben?' Verdwaasd keek Chris naar de tafels vol opgestelde apparaten en hij realiseerde zich opeens dat hij een probleem had. Steven had hem niet verteld welke iPad hij wilde.

'Eh ... wat raad jij aan voor een jongen van een jaar of 17?' vroeg hij omzichtig aan Yazel, zijn onbekendheid met de materie maskerend.

'*Pues* ... dat ligt eraan, bewaart hij veel foto's?'
Chris had geen idee. In het verleden had hij geprobeerd Steven voor zijn vak te interesseren, maar hij zag de jongen zelden foto's nemen. Alle familiefoto's stonden thuis op de laptop van Chris.

'Ik neem aan van wel, je weet hoe de jongelui zijn,' voegde hij er schaapachtig aan toe.

'Neem gewoon die 36gig, dan heeft hij de komende jaren genoeg plezier van dat ding.'

Chris zocht een verkoper en gaf hem door wat hij zocht. De jonge verkoper met een indrukwekkend aantal piercings in zijn oren liep voor Chris uit naar de kassa.

'Veel plezier met uw aankoop,' zei hij met een plastic glimlach en liet hem achter bij de balie waar een volgende jongeman de aankoop invoerde in een computer. Chris haalde zijn creditcard tevoorschijn en stak deze in het apparaat waar hij zijn handtekening met een pennetje op een elektronisch registratiescherm zette.

'Het spijt me heel erg, maar uw creditcard schijnt geblokkeerd te zijn. Heeft u nog een andere?'

De man achter de kassa keek verveeld.

Hoe kon zijn creditcard nu geblokkeerd zijn? Verward dacht Chris na, de afschriften van de kaart kwamen natuurlijk bij Heather terecht. Zou zij hun gezamenlijke card geblokkeerd hebben? Maar dat had ze toch eerst met hem kunnen overleggen? Was dit gebruikelijk bij het aanvragen van een scheiding?

Achter Chris stond een volgende klant al ongeduldig te wachten. Zijn kredietwaardigheid was voor de kassier niet van belang, voor hem zoveel anderen. Wat de verkoper betreft mocht hij van geluk spreken hier te mogen kopen. Onhandig zocht Chris in zijn portemonnee. Opeens stond Yazel naast hem.

'*Tenga*, hier heb je geld, het gaat anders veel te lang duren.'

Aarzelend pakte Chris de dollars aan.

'Je betaalt het me wel terug,' glimlachte Yazel bemoedigend.

Beschaamd overhandigde Chris het bedrag aan de kassier. Met de Apple-tas liep hij daarna snel naar de trap, naar boven waar het taxibusje stond te wachten.

Voor ze bij het appartement aankwamen liet Chris de chauffeur stoppen bij een ATM, een pinautomaat. Maar wat hij ook probeerde, geen van zijn pasjes deed het. Dit was niet goed. Helemaal niet goed. Het kon maar één ding betekenen. Heather was echt op oorlogspad. Hij nam zich voor morgen gelijk te bellen, uit te leggen dat hij in het buitenland zat en aan het werk was. Zijn salaris was tot op vandaag iedere maand op zijn rekening gestort. Een bank kon toch niet zomaar zijn eigen rekening blokkeren? Hij liep weer terug naar het busje.

'Gelukt?' vroeg Yazel.

'Nee, ik zal mijn pasjes wel ergens opgelegd hebben waardoor ze het allemaal niet meer doen.'

Hij weigerde zijn collega's op de hoogte te stellen van zijn problemen.

'*Caray*! Wil je geld lenen?'

'Ja, doe maar. Morgen bel ik de bank om de boel te deblokkeren.'

Zonder het te tellen stopte Chris het stapeltje geld dat Yazel hem aanreikte in zijn broekzak.

Het was bijna routine aan het worden. Terug op hun adres in Morningside Heights zeulde de ploeg het materiaal naar boven, naar de woonkamer. Chris plofte neer op de enige stoel in de kamer die niet bezaaid was met apparatuur. Zijn voeten deden zeer van het lange staan. Zuchtend legde hij ze op het lage koffietafeltje.

'Is er nog wat te drinken?' vroeg hij aan niemand in het bijzonder.

'Nee,' antwoordde Yolanda over haar schouder terwijl ze de kamer uit liep. 'Heb ik ook al naar lopen zoeken.'

Yazel kwam net op dat moment de kamer in met een bos materiaal.

'*Lo siento* mensen, maar dit is een '*non alcohólico*' appartement. Daar was het verhuurbureau vrij duidelijk over. De eigenaren hebben slechte ervaringen met mensen die in een dronken bui het hele meubilair onder spuugden.'

'Gelukkig hebben we wel ieder een eigen douche en daar ben ik het komende half uur te vinden.'

Ook de opmerking van Eleftheria leek aan niemand in het bijzonder gericht. Chris kon de energie niet eens opbrengen om naar de keuken te lopen om op het terras een sigaret te roken. Hij leunde met zijn hoofd tegen de stoel.

Een half uur later schrok hij wakker door een harde klap. Verschrikt keek hij op.

Yazel stond in de woonkamer met zijn rugzak in zijn handen.

'*Eleftheria has left the building*,' grapte hij toen hij het verwarde gezicht van Chris zag.

'Zeg Chris, jij hebt toch pas mijn rugzak geleend?'

'Ja, klopt. Is er iets?'

'*No, no,* alles goed. Ik vroeg me alleen af …'

Maar hij maakte zijn zin niet af en haalde zijn schouders op.

'Is Lefty boos of zo?'

'*Ay,* maak je niet druk. Zo is onze montagevrouw nou eenmaal. Die heeft een temperament waar je geen moussaka van kunt maken. Wat zei jij pas ook al weer over veranderlijke weervrouwen?'

'Het weer, net zo veranderlijk als een vrouw,' corrigeerde Chris automatisch.

'O ja, nou Eleftheria wint het van iedere weersituatie. *La adora,* ik hou van haar, maar ze is niet te volgen!'

Hij keek Chris veelbetekenend aan. Yazel was dus op de hoogte van zijn nachtelijke escapade met de Griekse. En als Yazel het wist, was de rest van de ploeg ook op de hoogte.

Hij wist dat hij verstandiger had moeten zijn, maar er was niets gebeurd! En hij had geen zin zich te verontschuldigen. Berend en Yolanda deelden misschien ook wel het bed. Het kon niet anders, waarom zou Yolanda de verslaggever anders steevast verdedigen?

Na bijna een week met het team samengewerkt te hebben, was veel hem nog steeds niet duidelijk. Het was maar beter voorzichtig door dit mijnenveld te manoeuvreren.

'Waar is iedereen?'

Tactisch veranderde Chris van onderwerp.

'Yo heeft vanavond ergens een afspraak en Berend ligt in bed. Heb je zin om met mij de stad in te gaan? Ik moet even naar Macy's, een paar boodschappen doen.'

Chris had geen idee wat Macy's was. Maar het vooruitzicht om alleen met Berend in het appartement te blijven, trok hem ook niet.

'Macy's?' vroeg hij aarzelend.

'Ja, Macy's op Herald Square. Ken je dat niet?'

Chris bleef hem nietszeggend aankijken. Yazel zuchtte. Langzaam pratend, alsof hij iets aan een kind uitlegde, vertelde hij over Macy's, het grootste warenhuis van New York. Een paradijs op aarde. Alles was daar te krijgen, je kon het zo gek niet bedenken.

Chris' interesse ging niet echt uit naar warenhuizen. Hij haalde ongeïnteresseerd zijn schouders op.

'Ga jij maar alleen, ik ben niet zo'n shopper.'

Maar Yazel was niet van plan om op te geven.

'*Caray* Chris, dit moet je gezien hebben. Wist je dat in 1912 de … eh *dueños* eh … eigenaren van het bedrijf Macy's samen op dat schip zijn omgekomen … *muertos*?'

'Welk schip?'

In zijn enthousiasme werd Yazel steeds moeilijker te volgen.

'Je weet wel …!'

Zachtjes neuriede hij het lied *My Heart Will Go On* van Celine Dion terwijl hij met zijn armen de beroemde scène van Leonardo DiCaprio en Kate Winslet uit de film *The Titanic* nadeed.

'O ja?'

De algemene kennis van de Cubaan bleef hem verbazen, zeker omdat in diens geboorteland alles wat Amerikaans was, systematisch werd geboycot.

'Ja, je weet wel, *los viejecitos* … dat oudere stel dat samen op bed gaat liggen om te sterven.'

De Cubaan deed een innige omhelzing na.

Chris herinnerde het zich nu. Yazel vertelde dat volgens zeggen de oude baas Isidor Strauss niet in een reddingsboot wilde stappen voordat alle vrouwen en kinderen van boord waren. Zijn vrouw Ida had haar plaats in de reddingsboot afgestaan aan haar bediende Ellen, met haar bontjas voor de kou, om samen met haar man te sterven op het zinkende schip.

Yazel speelde zijn laatste troef uit.

'Er moet ergens een gedenksteen of zo bij dat warenhuis zijn. Neem je camera mee. Misschien schiet je nog iets leuks. Kun je morgen Eleftheria weer op stang jagen.'

Chris glimlachte bij de gedachte, maar besloot deze keer toch zijn camera thuis te laten.

Toen ze een half uur later op weg gingen naar het warenhuis, had Yazel een metamorfose ondergaan. Normaal gesproken liep de Cubaan in versleten T-shirts en oude spijkerbroeken rond, maar nu had hij zich helemaal opgedoft. Een wit getailleerd overhemd met een grijs linnen jasje op een zwarte, strakke spijkerbroek. Een paar donkere suède schoenen met veter maakte het geheel af. Het stond hem goed. Met zijn donkere haren, olijfkleurige huid en witte tanden leek hij zo weggelopen uit een reclameposter.

Chris had uit de stapels kleding die uit zijn sporttas puilden een schone trui getrokken die hij gewoon over zijn zwarte T-shirt had aangetrokken. Bij het inpakken had hij niet goed gekeken, hij had slechts twee niet zo nieuwe broeken meegenomen. Buiten de spijkerbroek die hij aan had gehad, waren dat zijn enige broeken. De ene broek was ooit een donkergrijze spijkerbroek geweest en de andere een valig soort groen. De rechterbroekzak van de donkergrijze broek was stuk, waardoor hij steeds zijn sleutels verloor. Uiteindelijk had hij voor de groene broek gekozen. Naast Yazel zag hij eruit als een hobbezak.

In de subway ging Chris een eindje van hem af staan, de Cubaan had minstens een halve fles aftershave lotion gebruikt om zich te parfumeren. De zoetige lucht hing nog in zijn neus toen ze even later uit de ondergrondse stapten.

Toen ze het enorme warenhuis op Herald Square binnenliepen, vroeg Chris zich af waarom hij zich had laten overhalen. Het rijke Manhattan liet zich hier duidelijk zien. Alle grote parfum-, kleding- en designermerken waren er te vinden. Het ene beroemde merk overschreeuwde het andere met alle denkbare reclamemiddelen. Groot leek het sleutelwoord. De Bijenkorf was vergeleken met dit warenhuis een zielig buurtwinkeltje.

Met zijn mond open slofte hij achter Yazel aan, die precies de weg leek te weten in het winkelparadijs.

Vreemd genoeg viel de grootte van het warenhuis niet direct op doordat het gebouw zich uitspreidde over een aantal blokken die via nauwe doorgangen met elkaar in verbinding stonden.

Hier en daar stond Yazel stil en liet zich informeren over de nieuwste middelen tegen huidveroudering of iets wat daar op leek. De Cubaan leek bewust op zoek naar zaken waar Chris nog nooit van gehoord had. Parfums, kleding, schoenen. Alles werd aan een nauwgezette inspectie onderworpen, voordat hij tot de koop overging.

Na een tijdje probeerde Chris niet meer de logica van de aankopen van zijn collega te volgen. Verveeld keek hij naar het winkelende publiek. Buiten de inwoners van Manhattan, duidelijk herkenbaar door hun blasé gedrag, was de winkel vol met toeristen. Macy's was het mekka waar iedere buitenlander geweest moest zijn. Nederlandse toeristen haalde hij er tot zijn eigen schaamte het snelste uit.

Regelmatig hoorde hij zijn eigen taal om zich heen. '*Kijk, dat kost in Nederland veel minder*' of '*Ik ga toch echt niet zoveel betalen voor een paar Manolo Blahnik schoenen.*'

Chris grinnikte, het was verbazingwekkend hoe zijn landsgenoten feilloos de koopjes wisten te vinden.

Toen ze twee uur later bepakt en bezakt het warenhuis verlieten, kon Chris zijn nieuwsgierigheid niet bedwingen.

'Wat ga je met al die spullen doen, Yazel?'

'*Mandarlo a Cuba* … naar mijn familie in Cuba sturen.'

'Naar Cuba? Maar ik heb gehoord dat dat onmogelijk is. Je mag toch niets uit het buitenland importeren?'

'Ja, ja. Er wordt zo veel gezegd. Waarom denk je dat ze mij bij TT aangenomen hebben? Je hebt hier te maken met een echte regelaar die alles voor elkaar krijgt.'

Een trotse glimlach verscheen op zijn gezicht.

'Maar buiten dat Yazel, verdien jij zoveel bij de heren dat jij je dit allemaal kunt veroorloven? Volgens mij heb je voor een aardig vermogen ingeslagen.'

'Alles op bestelling,' antwoordde de Cubaan vaag.

'Op bestelling?'

'Ja, familie, vrienden, kennissen in Cuba. Zij bestellen goederen bij mij. Ik zorg ervoor dat de spullen illegaal het land in gesmokkeld worden.'

'En dat doe je allemaal voor niks?'

'Ja, nee, nou ja … ik vraag een beetje … eh … commissie. Ik ben er per slot best wel wat uren aan kwijt.'

Chris keek naar de enorme hoeveelheid winkeltassen met de rode ster erop.

'Maar dit is voor een hoop geld. Ik kan me niet voorstellen dat jouw Cubaanse vrienden zoveel hebben.'

Onverwachts fel alsof hij de vragen van Chris zat was, viel Yazel uit.

'*Hombre*, er is veel meer geld in Cuba dan jij denkt! Het enige probleem is dat niemand in Cuba wil investeren zolang de broertjes Castro de leiding hebben. Zelfs de Cubanen niet. Maar er zitten meer miljonairs in Cuba dan jij denkt. Ze hebben hun kapitaal verdiend met handel in *tabaco, azúcar i ron,* tabak, suiker en rum.'

'Dat geloof ik niet! Dat geld is vast in het illegale circuit verdiend. Handel in grond, doorvoer van drugs, dat soort dingen.'

Chris wilde verder vragen, maar voor Yazel was het onderwerp duidelijk afgedaan. Zonder hem te antwoorden ging hij gevaarlijk dicht aan de rand van het trottoir staan. Hij stak een hand op en hield een taxi aan, zoals Chris vaak in films gezien had. Met piepende remmen stopte een van de vele geel-zwarte taxi's vlak voor hen.

Yazel noemde een naam aan de chauffeur die hem vaag bekend voor kwam. Chris had zijn portier nauwelijks dicht toen de chauffeur weer invoegde in de nooit aflatende stroom auto's.

Hij tuurde omhoog naar de immense gebouwen van Manhattan. In de verte dacht hij de St. Patricks Cathedral te herkennen. Na ruim een week in Manhattan begon hij langzaam wegwijs te worden in de metropool.

Het was tegen sluitingstijd, maar op straat liepen nog drommen mensen. Het was zonde van de tijd om in Manhattan 's avonds thuis te zitten. Winkels, theaters, bioscopen, locaties waar iedere avond live tv-opnames gemaakt werden voor populaire praatprogramma's, restaurants, bars, avondscholen, sportscholen, massagesalons, avondkerken. Er was voor elk wat wils en niets was onmogelijk. Het was geen wonder dat het leven in Manhattan zo duur was.

Chris schrok op uit zijn overpeinzingen toen de taxi plotseling abrupt stopte voor een hel verlicht gebouw. Boven de ingang stond het woord Saks. Natuurlijk; Saks op 5th Avenue. Die naam had hij vaker gehoord.

'Het was niet zo ver maar die zakken *pesan* ... zijn zwaar, man!' Yazel betaalde de taxichauffeur. Die kosten sloeg hij vast ook om over de aangeschafte goederen.

Gebiologeerd liep Chris achter hem aan de kledingtempel binnen. Eenmaal in de winkel wist hij dat ze hier niet thuishoorden. Dit was geen warenhuis als Macy's waar het vol was met bezoekers en waar overal geroezemoes klonk.

In de ruime winkel heerste een serene stilte, het oorverdovende straatgeluid van Manhattan was verdwenen. Keurig gekleed in uniform stonden de verkopers bij hun afdelingen te wachten op klanten met minimaal een gouden creditcard op zak. Alles in de winkel rook naar luxe.

Chris hield Yazel staande.

'Ik geloof niet dat wij hier thuishoren,' zei hij zachtjes.

Niet dat het personeel Nederlands kon verstaan, maar het leek geen pas te geven hier hardop te praten. Yazel haalde zijn schouders op.

'*Tranquilo*, ik kom hier vaker.'

Op de glimmend gepoetste mahoniehouten toonbanken en kasten waren in gouden letters de namen van de duurste herenkledingmerken te lezen. Op een grote bronzen klok zag Chris dat het tegen achten was. De winkel was door het naderende sluitingsuur zo goed als leeg. Dat gaf de twee nog minder de mogelijkheid zich anoniem in de menigte te verschuilen, zoals in Macy's.

'Heb je hier veel nodig? Iedereen wil volgens mij zo naar huis ...'

De Cubaan deed of hij Chris niet gehoord had. Rustig, alsof hij alle tijd had, liep hij door. Uiteindelijk hield hij stil bij een afdeling met Versace kleding. Terwijl Chris op een veilige afstand bleef, stapte Yazel zelfverzekerd op de verkoper af.

Chris kon niet horen wat er gezegd werd, maar even later zag hij hem in een kleedkamer verdwijnen. De verkoper liep gedienstig af en aan met kleding en schoenen. Even later verscheen Yazel in de opening van de kleedruimte, gekleed in een lichtgrijs pak met wit overhemd en grafietgrijze krokodillenleren schoenen en een bijpassende riem met een zilveren sluiting.

De verkoper schoot hem te hulp bij het aandoen van de zilveren manchetknopen. De dure kleding stond Yazel perfect. Met zijn baard van een dag, zijn donkere haar en nonchalante houding leek hij op een mondaine man die net uit zijn privévliegtuig gestapt was. Wie zou zo iemand kunnen weerstaan? Natuurlijk was Eleftheria dit ook opgevallen. Hadden zij een affaire gehad en wilde ze Yazel nu jaloers maken met Chris? Waarom had hij dit niet eerder bedacht? Er speelde veel meer in de ploeg dan hij zich gerealiseerd had. Plotseling had hij er genoeg van, hij liep op de Cubaan af.

'Yazel, we moeten echt weg, ze gaan zo sluiten.'

De verkoper die geduldig met Yazel bezig was, leek zijn Nederlands te verstaan.

'*Don't you worry; we don't close for good customers. We will help your friend first.*'

Natuurlijk ging een winkel als deze niet dicht voor een goede klant. Geld was uiteindelijk geld.

Wat had Yazel de verkoper in vredesnaam verteld? Dat hij zijn vriend was? Dat de sjofel uitziende cameraman een rijke homo was die zijn jongere vriendje op iets moois wilde trakteren? Zijn teamleden waren volgens hem tot alles in staat. Daar was hij inmiddels wel achter. Yazel paste op zijn gemak nog een aantal elegante outfits die hem allemaal even goed stonden. Op het moment dat de verkoper wegliep om hen beiden een kop koffie te brengen, greep Chris hem bij zijn arm.

'Hoe lang wil je hier nog mee doorgaan?'

'*No te preocupes!* Maak je niet druk, ik heb dit vaker gedaan. Het is toch geweldig om dit soort mooie kleding te passen. Je weet niet wat het is om al dit soort spullen niet te kunnen bezitten. Jullie Nederlanders kunnen kiezen of je het wel of niet wilt hebben. Voor ons Cubanen is dit het walhalla.'

Yazel keek nog een keer naar zijn perfecte evenbeeld in de spiegel.

'Is het niet geweldig deze kleding te kunnen bezitten?'

Chris haalde zijn schouders op. Hij moest toegeven dat het Yazel heel goed stond. Beter dan het hem ooit zou staan. De Cubaan had een slank figuur met de juiste maten, zijn donkere oogopslag en het zwarte haar gaven hem een intensiteit die hem in deze dure kleding een exclusiviteit gaf waar menig jetsetter jaloers op zou zijn. Maar Chris was klaar met het bewonderen van zijn collega. Hij was toe aan een borrel.

'Je hebt toch wel eens van winkeldetectives gehoord? Die zijn hier echt niet zo vriendelijk als in Nederland. Ze zetten zo een kruis door je visum en jij zit morgen in het vliegtuig terug naar de regen en de mist. Het is al bijna half negen. Je kunt die winkel niet een half uur overuren laten draaien.'

Yazel keek de winkel rond, het was uitgestorven in de zaak. Bij de deur stond een beveiliger geduldig te wachten tot hij de deur voor de twee rijke buitenlandse klanten van het slot moest halen.

'Oké, oké, loop jij maar weg. Ik fingeer wel een *pelea*, een eh … ruzie tussen ons tweeën. Zal wel zeggen dat ik van de week wanneer je afgekoeld bent, weer terugkom om een paar pakken op te halen.'

Aarzelend liep Chris naar de uitgang, achter zich hoorde hij Yazel de verkoper met opgewonden stem van hun vermeende ruzie vertellen. Zonder om te kijken liep Chris door. De zwarte beveiliger liet hem met een uitdrukkingsloos gezicht uit. Chris slenterde in de richting van de grote kathedraal, maar hij hield de voordeur van Saks in de gaten. Na geruime tijd zag hij Yazel tevoorschijn komen. Opgelucht haalde hij adem.

'En?' vroeg hij met opgetrokken wenkbrauwen.

Enthousiast zwaaide Yazel een papiertje voor zijn neus heen en weer.

'Ik heb een *compromiso,* een date!'

'Wat? Met die verkoper, je bent gek!'

Verbijsterd keek Chris hem aan.

'Yazel, je bent toch niet … je gaat toch niet met die man op stap?'

'Nee natuurlijk niet, joh. Maar hij geloofde mijn toneelstukje wel, en hij was heel aardig.'

Yazel knipperde quasi bevallig met zijn oogleden.

'Hij zei dat hij op het latinotype viel.'

Omdat hij niet wist of hij moest lachen of boos worden, mompelde Chris dat hij niet blij was om voor dit soort acties gebruikt te worden. De gedachte aan Yazel en Eleftheria had hem nog niet losgelaten. Zonder verder commentaar hield de Cubaan voor de tweede keer een taxi aan.

'*Te juró*, ik zweer je, ik zal het goed met je maken. Eerst brengen we deze tassen naar het appartement en dan nodig ik je uit voor een etentje.'

De kosten daarvan zouden vast ook door de Cubaanse vriendenkring betaald worden, maar daar kon Chris niet meer mee zitten. Wat Yazel deed, was zijn zaak.

'Strangers in the Night'

Toen de taxi een half uur later stopte in Carmine Street, een zijstraat van Broadway, was Chris verbaasd. Tegen zijn verwachting in had Yazel hem niet meegenomen naar een dure eetgelegenheid, maar naar een eenvoudig eetcafé. 'Market Table' zag er gezellig uit, zonder gesteven linnen of duur bestek. Een hoekpand in een rustige wijk met aardewerken bakken met buxushaagjes op het trottoir. Het restaurant was trendy maar eenvoudig ingericht met houten tafeltjes op een plavuizenvloer. Yazel was hem voor.

'Die hippe restaurants in Manhattan vind ik maar niets, je betaalt teveel en het eten is slecht.'

Chris had, gezien de broodjeskeuze van Yazel, niet veel vertrouwen in diens smaak, maar toen nog geen twintig minuten later de bestelde spareribs met dikke huisgemaakte frieten voor hem geplaatst werden, was hij aangenaam verrast. Het eten was uitstekend. De fles wijn die zijn collega besteld had, was binnen de kortste keren op en een tweede was onderweg.

Langzaam voelde Chris het effect van de alcohol. De vermoeidheid viel weg. De spareribs lagen afgekloven op zijn bord en hij leunde voldaan achterover. Zijn oogleden voelden zwaar aan. Het liefst was hij even gaan liggen. Yazel leek er geen last van te hebben, zijn gedachten waren eerder bij de rest van de avond.

'Ik neem je zo mee naar een bar die helemaal het einde is. Daar kom je niet zomaar in, maar ik heb daar mijn contacten.'

Veelbetekenend knipoogde hij naar de cameraman.

'Hoe ben je eigenlijk in Nederland terechtgekomen, Yazel?'

Het intrigeerde Chris hoe deze man die alles naar zijn hand wist te zetten, bij Twilight terecht was gekomen.

'*Te lo explíco*, dat zal ik je uitleggen. Mijn vader was van Spaanse afkomst.'

Zijn grootouders Domingo en Encarna Guitierez waren begin vorige eeuw het arme Galicië in Spanje ontvlucht om hun geluk te zoeken in het toen nog rijke Cuba. Zij hadden hun schamele boerderij verkocht en met de karige opbrengst waren ze in de buurt van de stad Cienfuegos een suikerrietplantage begonnen. De plantage draaide uitstekend en het jonge paar kreeg drie kinderen, twee jongens en een meisje, die meewerkten op het land. Toen de oudste zoon Ramon, de vader van Yazel, trouwde met een Cubaanse schone, stond het al vast dat voor Ramon een stuk grond naast het land van zijn ouders aangekocht zou worden om daarop eveneens een suikerrietplantage te beginnen. Het riet groeide moeiteloos in het vochtige klimaat van het Caribische eiland.

Alleen besloot Fidel Castro samen met de revolutionair Che Guevara in datzelfde jaar dat Cuba veel te veel suikerriet produceerde. Het suikerriet werd voornamelijk naar Rusland geëxporteerd, en in het land zelf gebruikt voor de productie van rum en goedkope drank. Castro voerde een zeer protectionistische politiek. De mensen van Cuba waren zijn kinderen en als een alleswetende vader was het zijn taak zijn kinderen goed op te voeden. Goede scholen moesten er komen en overmatig alcoholgebruik moest worden teruggedrongen. De grote rumproducent Bacardi was al het land uit gevlucht en had zijn heil in een ander Zuid-Amerikaans land gevonden. De boeren moesten in coöperaties werken en leerden gezonde groenten voor de bevolking te verbouwen.

Yazel hief zijn expressieve handen op naar de hemel.

'*Caramba,* het was een van de meest domme beslissingen van onze grote leider. Tegen de tijd dat ze eind jaren tachtig beseften dat de suikerrietplantages Cuba veel geld konden opleveren, was het voor mijn vader te laat.'

Vader Ramon kon net het hoofd boven water houden en voor Yazel was er geen werk geweest op de boerderij van zijn ouders. Niet dat hij het gewild had! Zo gauw hij zijn studie op de muziekschool in Cienfuegos had afgerond, was hij naar Havana vertrokken. Maar de jonge Yazel had meer gevoel voor talen en handel dan voor muziek. In zijn nieuwe woonplaats werd hij al snel aangesteld als gids voor de toeristen die steeds vaker toegelaten werden om het eiland te bezichtigen. De broeders Fidel en Raoul Castro hadden begrepen dat toerisme geld op kon leveren. En dat was hard nodig. Zeker toen aan het eind van de jaren tachtig het machtige Rusland dat zelf in financiële problemen was gekomen, zijn toelage aan Cuba had ingetrokken.

Cubaanse muziek werd in die tijd steeds populairder in het buitenland en via zijn Europese contacten werd Yazel verzocht tournees voor een beroemd Cubaans orkest op het verre continent te verzorgen. Dat wilde hij maar al te graag en de eerste keer dat hij met het twintigkoppige orkest landde op het vliegveld Barajas in Madrid, dacht hij dat hij in de hemel terecht was gekomen. Het vliegveld baadde die avond in een zee van licht, iets wat in Cuba ondenkbaar was. Het enige wat daar 's avonds verlicht werd was de Malecon, de beroemde boulevard van Havana. Verder moest de oude stad het met een schamele verlichting doen, waardoor de nauwe straatjes in de avonduren moeilijk toegankelijk waren.

Alles waarvoor Fidel Castro in het verdorven buitenland gewaarschuwd had, bleek een leugen. Van een uitgebuite arbeidersklasse was niets te merken, en de meeste mensen die Yazel sprak, waren net zo goed opgeleid als de Cubanen. En dan de producten die overal zomaar te krijgen waren. Het eerste wat hij op het vliegveld kocht, was een pakje Kleenex zakdoekjes. Het zijdezachte papier waar hij zijn neus mee kon snuiten was het heerlijkste wat hij ooit gevoeld had.

Chris glimlachte. Papieren zakdoekjes waren wel het laatste waar hij bijzondere gedachten bij kreeg.

Binnen het jaar had Yazel een aantal reizen naar Europa gemaakt en was hij vastbesloten niet meer naar Cuba terug te keren. Omdat zijn grootvader van Spaanse afkomst was kon hij, dankzij een oud verdrag, zijn verblijfsvergunning in Spanje aanvragen.

Toen hem het felbegeerde papier, dankzij de medewerking van een paar vrienden in Madrid uiteindelijk verleend werd, besloot hij niet in Spanje te blijven.

Eind jaren negentig was Nederland het land waar voor hem de beste mogelijkheden lagen. Het klimaat was er kouder dan hij ooit gewend was, maar al snel had hij door dat Nederlanders in de muziek- en filmwereld een aardige vinger in de pap hadden. De beste dj's, platenbazen en opnamestudio's waren daar te vinden. Bovendien konden de Nederlanders een hardwerkende, handige regelaar wel waarderen.

Na een aantal kortlopende banen was hij uiteindelijk op 25-jarige leeftijd bij Twilight terechtgekomen waar hij nu al weer negen jaar werkte.

'En je ouders?'

Het leek Chris vreemd te moeten emigreren en haast geen contact meer te hebben met je familie. Hoewel hij nooit het pad van zijn ouders was gevolgd, sprak hij ze wel regelmatig. Het gemak waarmee Heather haar Amerikaanse leven had opgegeven om in Nederland te gaan wonen, had hij ook nooit kunnen bevatten.

Een vluchtige denkrimpel verscheen op het voorhoofd van de Cubaan.

'Ik zorg goed voor mijn ouders en de rest van mijn familie. Wij Cubanen zijn heel hecht.'

Met zijn rechterhand greep hij zijn linkerhand om een hechte band te duiden.

'En jijzelf, ooit verliefd, verloofd, getrouwd geweest?'

De gedachten aan de Cubaan met Eleftheria had Chris nog altijd niet losgelaten.

Yazel staarde naar zijn ringloze vingers, de lange dikke wimpers rustten op zijn wangen.

'*No hombre, no*, dat is niets voor mij. Ik heb een goed leven zo.'

Meer leek hij niet kwijt te willen. Maar Chris wilde zijn nieuwsgierigheid bevredigd hebben.

'Tja, maar als je zo lang in een ploeg werkt met iemand als Eleftheria, dan kan ik me toch voorstellen ...'

Hij maakte zijn zin niet af, de Cubaan moest maar begrijpen wat hij bedoelde. Yazel keek op en glimlachte.

'Lefty, *no* … *es un sol*, een prima meid maar voor mij veel te Grieks. Nee Chris, tegen de tijd dat ik jouw leeftijd heb, zoek ik een mooi blond meisje uit een goed milieu. Eentje uit zo'n Ralph Lauren reclame. Die hockey speelt en zomers in Bloemendaal aan Zee op een terrasje met haar vriendinnen een glaasje witte wijn drinkt. Allemaal heel *burgués* … kneuterig, zoals jullie dat zeggen. Uit een gegoede familie met een tweede huis in Cannes, Nice of Biarritz. Of een chalet in Lech.'

Hij leunde achterover en rekte zich uit.

'Ik zie het zo voor me. Een familie uit Wassenaar, Voorburg of Laren. In ieder geval eh … hoe zeg je dat … met oud geld. Een meisje waar ik mooie kinderen mee ga krijgen, die naar goede scholen gaan en niet weten hoe hun vader ooit het arme Cuba verlaten heeft.'

Ondanks alles moest Chris glimlachen. Hij was nog nooit eerder een man tegengekomen die zo duidelijk een weg voor zichzelf had uitgestippeld.

Terug in het appartement kon hij de slaap niet vatten. De luchtige sfeer van die avond was verdwenen. Na het eten hadden Yazel en hij nog wat barretjes bezocht, maar om één uur was hij teruggegaan. Onrustig draaide hij zich voor de zoveelste keer om in bed.

De vele glazen wijn die hij samen met Yazel gedronken had, hadden een averechts effect op hem, de verlangde verdoving wilde niet komen.

Wat had hij eigenlijk gedacht toen hij deze baan aannam? De toekomstvisie van de Cubaan bleef door zijn hoofd spoken. Chris had nooit zover vooruit gedacht. Had hij nou echt verwacht dat bij terugkomst in Nederland alles opgelost zou zijn? Dat Heather en hij als vrienden voort zouden leven met hun zoon Steven als gemeenschappelijk doel?

Begin twintig was hij geweest, en bezig af te studeren van de filmacademie toen hij haar ontmoette. Voor zijn afstudeeronderwerp had hij het ambitieuze plan opgevat een film te maken van de Nederlandse bevolking in het laatste decennium van de twintigste eeuw, een tijdsbeeld opgenomen in Amsterdam, een schets van het dagelijks leven.

Zijn collega-studenten hadden teams gemaakt om hun afstudeeronderwerp te verwezenlijken. Chris werkte alleen. Al snel kwam hij erachter dat zijn plan veel te ambitieus was zonder partner waarmee hij kon overleggen. Zijn raamwerk was te groot en hij verzoop bijna in de mogelijkheden. Maanden had hij verknoeid met opnames waar hij later niet tevreden over was. Maar de tijd drong, zijn afstudeeropdracht moest ingeleverd worden.

Hij herinnerde zich de zonnige zaterdag in mei. Met zijn camera opgesteld op de Dam, was hij bezig willekeurige voorbijgangers te filmen. Maar toen hij na een paar uur filmen zijn opnames terugkeek zag hij geen verband. Het bleef een rommelige verzameling van mensen die op de Dam zaten of liepen. En voornamelijk toeristen. Dat was het grootste probleem, zij waren geen doorsnee Nederlanders.

Net wilde hij zijn spullen opbergen toen een jonge vrouw met de meest ongelooflijke glimlach die hij ooit gezien had, naar hem toe kwam lopen. Ze was klein van stuk, donker lang haar dat los om haar smalle gezicht hing, ze had een spijkerbroek aan met daarop een groen vestje. Met de blik van een cameraman keek hij naar haar, gelijk viel hem op dat ze fotogeniek was. Met halfgesloten ogen nam hij haar in zich op. Ze had een mooie glimlach, maar buiten dat was ze geen uitgesproken schoonheid. Haar aantrekkingskracht lag in de tomeloze energie die van haar af leek te stralen.

'*Hey, how are you doing?*'

Ze had een vreemd Amerikaans accent, later ontdekte hij dat ze uit Houston in Texas kwam. Hij wist niet zo gauw wat hij moest antwoorden. Schaapachtig had hij naar die brede glimlach gestaard.

'*Listen, I want to ask you something.*'

Toen hij door zijn verlegenheid niet in staat was geweest haar te antwoorden, had ze hem gewoon bij de arm genomen en meegesleurd naar het café op de Dam vanwaar ze hem had gadegeslagen.

Ze had een weddenschap afgesloten met de rest van haar groep dat zij die leuke jonge man met dat warrige haar kon uitnodigen voor een drankje om zijn verhaal te horen.

Na veel hilariteit in de kroeg had hij zijn twijfels op tafel gegooid. Dat hij zelf niet wist wat hij aan het doen was.

Heather had de geweldige gave dat ze mensen kon laten praten en voordat hij het wist had hij zijn hart bij haar uitgestort. Tot zijn verbazing wist de Amerikaanse met de brede glimlach zijn probleem feilloos te analyseren. Volgens haar moest hij zijn opnames meer in scène zetten, iets waar volgens haar Nederlanders juist zo goed in waren. Een beetje spelen met de waarheid en de rest laten acteren. Hij had geprotesteerd, het was volgens hem niet ethisch. Maar ze lachte hem uit. Zijn afstudeeronderwerp was camerawerk, en geen hele film. Waarom zou hij tijd verspillen aan wachten op het goede moment? Na een uur had hij samen met haar een aardig scenario voor zijn opdracht. Opgelucht had hij achterover geleund. Toen hij haar vroeg waar ze op dat moment woonde, gaf ze aan nog op zoek te zijn.

Als dank had hij haar onderdak in zijn bescheiden kamer in de Pijp aangeboden. Tot zijn verbazing liep ze weg om even later met een grote koffer terug te komen en was ze zo met hem meegegaan.

Chris had al vaker vriendinnetjes gehad, maar toen ze na een week op zijn bank geslapen te hebben op een nacht bij hem in bed kroop, dacht hij in de hemel beland te zijn. Heather bleek een bedreven minnares, wat hij naïef toeschreef aan de Amerikaanse cultuur. Daar werden de meisjes vast meer opgevoed met het idee dat een man behaagd moest worden. Chris zuchtte bij de gedachte aan die tijd. Wat was hij bereid geweest haar te geloven.

Langzaam had Heather zijn leven overgenomen. Ze was een bureau begonnen voor bemiddeling in schoonheidsbehandelingen. Net als hij waren de meeste vrouwen, en ook mannen, ervan overtuigd dat de Amerikaanse veel meer dan Nederlanders verstand had van ingrepen aan het gezicht of het lichaam om er beter uit te zien. Iedereen las de roddelbladen waarin beschreven werd hoe Amerikaanse topacteurs en actrices, zangers, politici, beroemdheden met veel geld, zich lieten 'opknappen', zoals Heather het noemde. Nederlanders waren in haar ogen achtergebleven polderaars die de natuur haar werk lieten doen. Fietsend door wind, regen en kou waren wij niet op de hoogte van de 'rampzalige' gevolgen voor onze huid. Maar Heather zette door. Huidverbeteringen, injecties, tanden bleken, vet weghalen, het waren allemaal normale zaken in Amerika en het werd tijd dat de Nederlandse vrouw een graantje van deze kennis meepikte.

Voordat Chris het wist waren ze verhuisd naar het Gooi en bleek Heather zwanger te zijn van hun zoon Steven. Hoewel Chris en Heather even oud waren, leek zij altijd net iets handiger, net iets meer te weten. Nooit had hij zich afgevraagd waar die eerste jaren al dat geld vandaan was gekomen om haar dromen te verwezenlijken. Het was er gewoon. Verdiend met haar bemiddelingen en later met haar eigen kliniek.

Ondertussen was hij afgestudeerd en had hij een veilige baan gevonden bij een grote productiemaatschappij in het mediapark in Hilversum waar hij jarenlang documentaires maakte. Soms zelfs in het buitenland.

Hij stond op en trok een shirt aan over zijn pyjamabroek, hij was gewend met ontbloot bovenlijf te slapen, maar hij wilde niet riskeren een van zijn ploeggenoten tegen het blote lijf te lopen. Zachtjes sloop hij naar de keuken. Hij wist zeker dat hij zijn sigaretten op de keukentafel had laten liggen, omdat dat de enige plek in het appartement was waar ze konden roken. Op de tast, zonder het licht aan te knippen, liep hij de lange gang door naar de keuken. Zijn hand gleed over de tafel tot hij het pakje inderdaad gevonden had. Hij stak een sigaret aan en opende de deur naar het terras. Een vale maan scheen over de planten. Toen zijn ogen aan het donker gewend waren, zag hij plotseling een rood puntje oplichten in een hoek achter een grote varen. Hij schraapte zijn keel om degene die daar zat niet aan het schrikken te maken.

'Ik ben het, Chris,' zei hij overbodig.

'Kun je niet slapen?'

Het was de stem van Yolanda.

Hij liep naar de hoek en zag dat ze met haar knieën opgetrokken op een rieten bankje zat. Het was fris. Chris liep zonder iets te zeggen terug naar zijn kamer. Daar pakte hij de grote geruite plaid die hij in de kast had zien liggen en liep ermee naar buiten.

'Hier,' zei hij met schorre stem.

'Dank je.'

Ze nam de plaid aan en wikkelde zich in de deken. Chris ging naast haar op het rieten bankje zitten. Het zou vreemd zijn dat niet te doen. Zwijgend rookten ze hun sigaret.

'Denk jij wel eens na over de hemelpoort, Chris?' vroeg ze hem plotseling.

'De hemelpoort?' vroeg hij haar verbaasd.

'Ja, dat is de naam van de documentaire die we aan het maken zijn.'

Verbeeldde hij het zich of klonk haar antwoord geërgerd. Natuurlijk wist hij de naam van de documentaire, hij begreep alleen niet wat ze met de vraag bedoelde. Wilde ze weten wat zijn professionele mening over de documentaire was of bedoelde ze wat anders?

Zonder zijn antwoord af te wachten ging ze verder.

'Die familie die we vandaag gefilmd hebben, heeft een mening over wat hun straks te wachten staat als ze aan de hemelpoort staan. Het lijkt mij geweldig zo'n duidelijk beeld te hebben. Daar kan ik jaloers op zijn.'

Het was donker in het hoekje waar ze zaten. Yolanda kon zijn verbaasde blik niet zien.

'Jaloers op wat deze mensen voor houvast hebben? Kom Yo, dat is alleen maar een kwestie van vasthouden aan tradities, aan een strak keurslijf. Zou je daar echt in willen zitten?'

'Nee, niet in dat keurslijf. Het is eerder …'

Ze zocht naar woorden.

'Het is eerder dat een leven zonder religie geen duidelijk houvast biedt. Je krijgt bij je geboorte geen gebruiksaanwijzing mee. Hoe je moet leven om gelukkig te worden.'

Chris drukte zijn sigaret uit.

'Bedoel je een soort puntenstelsel voor goed gedrag? Bij genoeg punten word je beloond?'

Hoewel hij het niet kon zien, wist hij dat ze glimlachte.

'Toch heb ik het gevoel dat mensen die geloven gelukkiger zijn. Het aardse bestaan drukt niet zo op ze omdat ze straks andere kansen krijgen. Wij geloven dat we in het hier en nu iets van het leven moeten maken. Aan het eind ga je gewoon dood. Punt.'

Het laatste klonk zo nuchter, zo droog. Chris liet haar woorden op zich in werken. Na een tijdje stilte klonk haar stem weer.

'Ik bedoel, geloof jij in een hiernamaals?'

Waar wilde ze naar toe met haar vraag? Na een poosje antwoordde hij.

'Natuurlijk denk ik daar weleens over na. Ik ben protestants opgevoed. Mijn ouders gingen zondags naar de kerk, maar ik ben al snel afgehaakt. De hemel die ze je beloven, Yo, in ruil voor een leven geleefd naar de regels en wetten van de kerk? Daar geloof ik niet in. Het is een verzinsel van de mens. De mensheid is in principe bereid zich goed te gedragen zolang hij niets tekortkomt. Zodra een mens moet strijden voor zijn leven, neemt het aangeboren overlevingsinstinct het over.'

Chris staarde voor zich uit. Zijn gedachten dwaalden naar zijn ex.

'En dan heb ik het nog niet over alle dierlijke lusten die in een mens huizen. Juist incest en pedofilie komen veelvuldig voor in de zwaardere religieuze gemeenschappen. Kun je me daar een verklaring voor geven? Nee, religie is niets voor mij. Ik geloof er eerder in dat wij allemaal ontstaan zijn uit een bron en daar ook weer naar terugkeren.'

Yolanda lachte schamper. Hij voelde de warmte van haar lichaam.

'Nee, je hebt gelijk, daar heb ik ook teveel voor gezien. Ik ben joods, mij is altijd voorgehouden dat wij het uitverkoren volk zijn. Wij zijn bijzonder, weet je!'

Ze zuchtte.

'Maar in feite belooft ieder geloof hetzelfde. Alleen wordt elk geloof anders beleden, dus daar heb je al een contradictie.'

'Tenzij je het ware geloof aanhangt,' grapte Chris.

'Ja, maar welk?'

Weer zaten ze een poosje zwijgend naast elkaar, omhuld door de hartslag van de stad die in het midden van de nacht klonk als een dreunende machine.

'Maar wat verwacht jij van je leven, Chris? Geloof jij in een beloning in het hier en nu, of denk je dat die later komt? De hindoes geloven dat zij hun best moeten doen in het huidige leven om steeds als een beter mens te reïncarneren. Met de uiteindelijke hoofdprijs, de semi goddelijkheid. De moslims geloven in een hiërarchisch hiernamaals. Hoe beter jij je best doet hoe beter jouw positie na je dood zal zijn. Wij christenen geloven in gelijkheid. In een hiernamaals waar iedereen gelijk is, zonder pijn of verdriet in een eeuwige bron van licht en geluk. Het lijkt mij allemaal uitgevonden om de mensen op aarde samen te laten leven, maar de werkelijkheid is anders. Uit naam van het geloof worden de meest bloedige oorlogen gevoerd.'

Het werd steeds koeler. Chris had spijt niet nog een plaid meegenomen te hebben. Voorzichtig schoof hij dichter naar Yolanda. Alsof ze zijn gedachten kon lezen, tilde ze de plaid op en bood hem een stuk aan.

'Kon je daarom niet slapen? Lag je te piekeren over deze levensvragen?'

Hij rook haar aangename geur.

'Nee en ja.'

Haar antwoord was kort, maar hij begreep wat ze bedoelde. Zachtjes begon ze te vertellen.

'Mijn ouders waren wat je noemt 'geluksjoden'. Ze hebben tijdens de oorlog nooit geleden. Mijn grootvader was een filmmaker die in Londen woonde. Mijn vader is in de oorlog bij hem in Engeland gaan wonen. Na de oorlog, toen hij terugkwam in een verwoest Nederland, is hij getrouwd met mijn moeder, een jodin die tijdens de oorlog voor een hoge Duitse ambtenaar gewerkt heeft. Deze Duitser zag het nut van de door Hitler gepredikte jodenhaat niet in. De hele oorlog lang heeft hij mijn moeder en haar familie weten te beschermen.'

Hier stopte ze, zich afvragend of ze hem meer wilde vertellen. Toen ging ze verder.

'Ik ben liefdevol opgevoed. Mijn vader heeft uit schuldgevoel dat hij de verschrikkingen van de oorlog niet heeft meegemaakt, veel documentaires gemaakt over het joodse leed. Als jong meisje kon ik zijn gevoelens niet begrijpen. Mijn familie had gewoon geluk gehad. Maar mijn vader was een andere mening toegedaan, hij was ervan overtuigd dat wij uitverkoren waren. We moesten nog dankbaarder zijn. Toen ik ouder werd heb ik me stevig verzet tegen zijn overdreven sentimenten. Tot overmaat van ramp trouwde ik Richard Edelman, een *goj*. Mijn ouders waren onaangenaam verrast, maar ze hielden hun mond. Ik was hun enig kind, hun oogappel. Bescheiden hebben ze het boetekleed aangetrokken en mijn huwelijk met een niet-Jood geweten aan het falen van hun opvoeding.'

Haar stem stokte, ze sloeg haar armen in een beschermend gebaar om haar lichaam.

'Toen een jaar geleden mijn huwelijk een fiasco bleek, wist ik niet hoe ik dit mijn ouders moest vertellen. Ik schaamde me zo ...'

Schaamte. Dat was wat hij ook voelde over het hele gedoe met Heather. Zachtjes antwoordde Chris haar.

'Ach Yo, aan de hemelpoort zou mijn leven ook geen tien krijgen, misschien een mager zesje.'

Natuurlijk had hij ook dingen gedaan die niet door de beugel konden. De nacht, het donkere terras en de nabijheid van Yolanda hadden al zijn bravoure weggenomen. Het voelde zo vertrouwd dat hij schrok toen ze plotseling hartstochtelijk uitviel.

'Soms heb je veel over voor mensen waarvan je denkt dat ze het waard zijn. Die worden dan jouw levensdoel, en dat moet in feite toch een goede karaktertrek zijn?'

Het was meer een constatering dan een vraag, want even later ging ze door.

'Maar je kunt jezelf daarbij verliezen, net als wanneer je jezelf overgeeft aan een religie. De beloning moet je dan maar afwachten ...'

Ze zuchtte in het donker.

'… en daar geloof ik niet meer in.'

Natuurlijk doelde ze op Richard Edelman. Eigenlijk hadden ze beiden dezelfde fout gemaakt. Te leven voor de liefde, geloven in een relatie die het niet waard was.

In het donker zocht zijn hand die van haar. Haar lange smalle hand voelde koud aan. Voorzichtig pakte hij haar beide handen en wreef ze warm. Als een klein kind op een winters schoolplein liet ze zich verwarmen, geduldig maar ook een beetje alsof het erbij hoorde, alsof dit gebaar een gewoonte tussen hen was.

De eigenzinnige regisseuse waar hij overdag mee werkte had plaatsgemaakt voor een zachte, meegaande vrouw. Hij schoof nog dichter naar haar toe, en zonder een woord te zeggen nestelde ze zich zwijgend tegen hem aan. Het voelde goed hoe ze tegen zijn schouder aan lag, met de duisternis van de nacht als een extra deken over hen heen. Door de dunne stof van zijn shirt heen voelde hij haar tranen. Voorzichtig streelde Chris haar haren. Net zoals hij vroeger Stevens hoofd streelde wanneer hij verdrietig of ziek was. Langzaam voelde hij haar hoofd zwaar worden tegen zijn schouder. Steeds langzamer streelde hij het donkerblonde haar, totdat haar regelmatige ademhaling aangaf dat ze sliep.

Hij tilde Yolanda met plaid en al op en droeg haar in het donker naar haar slaapkamer. Ze mompelde zachtjes in haar slaap.

Met zijn voet opende hij de deur. Het vage schijnsel van de maan door het raam liet de contouren van het bed zien. Voorzichtig legde hij haar neer en sloeg de geruite plaid over haar heen. Hopelijk zou die haar warm houden. Hij trok de gordijnen dicht en sloot zachtjes de deur achter zich.

Terug in zijn eigen slaapkamer vroeg hij zich af waarom hij niet bij haar in bed was gaan liggen. Zoals zij op de bank tegen hem aangekropen was …

Het had verlangens in hem wakker gemaakt die hij lange tijd niet gevoeld had.

Hij ging op zijn rug liggen en staarde in het donker naar het plafond. Als hij bij haar was blijven slapen, zou ze hem dat kwalijk hebben genomen? Waarschijnlijk wel, het ochtendlicht had zo zijn eigen manier om alles wat 's avonds zo vanzelfsprekend leek, anders uit te leggen. Nog steeds voelde zijn hand haar haren, rook hij haar lichaam. Langzaam vielen zijn ogen dicht en werd hij meegevoerd op de golven van een diepe slaap.

Ins'ha Allah

Islam

'We seek the help of Allah, the most Gracious, the most Merciful ... Who has bestowed upon us the will and ability to use this aircraft, without Whom we are helpless. Verily, to God alone we worship and to God alone we shall return. Oh Allah, shower us with Your Blessing and protect us on this journey from any hardship or danger ...'

Voor de zoveelste maal raadpleegde Chris zijn horloge. Hij had honger en was moe. Het was de derde moskee van de dag en zijn geduld begon op te raken.

De laatste dagen waren een maalstroom geweest van opstaan, werken, eten en slapen. Zijn collega's leken er aan gewend, maar Chris kreeg het ritme niet onder de knie.

Na die ene wonderlijke nacht met Yolanda op het terras, was zijn slapeloosheid weer teruggekeerd. Op het moment dat hij 's avonds vermoeid zijn ogen sloot, kwamen de gedachten aan zijn huwelijk onverbiddelijk terug. Aan de eerste tijd met Heather, haar tomeloze energie, de eindeloze nachten gevuld met wilde seks.

Hoe kon ze hem verwijten dat hij haar nooit opgewonden had? Die eerste jaren was Heather een wervelstorm geweest. Hele dagen werkte ze aan de opbouw van haar bedrijf. 's Avonds had ze echter nog voldoende energie over gehad om hem op elk denkbare manier te bevredigen. Ze was sterk en atletisch gebouwd. Haar borsten klein en hard. Tot zijn grote genoegen had ze nooit de behoefte gevoeld ze te laten vergroten. Alleen toen ze zwanger was van Steven waren die borsten gegroeid, maar na haar bevalling waren ze tot haar opluchting weer klein en stevig geworden.

Heather haatte het om zwanger te zijn, haar lichaam niet onder controle te hebben. Voor het eerst in hun relatie had ze haar zin in seks verloren. Terwijl Chris haar zwangere buik en gevulde borsten aanbad, wilde zij niets van dat lijf weten. De laatste maanden van haar zwangerschap had ze haar buik verhuld in ruime jurken en mocht hij 's nachts in bed haar ronde vormen niet aanraken. Hoe vaak hij haar ook vertelde dat ze mooi was, dat ze het toppunt van vrouwelijkheid was, dat hij haar aanbad. Ze stond hem alleen toe aan het einde van een vermoeiende dag haar voeten te masseren.

Vanaf het moment dat ze bevallen was, het moment waarop Chris het wonderlijke roze wezentje in zijn armen hield, leek zij haar oude veerkracht weer terug te krijgen. Baby Steven was ter wereld gebracht en haar taak zat erop.

Ze waren nog zo jong geweest, beiden nog geen 25 jaar. In zijn on-wetendheid had hij haar gedrag vergoelijkt als een cultureel verschil. Maar nu waren zijn gedachten heel anders.

Alles wat hij die jaren weggeslikt had, en waarop hij soms zelfs naïef trots was geweest, bleek een leugen.

Zijn huwelijk met Heather was een lange weg geweest waarin hij zichzelf was kwijtgeraakt.

Geïrriteerd zocht hij in zijn zakken naar zijn sigaretten. Toen hij daarnet een pakje was gaan kopen, merkte hij dat het geld dat Yazel hem geleend had op aan het raken was. Hij had zijn bank moeten bellen, maar steeds wanneer hij eraan dacht was het net te laat of te vroeg om naar Nederland te bellen. Hij stak een sigaret op en pro-beerde zich op zijn werk te concentreren.

De opnames in de Malcolm Shabazz Mosque, genoemd naar de doodgeschoten zwarte dominee Malcolm X, verliepen moeizaam. De moskee leek eerder op een exotisch warenhuis dan op een mos-kee. Het gebouw met ronde boogramen met daarboven gele ele-menten die er uitzagen als opgetrokken wenkbrauwen, had een plat dak met daarbovenop de koepel zonder minaret.

Yolanda had hen uitgelegd dat dit item van groot belang was voor de documentaire. De moskee die in dezelfde straat lag als hun ap-partement, was in het nieuws gekomen toen de politie van New

York naar aanleiding van een valse melding van criminele activiteiten, tijdens een dienst een gewapende inval had gedaan. Bij die inval was een politieagent gedood.

Voor Chris was het niet voor te stellen dat dit dezelfde straat was als die van hun appartement. Het verschil met de nette buurt aan het universitaire park die Chris als zijn thuis was gaan beschouwen, was schokkend. De straat was in dit deel een stuk ouder, rommeliger door de grote verscheidenheid aan kleine en grote woningen, waarvan sommige in slechte staat van onderhoud verkeerden. Er was hier in honderd jaar tijd niets veranderd. Behalve dat dit stuk het terrein was geworden van bendes en gangsta's.

Langzaamaan begon hij de werkmethode van Yolanda te begrijpen. Vaak maakte ze opnames die later toch niet gebruikt werden, altijd in de hoop iets unieks te vinden in de smeltkroes van religies.

Regelmatig wanneer ze 's avonds laat de opnames van die dag bekeken, kruisten hun blikken elkaar. Nooit had ze met een woord gesproken over de nacht op het terras, maar hun relatie was subtiel veranderd. Ze had geen woorden meer nodig om hem iets uit te leggen.

Alleen vandaag wilde hij haar niet begrijpen. De Malcolm Shabazz Moskee had veel weg van de tweede moskee van die dag, de Muhammed Moskee No. 7 in West 127th Street, een weinig imposant gebouw met drie gevels die aan Amsterdamse trapgevels deden denken. De moskee of wat er voor door moest gaan, lag ingeklemd tussen woonhuizen.

De dominee die hen daar te woord zou staan, bleek niet aanwezig. Yazel had Chris al verteld dat hij problemen verwachtte bij deze moskee. De moslimbeweging Nation of Islam die Moskee No. 7 als tempel gebruikte, kende een turbulente geschiedenis van geweld en afpersing.

Beide moskeeën hadden voor de documentaire echter niet de sensatie gebracht waarop Yolanda gehoopt had, alleen maar een hoop ergernis en saaie beelden.

Alleen de moskee aan 3rd Avenue waar ze die morgen geweest waren, was heel anders geweest. Dat was een moderne moskee opgebouwd uit grijsbeige steen met een prachtige donkergrijze koepel. Het pand was ook toegankelijk voor niet-gelovigen, zolang de schoenen uitgetrokken werden en de gelovigen met rust gelaten werden. De binnenopnames waren tot Chris' tevredenheid zeer goed uitgevallen, mede door het licht dat door de ramen aan de zijkant van de koepel naar binnen viel. De moskee straalde in de drukke wereldstad een ongewone ingetogen rust uit.

De woordvoerder die hen hier had rondgeleid, was een intelligente man die rustig antwoord had gegeven op de inhoudelijke vragen van Berend. Opnieuw vroeg Chris zich af waarom Berend bij Twilight werkte. Met zijn capaciteiten hoorde hij in een actualiteitenprogramma waar hij hooggeplaatste politici aan de tand kon voelen. De vraag wat deze man bij een vrijgevochten team documentairemakers deed, bleef hem plagen.

'Hé, Chrisspark, kijk waar je die camera op richt!'

Chris schrok op van zijn Griekse collega die hem een venijnige blik toewierp. De zwarte imam van de Malcolm Shabazz moskee keek verstoord naar de ongelovigen die opnames in zijn moskee aan het maken waren. Snel maakte Chris een close-up van de imam. De hooghartige blik sprak boekdelen. Uit ervaring wist hij dat kijkers niet in staat waren een massa aan beelden te interpreteren, dat stond te ver af van wat men kende of voelde. Maar door deze close-up kwam het verhaal opeens dichterbij.

Tevreden borg hij zijn camera op in de koffer, de laatste opname was goed. Hij rekte zich uit. Yolanda en Berend waren een half uur geleden al vertrokken zonder iets te zeggen. Of ze hadden hem iets gezegd en het was niet tot hem doorgedrongen. Het maakte hem niet uit, hij wilde terug naar het appartement, douchen en daarna de stad in om alleen te zijn met zijn kwellende gedachten.

'Zo te zien zijn we klaar voor vandaag?'

Eleftheria keek hem vragend aan. Ze had voor deze opnamedag rekening gehouden met haar kleding. Ze droeg een rechte broek van een soepele stof met daaroverheen een wijd overhemd met lange mouwen die haar armen en handen bijna totaal bedekten. Alleen met haar haren had ze, ondanks de smeekbede van Yolanda, geen concessie willen doen.

'Ik ga geen hoofddoek dragen, dat belemmert me in mijn werk!' had Chris haar die morgen in de keuken horen roepen. Haar ravenzwarte haar lag in een dikke vlecht op haar rug. Even jeukten zijn handen om de donkere haren aan te raken. Maar hij hield zich in, het zou alles alleen maar moeilijker maken. Hij knikte bevestigend.

'Ja, we hebben genoeg materiaal. Waar zijn de anderen?'
Met deze vraag hoopte hij haar af te leiden, een discussie met de montagevrouw was het laatste waar hij vandaag zin in had.

'Yo heeft telefonisch overleg met onze broodheren, daar heeft ze liever niemand van ons bij. En Berend heeft hoofdpijn. Yazel schijnt zijn rugzak ergens vergeten te zijn, hij was nogal paniekerig dus ik heb hem gezegd dat wij het wel samen afkonden, Chrisspark. Heb je daar moeite mee?'

'Nee, zolang jij de weg terug naar huis weet ...' grapte hij.

'Leuk hoor! Neem jij afscheid van die imam? Dat is in dit geval niet echt iets voor een vrouw.'
Veelbetekenend wees ze met haar hoofd naar de zwarte man. Ze had natuurlijk gelijk. Chris liet haar de boel verder inpakken, liep naar de leider van de moskee en bedankte hem uitgebreid voor de genomen moeite. De blik van de man verzachtte en hij groette Chris vriendelijk.
Gehaast liep hij vervolgens terug naar Eleftheria om haar te helpen de opnamelampen, camera en microfoons naar buiten te brengen.

'Pffft, blij dat het erop zit. Veel meer huichelarij kan ik niet hebben voor vandaag. Je zou toch echt denken dat ze allemaal een rechtstreekse verbinding met hun God hebben. En dan die verhalen hoe een mens met zijn lichaam moet omgaan, en hoe vrouwen zich ondergeschikt moeten gedragen aan de man, en hoe alles voorbestemd is en we alleen maar moeten volgen. Ik heb dit nu al in alle religievarianten, vormen en maten moeten horen. Alleen weerlegt hun gedrag alles wat ons tot nu toe verteld is.'

Voor het eerst sinds de nacht die ze samen hadden doorgebracht, glimlachte Eleftheria naar hem.

'Religie, Chrisspark, is macht … of juist onmacht. Het is maar hoe je er tegenaan kijkt. Waar zouden al die mensen zijn zonder hun geloof, wat zou er dan nog overblijven? Mijn Griekse opvoeding bestaat voor meer dan de helft uit regels die voortkomen uit religie. En uit angst voor wat anderen over mij denken. Of tenminste, wat mijn ouders denken dat anderen over mij denken. Het kan mij niet boeien.'

Ze keek naar de zware lampen.

'Jij bent de man toch? Dan mag jij die zware lampen naar buiten sjouwen. Moet je er wel blijven, want je kunt hier niets op de stoep laten staan, zonder dat het gestolen wordt.'

'Hahaha, heel grappig. Maar natuurlijk wil ik het zwakke geslacht ontzien.'

Hij kon het niet laten om haar toch de vraag te stellen.

'Kan het je echt niet boeien, Lefty?'

'Wat? Hoe ze naar me kijken?'

'Nee, wat je ouders denken dat anderen van je denken.'

Hij wist vrij zeker dat het haar wel kon schelen. Het kon niet anders, hij had dit zo vaak gezien, het zat gewoon in de genen. Zelfs Heather was anders geweest als ze weer terug was in haar geboortestad. Opeens leek ze zich er veel meer dan in Nederland van bewust hoe ze overkwam, of moest komen, op haar familie. Rijk, succesvol en vooral geslaagd in het leven.

'Nee, en haal je maar niets in je hoofd omdat je met mij uit bent geweest! Daar kun je geen rechten aan ontlenen, cameraman. Het laatste wat ik wil is 'huisje, boompje, beestje en in mijn geval, kerkje'. Als het dan allemaal niet goed gaat komen met me, dan heb ik in ieder geval wel genoten.'

'Tja Lefty, je hebt het de imam horen zeggen - je lichaam is een geschenk en daar moet je verstandig mee omgaan …'

Waarom voelde hij die onbedwingbare neiging haar te plagen? Hij klonk nu echt als haar ouders of in ieder geval als een oudere man.

'Ja precies, een geschenk. En het is aan mij om daar mee te doen wat ik wil. Ik geniet met volle teugen van dit lichaam en dat wil ik ook graag zo houden.'

Opeens had hij weer medelijden met haar. Deze discussie had ze al vele malen met haar ouders gevoerd. Het was jammer dat ze zich zoveel geweld aan deed door het tegenovergestelde te zijn van wie ze werkelijk was.

Eleftheria kon lief en zorgzaam zijn naar haar team, loyaal en beschermend. Ze was vrolijk, creatief, hardwerkend en moedig. Al deze karaktertrekken had ze in zich. Maar door de dwingende opvoeding van haar Griekse ouders leek ze voornamelijk uit de band te willen springen, als een gekooid dier.

Zijn hand streelde haar dikke vlecht.

'Ik zou niet durven, Lefty. Je bent mij veel te gevaarlijk, te onvoorspelbaar en bovenal te Grieks.'

Het waren de woorden van Yazel. Ze opende haar mond om hem van repliek te dienen, maar bedacht zich. Ze slikte iets weg, woorden die op het puntje van haar tong gelegen hadden. Ze bukte zich om de lampen op te pakken. Met haar hoofd wees ze naar de uitgang.

'*Peace be upon you, brother*! Kom, laten we maken dat we hier wegkomen.'

En dat was precies zijn idee.

In het appartement heerste een vreemde rust. De keuken was bezaaid met lege koffiebekers en vieze borden, maar er was niemand te bekennen. Eleftheria liep naar de woonkamer en riep: 'We zijn terug!'

Maar niemand reageerde.

'Berend zal wel oordopjes in hebben. Laat hem maar slapen, anders is hij morgen niet te genieten.'

Eleftheria liet de zware bepakking van haar schouders op de grond zakken.

'Ik loop nog één keer naar beneden voor de rest van de spullen en dan heb ik het gehad voor vandaag.'

Met vlugge vingers haalde ze de dikke vlecht los. Ze schudde haar haren uit.

'Oh, een heerlijk bad zou wonderen doen!'

Chris keek de woonkamer rond alsof hij iets miste.

'Yolanda was toch ook thuis?'

Hij wilde dat hij zijn opmerking had ingeslikt en hoopte dat het Eleftheria ontgaan was, maar die hoop was tevergeefs.

'Thuis? Vind je het vervelend dat mama niet thuis is? Zullen we toch onze eigen boterhammen moeten smeren!'

'Nee, natuurlijk niet. Ik vraag me alleen af waar ze dan is.'

De donkere ogen van de Griekse knepen zich samen tot kleine spleetjes.

'Luister Chrisspark, Yo is een volwassen vrouw die misschien ook wel eens de behoefte kan hebben om alleen te zijn. Wie weet is ze naar Macy's, inkopen doen, of is ze naar de kapper, of hangt ze ergens in haar eentje in een bar en probeert ze die hele shitzooi hier te vergeten! Weet jij veel. Geef haar wat ruimte. Ik weet niet of het je opgevallen is maar we zijn hier nog niet klaar en het geld en de tijd beginnen op te raken!'

In haar opwinding werd haar Griekse accent steeds duidelijker.

'Je zou eens wat socialer kunnen zijn, Chrisspark. Je loopt de hele dag de macho uit te hangen, maar het ontgaat je totaal waar wij mee bezig zijn.'

'Ho, ho, ik dacht dat ik mijn werk hier aardig deed.'

Chris was verbaasd, wat bedoelde ze met de 'macho uithangen'?

'Ja, je werk, dat wel! Maar daarnaast wens jij niet betrokken te worden bij de strijd die wij leveren om te overleven.'

Verbaasd trok Chris z'n wenkbrauwen op. Was dit het waarom ze dagenlang niet tegen hem gesproken had? Omdat hij, volgens haar, niet genoeg zijn best deed? De vrede die hij die middag met haar gesloten had was misleidend, want Eleftheria was nog niet klaar met haar tirade.

'Dit gaat hier wel om onze boterham, als wij dit project niet op tijd en binnen het budget af krijgen, dan is het gedaan met Twilight Thoughts en met ons.'

Driftig schopte ze de kabels van de lampen naar de hoek van de kamer.

Chris liep zonder een antwoord te geven naar beneden. Hun apparatuur stond onbeheerd in de hal van het gebouw, waar ze het uit de taxi hadden neergezet.

Dat Twilight Thoughts er niet goed voor stond, dat was iedereen duidelijk, maar de uitval van Eleftheria had hier niets mee te maken. Ze was meer Griekse dan ze zelf ooit wilde toegeven, misschien vond ze het moeilijk de aandacht van een man te moeten delen.

Hij kon geen andere reden voor haar uitval bedenken.

Niet dat hij aanleiding gegeven had. Tussen hem en Yolanda speelde niets meer dan een verschil van inzicht over de opnames.

Eleftheria kwam hem achterna.

'Loop je nu weg?'

'Ja, je bent onredelijk. Natuurlijk weet ik dat Twilight er slecht voor staat. Dat weten we allemaal en voor zover ik het kan zien, doen we allemaal wat we kunnen. Het slaat nergens op je zo onredelijk te gedragen.'

Hij voelde voor de tweede keer die avond het medelijden opkomen, zij werkte misschien wel het hardst van hun allemaal. Hij pakte haar hand en trok haar naar zich toe.

'Ga zo lekker in bad, Lefty. Dat zal je goed doen.'

Zijn hand streelde haar dikke haren. Ze liet haar hoofd even tegen zijn borst rusten, toen haalde ze diep adem.

'Ja, misschien is dat beter, het was een lange dag.'

Al haar verbolgenheid was verdwenen en ze was opeens lief en zacht. Chris drukte een kus op haar voorhoofd en liep toen verder de trap af.

Een uur later stapte hij de metro uit bij Penn Station. Een enorme mensenmassa had zich buiten verzameld voor Madison Square Garden, het evenementencomplex bovenop het stationsgebouw. Op het grote banier voor het gebouw was te lezen dat die avond een benefietgala gegeven werd. Door het milde weer was de opkomst voor het concert groot. Een tijdje bleef hij staan om, net als zoveel anderen, een glimp op te vangen van de beroemdheden die per limousine aankwamen.

Vervolgens worstelde Chris zich door de mensenmassa en liep in de richting van de Hudson Rivier. Het was druk, voetgangers passeerden elkaar in de nauwe gangen van groene renovatiestellages die bijna permanent tegen de gebouwen aan geplaatst waren. De witte bordjes op de stellages gaven datum en nummer weer van de afgegeven vergunning voor de bouwsteigers. Maar sommige bordjes waren zo verweerd dat de datum nauwelijks meer te lezen was. De New Yorkers waren gewend aan de groene corridors met houten planken. Manhattan was permanent onder constructie, zeker het lagere gedeelte van de landtong waar de eerste emigranten hun bestaan hadden opgebouwd.

Lagen geschiedenis bevonden zich onder de huid van deze stad. Net als in Rome, waren eeuwen geschiedenis ook onder deze stad verborgen.

Heather en hij hadden ooit in Rome een romantisch weekend doorgebracht voordat Steven geboren werd. Daar was hun zoon verwekt, had Heather altijd gezegd. De zoveelste leugen die ze hem verteld had.

Hij sloeg de hoek om bij het Joyce Theater, waar een rij balletliefhebbers onder de imposante overkapping stond te wachten, en liep in de richting van het Meatpacking District, waar grote delen van de populaire televisieserie *Sex and the City* waren opgenomen. Maar daar had Chris geen oog voor. Hij liep door tot de rivier. Bij de pier van Gansevoort Street had hij dezelfde artistieke bedrijvigheid verwacht als in Amsterdam op het Java Eiland, maar hij kwam bedrogen uit. Slechts een serie opslagloodsen schemerden in het donker. Overal stonden hekken die hem het zicht op de rivier beletten.

Na een poos langs het water gelopen te hebben, merkte hij dat hij honger had. Hij liep terug naar de stad. Opeens zag hij in een zijstraatje een gezellig verlicht restaurant. Op de gevel stond in grote koperen letters 'Brass Monkey', de koperen aap. Hij keek op zijn horloge, het was bijna tien uur. Zijn maag knorde. Hij besefte opeens dat hij vanaf die morgen niet meer gegeten had. Niemand had de moeite genomen voor de lunch te zorgen.

De naam van de bar kwam hem bekend voor, iemand moest hem erover verteld hebben.

Binnen was het gezellig druk. Een grote bar met drinkende mensen domineerde de ruimte, aan de zijkant stonden eettafeltjes. De meeste waren bezet, maar achteraan zag hij een lege tafel. Hij nam plaats en wenkte een ober.

De Amerikanen wisten wat service was, want binnen tien minuten stonden een groot glas bier en een bord met een enorme hamburger voor zijn neus. Hongerig viel hij aan. De hamburger smaakte hem uitstekend. Na een tweede glas bier viel de vermoeidheid van hem af.

Geamuseerd observeerde hij het publiek. Een vreemde mengeling van yuppen en stoere motorrijders. Aan de lange bar stonden mannen en vrouwen in drukke gesprekken verwikkeld. Een slanke vrouw in een rode jurk viel hem in het bijzonder op. Half met haar rug naar hem toegekeerd schudde ze koket het lange blonde haar naar achteren. Ze werd geflankeerd door twee mannen in leren motorpakken. Dit was New York, niets was vreemd, niemand keek ergens van op. Zeker niet van twee stoere motorrijders vergezeld van een elegante vrouw op hoge hakken. Het stel vermaakte zich zo te zien kostelijk. Toen ze bijna tegen een van de motorrijders aanviel, duwde een van de mannen haar weer overeind. De vrouw had of teveel gedronken of het onderwerp van gesprek was heel vermakelijk. Met haar lange armen omhelsde zij de andere man, die haar tegen zich aan drukte. Chris bestelde nog een laatste glas bier en vroeg om de rekening.

De avond had hem goed gedaan. Zijn veerkracht en zelfvertrouwen waren hersteld. Als Heather oorlog wilde, kon ze die krijgen. Maar hij was niet van plan zijn leven in de wachtkamer te zetten door lijdzaam af te wachten wat er ging gebeuren. In Nederland zou hij de beste advocaat die hij kon vinden in de arm nemen en terug vechten. Nee, hij hoefde niet eens te wachten, vanavond nog zou hij Herbert van Slochteren bellen, een vriend die zelf ook door zo'n akelige scheiding was gegaan. Herbert was de ideale man om advies aan te vragen. Strijdvaardig stond hij op en betaalde de ober.

Toen hij stond, voelde hij zijn volle blaas. Gehaast liep hij naar het herentoilet. Nu hij zijn beslissing genomen had, wilde hij geen tijd meer verloren laten gaan.

Toen hij net de rits van zijn broek geopend had, hoorde hij een zachte stem achter zich. Geïrriteerd draaide Chris zich om. Een onopvallende man van middelbare leeftijd met dun blond haar stond vlak achter hem. Hij droeg een groen legerjack op een vaalbruine broek, zijn handen had hij diep in de zakken gestoken.

'*Hey, how are you doing?*'

'*I'm fine,*' antwoordde Chris kortaf, zich niet goed raad wetend met de situatie. Was het normaal dat vreemdelingen je aanspraken in een openbaar toilet? Nog voor hij de kans kreeg zijn urine te laten lopen, voelde hij een hand op zijn schouder.

'*I like you.*'

Een gek, hij had met een gek te maken. Chris stopte zijn lid terug in zijn broek en draaide zich om. Tot zijn stomme verbazing had de man ook zijn broek opengemaakt. Zonder dat hij het wilde staarde hij naar de erectie die de man nu in zijn handen hield.

'*Are you crazy ...*'

Als in een reflex liet Chris zijn knie omhoog komen en raakte keihard het zachte kruis van de man. Die viel voorover op zijn knieën.

'*Oh, oh, oh my God, that hurts.*'

Met zijn hoofd naar de grond gebogen, kreunde hij erbarmelijk. Chris aarzelde of hij hem overeind zou helpen. Laf besloot hij weg te lopen. Het laatste waar hij hier in Amerika op zat te wachten was gedonder met de politie. De kreten van de man waren in het drukke restaurant gelukkig niet te horen. Snel liep hij naar de uitgang.

Op straat voelde hij zijn hart in zijn keel bonken. Hij besloot in ieder geval dit voorval niet aan zijn collega's te vertellen. Hij had geen zin om dagenlang met vuige lachjes en opmerkingen te worden achtervolgd. Trouwens, het was niet echt een verhaal om trots op te zijn, zeker niet hoe hij de belager een gevoelig knietje in zijn kruis had gegeven. Nog hoorde hij de kreten van pijn van de man die hij in het toilet had achtergelaten.

Langzaam werd zijn hartslag rustiger. Hij liep zo snel mogelijk weg van de bar. Door alle commotie had hij geen tijd gehad om zijn blaas te legen en de druk werd haast onhoudbaar. Maar hij wilde voor geen geld terug. Een steeg waar hij kon plassen zonder lastig gevallen te worden, leek hem een betere optie.

Na een blok gelopen te hebben, vond hij een straatje zonder verlichting. In het donker zag hij een lading vuilniszakken en containers. Ideaal. Opgelucht liet hij even later een flinke straal urine tegen een stapel vuilniszakken kletteren.

Zijn zintuigen moesten door het voorval in het toilet nog hyperactief zijn, want achter de containers meende hij een zacht geritsel te horen. Vermanend sprak hij zichzelf toe. Het waren vast straatkatten die zich daar verscholen hadden. Een zacht dierlijk gejank bevestigde zijn vermoeden. Krolse katten klonken overal ter wereld hetzelfde.

Chris ritste zijn gulp dicht en wilde net de steeg weer uitlopen toen hij een ander geluid hoorde. Ditmaal leek het niet op kattengejank, maar eerder op het gesteun van een mens. Zou hij terug lopen? Stel dat het een paartje verstrengeld in de liefdesdaad was? Chris had geen zin in een herhaling van het voorval in het toilet.

Aarzelend stond hij bij de ingang van de steeg. Je hoorde wel eens vreemde verhalen over mishandelde zwervers. Hij zocht zijn zakken af op zoek naar een wapen. In zijn ene zak had hij zijn mobiele telefoon, in zijn andere zak vond hij een zakmes dat hij gebruikte om het zware plakband waarmee kabels op hun plek gehouden werden, door te snijden.

Met het zakmes in de aanslag liep hij terug. Nu pas rook hij de stank van vuil en urine. Blijkbaar was hij niet de enige geweest die de doodlopende steeg gebruikte voor zaken die verborgen moesten blijven.

Behoedzaam liep hij verder. Weer hoorde hij het gekerm. Achter de vuilniszakken en grijze vuilcontainers zag hij in het donker een been. Een naakt been met daarnaast een damesschoen. Het gekerm werd luider, angstiger. Vastberaden liep Chris naar de vrouw die achter de hoop vuilnis lag.

Verschrikt keek hij naar het afschuwelijke tafereel. Het was de vrouw in de rode jurk, de vrouw die hij in het restaurant aan de bar had zien staan. Toen hij knielde om haar te helpen, zag hij dat er iets niet klopte. De lange blonde haren lagen naast haar bebloede hoofd. Het was een pruik! De jurk was omhoog geschoven over de dijen, de bovenkant opengescheurd. Chris boog zich voorover om de vrouw gerust te stellen. Hij schrok. In plaats van een vrouwenlichaam zag hij een behaarde borstkas met een opgevulde bh. Een travestiet. Afwerend hield de man zijn handen voor zich.

'Rustig maar, ik zal je geen pijn doen,' zei Chris in het Engels. Voorzichtig plaatste hij zijn hand achter de rug van de travestiet. Hij probeerde hem zo goed en zo kwaad als het ging overeind te helpen. Om hem geen pijn te doen, hurkte hij naast de man en voorzichtig trok hij hem omhoog om hem in een zittende positie te krijgen. Het afgewende gezicht draaide zich naar hem toe. De felrode lippenstift had zich vermengd met bloed. Met een punt van zijn mouw veegde Chris het gezicht schoon. Hij hapte naar adem.

'Berend? Ben jij dat, Berend?'
Automatisch was hij in het Nederlands overgegaan. Een zacht gekerm was het antwoord. Chris viste zijn telefoon uit zijn zak en scheen op het gezicht. Er was niets over van het aantrekkelijke gezicht van de verslaggever. Eén oog was dichtgeslagen, de valse wimpers plakten in de bloederige massa. Zijn mond was opgezwollen en het netje dat om de normaal zo perfect geföhnde haren van Berend zat, kleefde van het bloed. Voorzichtig voelde Chris met zijn vingers aan het bebloede hoofd om de wond te vinden. Berend schreeuwde het uit van de pijn toen hij de grote wond aanraakte. Zonder na te denken stond Chris op. Hij trok zijn jack uit. Ondanks de milde avond had hij een overhemd en een T-shirt aangetrokken. Hij trok het overhemd uit en scheurde het in brede stroken die hij snel om Berends hoofd wikkelde om het bloeden te stoppen.

'Gaat het? Waar heb je nog meer pijn?'
Berend mompelde wat onverstaanbare woorden. Chris scheen met het lampje over zijn lichaam om verder letsel te zoeken. Zijn blote armen zaten vol schrammen, zo te zien had hij zich aardig verweerd. Berend was dan wel geen krachtpatser, maar door de jaren heen

had hij genoeg met zware apparatuur moeten sjouwen, om aardige spieren te kweken. Tot zijn schaamte zag hij nu ook dat de string die Berend gedragen had van zijn lijf gerukt was en naast hem op de grond lag. Ook bij zijn geslacht vond hij een bloederige plek. Op het moment dat de motorrijders door hadden gekregen met een man te maken te hebben, hadden ze hem meegenomen naar deze duistere plek om hem af te tuigen.

Het moest gebeurd zijn vlak nadat hij zijn belager in het toilet een knietje had gegeven. Veel tijd kon daar niet tussen gezeten hebben. Snel dacht hij na, het kon niet meer dan tien minuten geleden zijn geweest. Misschien waren de beide mannen teruggelopen naar de bar om hun drinkgelag voort te zetten.

'Berend, blijf rustig liggen. Ik ga hulp halen.'

Chris liep naar de ingang van de steeg en draaide 911, het Amerikaanse noodnummer. Hij liep verder om de naam van de straat te vinden en gaf deze door aan de politie met een kort verslag van wat er gebeurd was. Nog geen vijf minuten later hoorde hij de sirenes van een ziekenwagen, direct gevolgd door een politieauto. Chris gaf de politie een beschrijving van de twee motorrijders en toen hij klaar was, lag Berend inmiddels in de ambulance.

'Bent u familie van het slachtoffer?' vroeg een van de ziekenbroeders.

Familie, of hij familie was van Berend? De woorden hadden een vreemd effect op Chris. Tot zijn eigen verbazing hoorde hij zichzelf antwoorden: 'Ja, ik ben familie en ik ga mee.'

De grijze gang van het ziekenhuis was slecht verlicht. Het was druk op de Eerste Hulpafdeling van het Beth Israel Medical Centre. In de ambulance had de zwarte verpleegkundige een drietal ziekenhuizen moeten bellen voordat hij een plaats gevonden had in dit ziekenhuis aan 1st Avenue ter hoogte van 16th Street.

Chris had aan de balie eerst een stapel papieren in te vullen gekregen voordat ze Berend wilden behandelen.

Voor het eerst miste hij de handige Yazel, die altijd en overal antwoord op had. De leeftijd van Berend, zijn adres, de gegevens van zijn ziektekostenverzekering, niets wist hij. Hij had gesmeekt dat ze Berend eerst zouden helpen. De gegevens die ze nodig hadden, zou hij zo snel mogelijk achterhalen.

Hij keek op zijn horloge en schrok. Het was bijna één uur 's nachts. Hoe was het mogelijk, het was tegen tienen geweest toen hij de hamburger in de 'Brass Monkey' had gegeten. Daarna was alles opeens zo snel gegaan.

Hij realiseerde zich dat hij ondanks het late tijdsstip zijn ploegleden op de hoogte moest stellen. Maar wat ging hij ze vertellen? Dat Berend een travestiet was en in elkaar geslagen in het ziekenhuis lag? Zomaar, zonder inleiding?

Wat had hij zich vergist, hij was ervan overtuigd geweest dat Yolanda een verhouding had met Berend. Hij had er niet meer naast kunnen zitten.

Nu begreep hij waarom Berend nooit iets met zijn collega's ondernam. Dit was vast niet de eerste keer dat hij er zo gekleed op uit was gegaan.

Uit zijn zak haalde hij zijn mobiele telefoon tevoorschijn. Terwijl hij in zijn contacten zocht, realiseerde hij zich dat hij geen van de mobiele nummers van zijn collega's had opgeslagen. Hij had domweg nooit de moeite genomen. Voor de zoveelste maal vervloekte hij zijn slordigheid. Er zat niets anders op dan Twilight in Nederland te bellen, het was daar nu acht uur in de morgen. Met een beetje geluk was Berensteijn of Van Hemelrijck al op kantoor. De telefoon bleef overgaan, maar er werd niet opgenomen.

Besluiteloos keek hij om zich heen. Ondanks het nachtelijke uur werd het niet rustiger op de Eerste Hulp. Ambulances reden af en aan met zieke mensen. Brancards zoefden door de lange gangen.

Zijn aandacht werd getrokken door een luidruchtig stel mensen om een brancard die door de klapdeuren binnen werd gereden. Latino's, klein van stuk met een olijfkleurige huid. Chris' vermoedens werden bevestigd, in luid Spaans werd aan de gewonde gerukt en geplukt. Toen ze dichterbij kwamen, zag Chris dat de gewonde op de brancard een man was. Overal zat bloed. Het liet een spoor achter op de smetteloze vloer.

Toen de brancard achter een deur verdwenen was en de relatieve rust in de wachtkamer was hersteld, begon Chris weer te twijfelen. Hij keek nogmaals op zijn horloge, half twee. Nee, hij kon dit niet tot de ochtend uitstellen. Het zou vreemd zijn morgenvroeg de keuken in te lopen en te zeggen '*trouwens, Berend ligt in het ziekenhuis*'. Opnieuw draaide hij het nummer van Twilight. Nadat de telefoon eindeloos was overgegaan, werd er opeens opgenomen. De krakende stem van Berensteijn klonk aan de andere kant. Zonder uitleg te geven van het gebeuren vroeg Chris direct om het telefoonnummer van Yolanda Rosenthal.

Hij hoorde Berensteijn bladeren in een adresboekje. Hardop noemde hij het alfabet tot hij bij de R was aangekomen. Daar kon hij haar niet vinden. Chris suggereerde dat hij misschien bij de Y moest zoeken. Vol onbegrip staarde hij naar de display van zijn mobiele telefoon. Hoe was het mogelijk dat de beide heren in deze tijd nog met een papieren adressenboekje werkten. Na een lange stilte wist zijn werkgever hem tot zijn opluchting toch het mobiele nummer door te geven.

Ondanks het late uur nam Yolanda vrijwel gelijk op, haar stem klonk vermoeid. Had ze een telefoontje middenin de nacht verwacht? Even had Chris medelijden met haar. Het was zijn vervelende taak nog meer problemen op haar schouders te stapelen. Maar hij kon niet anders, Berend was opgenomen in het ziekenhuis en het zag er niet best uit.

Hij hield zijn stem neutraal en zonder al teveel omhaal vertelde hij dat ze beter naar het Beth Israel ziekenhuis kon komen.

'Ziekenhuis? Wat bedoel je? Heb je een ongeluk gehad, Chris?'
Dat ze ongerust over hem was, gaf hem een warm gevoel.

'Nee, ik ben oké. Het is Berend. Ik vertel het wel als je hier bent.'
Hij gaf haar het adres en verbrak de verbinding. Het leek hem beter haar ter plekke op de hoogte te stellen van Berends ongeluk.

Nog geen kwartier later zag hij de lange gestalte van zijn collega met energieke stappen door de overvolle gang lopen. Tot zijn eigen verbazing was hij opgelucht dat ze er was. Ze ging naast hem op een lege stoel zitten. Pas nu hij het verhaal aan Yolanda moest vertellen, drong de ernst van de zaak tot hem door. Berend had net zo goed dood kunnen zijn.

'Wat is er met Berend gebeurd?'

Zonder hem te groeten, viel ze met de deur in huis. Haar stem klonk vlak, haast alsof ze iets dergelijks verwacht had. Ze knoopte haar jas open. Chris keek naar haar slanke handen. Artistieke handen, handen die konden creëren. Geen grote mannenhanden zoals de hand die Berend op de schouder van de motorrijders had gelegd.

'Je moet niet schrikken Yo, maar Berend is aangerand. De artsen hebben me nog geen uitslag gegeven, maar hij zat behoorlijk onder het bloed. Een flinke hoofdwond en schaafwonden over zijn hele lichaam. Ik weet niet of er inwendig letsel is, of hij iets gebroken heeft.'

'Oh nee, niet weer!'

Haar gezicht leek in stukken te breken.

'Niet weer? Bedoel je dat het eerder gebeurd is?'

Dit was wel het laatste wat Chris verwacht had. Yolanda antwoordde hem niet gelijk, maar zuchtte diep. Ze steunde met haar beide ellebogen op haar knieën, haar gezicht in haar handen. Na een poosje keek ze op.

'Was hij verkleed als vrouw?'

'Ja, hij had een blonde pruik op, hoge hakken en een rode jurk aan.'

'Oh mijn God! Hij had het beloofd! De rotzak, hij had het me nog zo beloofd!'

Ze stond op en liep de gang in. Daar bleef ze staan. Haar hoofd rustte tegen een raam dat uitkeek op het donkere New York. Chris liep naar haar toe en legde een hand op haar schouder.

'Laat mij even op zoek gaan naar een kop koffie. Je moet wat drinken, Yo.'

Met een ruk draaide ze zich om, de hand van Chris viel van haar schouder.

'Ik hoef niets te drinken, ik ben alleen maar kwaad op Berend.'

Ze scheelden niet veel in lengte, haar ogen waren bijna op gelijke hoogte met de zijne. Chris werd in haar magnetische energieveld van boosheid getrokken. Maar hij rook ook de geur van haar haren, een geur van bloemen en frisheid. Het verwarde hem, het maakte de hele situatie zo onwezenlijk.

'Dat begrijp ik, maar dat verandert de situatie niet. Berend ligt hier zwaar gewond in het ziekenhuis, Yo.'

Vermanend legde hij zijn hand op haar arm. Het bleef voor zijn gevoel oneindig lang stil, toen zuchtte ze diep.

'Je hebt gelijk, het verandert de situatie nu toch niet.'

Tot zijn opluchting liet ze zich weer meevoeren naar de wachtkamer waar in de hoek een grote koffiemachine stond. Chris vond een paar lege stoelen waar hij haar naartoe duwde. Ondanks zijn eigen verwarde emoties kon hij niet anders dan een diep medelijden met de jonge vrouw voelen. Dit had ze niet verdiend.

Ze had zo te zien al op bed gelegen. Ze had een wijde yogabroek aangetrokken met daarop een bodywarmer, het soepele shirt dat ze droeg herkende hij van de avond dat hij haar naar bed gebracht had. Aan haar voeten had ze een paar mocassins zonder sokken.

Hij vond het vreselijk dat haar broodnodige nachtrust onderbroken was door weer een tegenslag.

Met twee witte piepschuimen bekers vol dampende koffie in zijn hand ging hij naast haar zitten. Gretig dronk ze, haar blik strak op de vloer gericht. Voorzichtig legde Chris zijn arm beschermend om haar schouders.

'Misschien helpt het als je me het hele verhaal vertelt. Ik ben uiteindelijk ook onderdeel van deze ploeg en de eigenaardigheden van mijn collega's gaan mij ook aan.'

Eerst leek het of ze hem niet gehoord had, maar toen begon ze zachtjes te praten.

'Op momenten als deze is het jammer dat je in het ziekenhuis niet mag roken. Mensen hebben hier veel te verwerken, daar konden ze best rekening mee houden!'

Chris glimlachte zonder commentaar te geven. Hij wist dat ze hem aan het lijntje probeerde te houden. Zwijgend bleef hij naast haar zitten. Toen werd ze serieus.

'Ja, je hebt gelijk, het is beter als je wat meer van ons weet. Het was niet helemaal eerlijk om je in het ongewisse te laten. Maar het is allemaal zo ingewikkeld …'

Ze haalde diep adem.

'Berend is een travestiet, dat wist ik al op het moment dat Van Hemelrijck en Berensteijn hem een baan gaven. Hij was vlak daarvoor ontslagen bij een productiebureau vanwege zijn 'hobby'. Dat had een vogeltje me ingefluisterd. Niets blijft geheim in ons vak.'

Het bevreemdde Chris, want in zijn kringen had hij er niets over gehoord, maar roddel en achterklap hadden hem eigenlijk nooit echt geïnteresseerd. Hij vroeg zich af wie dat vogeltje was. Richard Edelman?

Yolanda nam nog een paar slokken koffie en ging toen verder.

'Zijn vorige werkgever had veel opdrachten van de religieuze omroepen, weet je! Dus op een gegeven moment vloog Berend er uit, zonder referenties, zonder uitkering. De hypocriete zakken.'

Ze zuchtte.

'De filmindustrie is me met de paplepel ingegoten. Niet alleen mijn vader werkte er, maar ook mijn ooms en tantes. Van mijn familie wist ik dat Berend een van de besten in zijn vak was. Alleen kwam hij maar niet aan de bak. Na een jaar zonder werk kwam hij bij Twilight Thoughts terecht. De beide heren konden hun geluk niet op, een geweldige verslaggever voor een mager salaris.'

Een grimas verscheen op haar gezicht.

'De eerste tijd was geweldig. De samenwerking met Frits, Berend, Yazel en Eleftheria, het kon niet beter. We waren een goed geoliede machine. Want ondanks het feit dat er altijd weinig geld was, wisten we toch prijswinnend materiaal te maken. Wat Berend in zijn vrije tijd deed ging ons niet aan. Wij hadden geen last van hem, en hij niet van ons.'

Chris knikte, Twilight Thoughts had altijd bekend gestaan om de schitterende documentaires, die zelfs in het buitenland in trek waren.

'Totdat we voor deze productie, *De Hemelpoort*, in Thailand kwamen. In eerste instantie leek het land een zegening na de moeilijke opnametijd die we hadden in het verscheurde Indonesië. Daar heerst al jaren een strijd tussen de dominante islamieten en de meer vredelievende hindoes en boeddhisten. Wij moesten ons daar constant aanpassen. de Indonesiërs, hoe aardig ze ook op het eerste gezicht lijken, waren ongrijpbaar. Nooit wisten we waar we aan toe waren, om nog maar niet van de vreselijke corruptie in dat land te spreken. Het maakte ons werk haast onmogelijk. Toen we uiteindelijk naar Thailand, naar Phuket, gingen voor opnames van boeddhistische tempels, leek het alsof we in de hemel terecht waren gekomen. Een vriendelijker volk kun je je niet voorstellen. Thailand is het land van de liefde.'

Ze glimlachte bij de herinnering.

'De eerste dagen gingen we ons te buiten aan massages, heerlijk eten en op het strand in de zon liggen zonder je druk te maken om je kleding. Berend keek zijn ogen uit. Het fenomeen travestiet is in Thailand niet onnatuurlijk. Ze hebben er daar zelfs een naam voor; 'lady boys'. In een gezin met veel kinderen wordt het mooiste jongetje al van jongs af aan opgevoed als meisje. Alleen maar omdat ze langere benen en smallere heupen hebben dan meisjes. Al op jonge leeftijd krijgen ze hormonen toegediend die hen, en het hele gezin, een rijk maar kort leven zal garanderen. Want oud worden deze 'lady boys' nooit door alle troep die ze slikken en de pijnlijke operaties die ze moeten doorstaan. Voor ons buitenlanders beestachtig, maar voor de Thaise bevolking heel normaal.

Berend voelde zich gelijk helemaal thuis. Op een avond had hij Frits zover gekregen met hem naar het beruchte uitgaansgebied Crocodile Road in Patong te gaan waar alle dure 'lady boys' te vinden waren. Berend wilde daar verkleed in zijn mooiste outfit rondlopen. Euforisch door ons vrije bestaan, zagen wij geen kwaad in zijn wens. Travestie was per slot van rekening een geaccepteerd fenomeen in het land. Tegen een uur of tien vertrokken de twee in uitgelaten stemming naar Patong. Frits was de oudste, altijd de rustigste en de wijste. Wat kon er in vredesnaam verkeerd gaan?'

Hulpeloos streek zij met haar handen door haar haren.

'De volgende dag waren hun bedden onbeslapen en tegen de avond waren ze nog steeds niet terug. Ik ben toen naar het politiebureau gereden en daar kreeg ik te horen wat er gebeurd was. De nacht daarvoor waren twee buitenlanders opgenomen in het ziekenhuis. Eén in zeer kritieke staat. In het ziekenhuis overleed Frits niet lang daarna aan zijn verwondingen. Klaarblijkelijk was de sfeer op Crocodile Road niet zo vriendelijk en open als Berend gedacht had. Eerst was hij lastiggevallen door dronken Australiërs, Frits had hem zo goed en kwaad als hij kon geprobeerd te beschermen, door achterlangs het uitgaansgebied terug te lopen naar de auto. Maar ze waren de weg kwijtgeraakt in de doolhof van nauwe straatjes. In een afgelegen steeg werden ze uiteindelijk door een groepje jonge buitenlanders opgewacht en in elkaar geslagen. Frits had tot het laatst Berend geprobeerd te beschermen en had de meeste klappen te verduren gekregen. Een harde trap tegen zijn hoofd is hem uiteindelijk fataal geworden.'

Ze rilde weer bij de herinnering aan die vreselijke nacht. Chris kon zich na zijn ervaring van de afgelopen avond indenken hoe het voor Frits en Berend geweest moest zijn. Somber staarde hij voor zich uit. Yolanda ging na een poosje verder.

'Natuurlijk waren het buitenlanders, misschien zelfs wel Nederlanders, mensen die het een sport vinden de verklede mannen op te wachten en in elkaar te slaan. De Thaise politie heeft zich vele malen verontschuldigd voor iets waar wij waarschijnlijk zelf schuldig aan zijn. Het niet accepteren van mensen die anders zijn! Je snapt wel dat we ons allemaal vreselijk voelden. Maar goed, Berensteijn en Van Hemelrijck vonden het beter de doodsoorzaak van Frits niet bekend te maken. Voor de buitenwereld is hij gestorven aan een hartaanval.'

Stattler en Waldorf waren dus op de hoogte geweest! Wat zouden ze hem gezegd hebben als hij de ware reden voor zijn noodtelefoontje had uitgelegd? Hadden ze hem dan ook het zwijgen opgelegd?

Yolanda stond plotseling op en wreef in haar handen, opnieuw kwam de woede in haar boven.

'Berend heeft ons toen gezworen nooit meer zo'n avontuur te ondernemen! Hoe kon hij!'

'Eigenlijk heeft hij geluk gehad dat ik in de buurt was.'

Yolanda keek op.

'Ja, hoe kwam dat? Had hij jou gevraagd mee te gaan?'

'Nee, ik had honger en zag een bar met een bekende naam, de 'Brass Monkey'.'

Even dacht hij na.

'Misschien was het zelfs Berend die deze naam een keer genoemd heeft.'

Chris vertelde haar hoe hij een vrouw in een rode jurk aan de bar had zien staan. Wat in de herentoiletten voorgevallen was liet hij achterwege. Hij was net klaar met zijn verhaal, toen hij de jonge dokter die Berend meegenomen had, aan zag komen lopen.

Chris stond op en trok Yolanda met zich mee.

'Ah, daar bent u. U bent beiden familie van patiënt Wolfred?'

Chris moest even wennen aan de achternaam van Berend. Het was een van de weinige dingen die hij wist van zijn collega en zo op het formulier had ingevuld.

'Ja,' zei Yolanda snel.

'Helaas gaat het niet zo goed met uw ... eh ... uw familielid. Hij heeft veel inwendige kneuzingen en twee gebroken ribben. Zijn aanranders hebben hem goed te pakken gehad. Het spijt me erg maar hij heeft een forse rectale scheuring die we hebben moeten hechten. We houden hem nog een aantal dagen hier en daarna moet hij nog zeker een week of wat rust houden.'

'En de wond aan zijn hoofd?'

'Dat is meer bloed dan ernst. Een flinke snee die we gehecht hebben. Het zal geen blijvend litteken geven.'

Dat was mooi voor Berend, zijn uiterlijk was uiteindelijk zijn gereedschap.

'Mogen we bij hem?'

'We hebben hem iets gegeven om te slapen. Komt u liever morgen terug. Dan zijn de gemoederen ook wat bedaard. Hij heeft nu niets aan ... eh ... familieleden die zich zorgen maken.'

Met zorgen bedoelde de jonge arts in dit geval verwijten. Dat was het laatste waar de patiënt nu van zou opknappen.

'De politie zal een rapport willen hebben voor de aangifte. Ik zal zorgen dat dat morgen klaar ligt bij de receptie.'

Chris en Yolanda bedankten de arts en liepen naar de uitgang.

'Chris, je begrijpt misschien wel wat dit voor ons betekent?'

'Voor ons, wat bedoel je?'

'Dit is het einde van ons, het einde van New York, het einde van de documentaire. Zonder verslaggever kunnen we niet verder. Je hebt de arts gehoord, weken rust. En met het uiterlijk dat Berend nu heeft ...'

De waarheid hing zwaar tussen hen in. Langzaam drong het tot Chris door dat dit ook het einde betekende van zijn samenwerking met het team. Ter hoogte van zijn maagstreek ontstond een leeg gat waarin zijn wereld leek te verdwijnen. Hij haalde zijn sigaretten tevoorschijn en bood Yolanda er een aan. Ze rookten zonder te spreken.

'Als we deze documentaire niet af kunnen maken, betekent dat ook het einde van Twilight Thoughts. En dat is het laatste wat ik wil, Chris.'

Haar woorden drongen langzaam tot hem door. Opeens wist hij ook dat dit het laatste was wat híj wilde. Hij dacht hardop na.

'Deze hele documentaire is gemaakt met Berend. Maar kunnen we hem niet vervangen? Is er niets wat we kunnen doen?'

'Vervangen? Berend vervangen?'

Ongeloof klonk door in haar stem, alsof hij haar had voorgesteld om naar de maan te vliegen. Natuurlijk was het waarschijnlijk onmogelijk, maar toch wilde hij niet opgeven.

Langzaam zag hij haar gezicht oplichten. Chris kende haar nu lang genoeg om te weten dat ze een oplossing zou verzinnen. Yolanda was eigenwijs, tegendraads en soms zelfs arrogant. Dat was ze allemaal. Maar daarnaast had ze nog een karaktertrek, ze was een volhouder. Nu opgeven zou voor haar ondenkbaar zijn, dat wist hij. Dus het verbaasde hem eigenlijk niet toen ze even later vastberaden haar sigaret op de grond uit trapte.

'Dit is nog niet het einde. Niet zolang mijn naam Yolanda Rosenthal is.'

Voor het eerst die avond moest Chris glimlachen. Dit was de vrouw voor wie hij door het vuur zou gaan.

Een onverwachte ontmoeting

Het was warm in de keuken, de geur van koffie was vermengd met sigarettenrook, het rookverbod was sinds een paar uur vergeten. Yazel en Eleftheria zaten verslagen voor zich uit te kijken. Het nieuws van de ziekenhuisopname van Berend was als een bom ingeslagen. Hoog boven hen, door de glazen lichtkoepel boven het terras, tekende de hemel grauw. De warme nacht was gevolgd door een druilerige regen. De stemming in de keuken sloot daar naadloos bij aan. Een onwerkelijke realiteit hing in de lucht, iedereen wist dat hun toekomst niet bepaald rooskleurig te noemen was.

'Wat stond er vandaag op het programma, Yazel?'

Yolanda's stem klonk mat, afgetobd. Ze had de afgelopen nacht vast net zo weinig geslapen als Chris. Een nieuwe cameraman was niets vergeleken bij het vervangen van de presentator. Hoe konden ze nu hun opnames maken zonder het gezicht dat de hele documentaire begeleid had?

Voor zover Chris wist waren ze nog maar een paar opnames verwijderd van het einde van de reeks. Opnames van de joodse gemeenschap en boeddhisten in New York waren de laatste die op de rol stonden.

Yazel keek in zijn papieren.

'Vandaag hebben we onder andere een lastige opname bij het WTC, in de St. Paul's Chapel. Je weet wel die kerk waar de *bomberos* … brandweerlui tijdens hun werkzaamheden na de aanslag van 11 september sliepen.'

Hij stopte de documenten resoluut weg.

'Waarom lastig?' vroeg Chris.

'Wat lastig?' vroeg Yazel afwezig.

'Waarom zijn die opnames lastig?'

'Is gewoon lastig met zoveel mensen. Je kunt haast geen goede opnames maken zonder dat er iemand door het beeld loopt.'

'Oh, juist.'

Chris wist dat Yazel gelijk had. Hij liet zijn hoofd weer in zijn handen zakken.

Ze keken allemaal op toen Yolanda opeens haar keel schraapte.

'Ik had gisterenavond een idee. Ik weet wat jullie gaan zeggen, maar laat me even uitpraten. De laatste opnames in New York zullen we zonder Berend moeten doen. Als het meezit, kunnen we hem later wel de voice-overs laten doen, daarvoor hoeft hij niet in beeld te komen.'

Gelukkig had Berend geen hersenschudding opgelopen, dan waren ze nog verder van huis geweest. Zijn spraak zou over een paar dagen wanneer de zwellingen rond zijn mond afgenomen waren, weer normaal zijn.

'De laatste opnames zullen alleen nog maar bestaan uit beelden. We kunnen in de St. Paul's Chapel bijvoorbeeld juist gebruikmaken van al die bedevaarders. We filmen de mensen en hun emoties *au naturel*. We stellen geen vragen, doen geen interviews. Gewoon alleen stillevens van klein menselijk verdriet, dat doet het altijd goed.'

Chris wilde zijn mond opendoen om commentaar te geven, maar Yolanda hief haar hand op.

'Ja Chris, ik weet wat je wilt zeggen, dat het niet in het format van de opnames past, maar het zij zo. We moeten de opnames met Berend afwisselen met stillevens, interviews zonder 'hoofd' en met veel muziek! Sorry, maar nood breekt wetten. Berend is een uitstekende interviewer, maar de documentaire is niet alleen bedoeld om mensen betweterige Nederlandse principes door de strot te drukken.' Na de vorige avond verbaasde het Chris niet dat Yolanda opeens openlijk kritiek op haar verslaggever uitte. Wat hem wel verbaasde was dat ze haar uitgangsprincipes voor de documentaire liet varen. Geen commentaar of interviews, alleen beelden. Iets waar ze tot nu toe op tegen was geweest. Was het haar loyaliteit aan haar team geweest, of was er iets anders waardoor ze opeens van gedachten was veranderd?

'Amen!'

Spontaan hield Eleftheria haar rechterhand omhoog in een *high five*-gebaar naar Yo.

Sceptisch keek Chris haar aan.

'Meen je dat echt, Yo? Jij weet toch ook wel dat voor een inhoudelijke documentaire meer nodig is dan wat mooie plaatjes.'

Het was gemeen om haar eigen woorden tegen haar te gebruiken, maar hij kon het niet laten zijn gelijk te halen.

Voordat ze kon antwoorden, viel Eleftheria haar in de rede.

'Natuurlijk Chrisspark, maar nood breekt wet.'

Even wisselden de vrouwen een blik die Chris niet kon duiden. Was hij nu weer de vreemdeling, de buitenstaander?

'Wat vind jij ervan, Cuba? Ben je het met die twee eens?'

Yazel keek bedachtzaam naar de kop koffie voor zich en antwoordde niet gelijk. Hij leek een optelsom in zijn hoofd te maken.

'Het houdt in dat we extra apparatuur nodig hebben. Betere microfoons, lampen, filters.'

Hij richtte zijn blik op Chris.

'Hoeveel tijd heb je nodig?'

'Het zal de hele dag in beslag nemen, want niet iedereen is de moeite van het filmen waard. De emoties moeten echt zijn, we hebben niks aan al die toeristen die alleen maar komen kijken.'

'Ja, die kans heb je,' zei Yazel kort. Hij tikte met zijn pen op de tafel.

'Maar misschien heeft Yo gelijk ... het zou kunnen werken ...'

Yolanda wilde opgelucht ademhalen, toen Yazel zijn hand opstak en op zijn vingers begon af te tellen.

'Jullie moeten je alleen beseffen dat de kosten van deze opnames buiten het budget vallen. Ik heb geen geld voor de extra uren, materiaal of de *fee* die we aan de kerk moeten betalen om er te mogen filmen. In mijn plan staat een snelle opname buiten en slechts een half uur binnen. Maar als we daar de hele dag zijn, zullen we extra moeten betalen.'

De vierde vinger ging nu omlaag.

'En we hebben een paar extra handen nodig, zonder Berend zijn we met te weinig.'

'Hebben we daar een professioneel iemand voor nodig?' vroeg Yolanda.

'Nee, gewoon iemand die microfoons kan vasthouden en lampen kan verplaatsen.'

'Dus daar kunnen we gewoon iemand voor van de straat plukken?'

Yolanda was duidelijk niet van plan haar idee door de vier vingers van Yazel van tafel te laten vegen. Het extra geld dat nodig was voor deze opname, moest geen belemmering zijn om de documentaire af te maken.

'Yazel, haal dat geld af van de laatste opnames. Tegen de tijd dat we daar aan toe komen, hebben we misschien een oplossing gevonden.'

Ze wist dat ze de problemen voor zich uit schoof. Maar het was het enige wat ze op dit moment kon doen. Chris stond op.

'Oké Yo, we gaan het op jouw manier doen.'

Voorlopig waren ze nog in New York en hoefde hij niet terug naar Nederland. Hij zou wel zien waar het schip strandde.

'Lefty, laat die sukkels de hengels goed richten!' Gefrustreerd draaide Chris zich om naar zijn collega.

Zuchtend liep de montagevrouw naar de studenten van de filmacademie. Voor de zoveelste keer legde ze hen uit wat hun taak was. Volgens Yazel had hij de studenten bijna voor niets weten in te huren, omdat dit werk als stageopdracht voor hun opleiding kon dienen. Maar de twee bakten er niets van. De microfoons aan de hengels waren 'handgevoelig'. Het was de bedoeling dat ze hun handen stil hielden om geen vreemde geluiden op de band te krijgen. De microfoons moesten daarnaast zo laag mogelijk boven de bezoekers van de kerk hangen om een goed geluid te krijgen, maar net niet zo laag dat de hengel in beeld kwam.

Chris had al meerdere malen 'boom in beeld' moeten roepen, domweg omdat de studenten het vertikten de cameraman in de gaten te houden. Zijn geduld raakte op. Hij had hen nu keer op keer uitgelegd dat ze de microfoon steeds op ongeveer gelijke afstand van de bezoekers moesten houden om dezelfde geluidskwaliteit te houden, maar dan keken ze hem aan alsof hij Chinees sprak in plaats van Engels.

Het zweet liep over zijn rug, hij begon zich af te vragen of Yolanda's idee van die ochtend niet totaal krankzinnig was geweest. De kapel was verworden tot een toeristische attractie, iedereen kwam er de tentoonstelling over de aanslag op het WTC bekijken. De namen van de brandweerlieden die omgekomen waren tijdens het redden van de mensen uit de twee brandende torens, de bedrukte linten met dankwoorden toegezonden uit alle staten van Amerika, de stalen bedjes waar de vrijwilligers op geslapen hadden, de foto's van de slachtoffers en de laatste emotionele opnames van telefoongesprekken van mensen die als ratten in de val zaten in de Twin Towers. Dat was waar toeristen in drommen voor naar het kapelletje kwamen. Voor zover hij het kon beoordelen, hadden deze opnames niets met de documentaire te maken.

'Hier, koffie.'

Yolanda reikte hem een kartonnen beker koffie aan. Ze wist wat hij wilde zeggen, maar ze was nog niet bereid toe te geven.

'Chris ...'

'Ja, wat?'

'Ik ben ook bang dat dit het niet wordt.'

Wanhopig keek ze naar de mensenmassa in de kapel.

'Maar je weet maar nooit, misschien vinden we nog een diamantje.'

Ongedurig nam hij een slok van de hete koffie waarbij hij zijn tong gevoelig brandde.

'Ik denk dat we ermee moeten stoppen. Dit is zinloos.'

'Je geeft te gauw op, Chris. Wie weet wat ...'

Geïrriteerd over het feit dat hij zijn mond gebrand had, liet hij haar niet uitspreken.

'Nee Yo. Deze opname is een kakofonie van mensen in een klein kerkje.'

Haar blauwe ogen leken in het diffuse licht van de kapel diepgrijs. Rimpels van vermoeidheid tekenden haar gezicht. Haast smekend om zijn goedkeuring herhaalde ze haar plan.

'Je ziet toch wel dat we deze opname als raamwerk kunnen gebruiken?'

Ze deed een paar stappen de kapel in, draaide zich naar hem om en spreidde met een wijds gebaar haar armen.

'Een snelle kleurschakering van bezoekers van een kerk, waar alle huidskleuren, naties en geloven onder één dak samenkomen. Joods, katholiek, islamitisch, boeddhistisch. Als een soort utopisch gegeven.'

Chris bleef stuurs voor zich uit kijken, hij was nog niet overtuigd. Maar Yolanda liet zich niet van haar stuk brengen.

'Zie je het voor je? De introductie van de documentaire, we versnellen het beeld, up tempo muziekje erachter, voice-over van Berend en dan laten we dit thema steeds bij iedere wissel terugkomen.' Al pratend raakte ze steeds enthousiaster over haar idee. Om hen heen kolkte de mensenmassa. Eleftheria en de twee studenten keken afwachtend vanaf een afstandje naar de regisseuse en de cameraman.

'Dat lijkt mij geen Twilight Thoughts product,' zei Chris voorzichtig.

'Misschien is het aan jou voorbijgegaan, maar we leven in de 21ste eeuw, Chris. Wanneer heb jij voor het laatst filmpjes op You-Tube bekeken of überhaupt naar een muziekzender als MTV gekeken? Mensen zappen weg wanneer ze in de eerste paar seconden niet door een onderwerp gegrepen worden.'

Had ze gelijk of sprak hier de noodzaak om de afwezigheid van Berend te camoufleren?

'Ik hoop dat je gelijk hebt,' zei hij terughoudend.

Ze deed alsof ze het laatste niet gehoord had, maar hij zag een klein adertje bij haar slapen kloppen.

'Ben je het met me eens of niet?'

Het ontroerde hem dat ze nauwelijks in staat was de onzekerheid uit haar stem te houden. Hij trok haar mee naar zijn camera en liet haar de opnames zien. Hij voelde haar aanwezigheid naast hem. Toen ze klaar was, vroeg hij zachtjes: 'Wat vind jij echt zelf, Yo?'

Voordat ze hem kon antwoorden, werden ze onderbroken door een man die een hand op haar schouder legde.

'Yo, wat doe jij hier?'

Alle kleur trok uit haar gezicht. Langzaam draaide ze zich om en keek Richard Edelman recht in het gezicht.

'Ik eh …'

Verder kwam ze niet, ze stond als aan de grond genageld. Haar ex nam haar in zijn armen en omhelsde haar stevig waarna hij met zijn armen nog om haar heen, haar eens goed bekeek.

'Je ziet er moe uit. Alles goed?'

'Ja … ik, ik …'

Edelman draaide zich half om naar Chris en Eleftheria, die met een gezicht als een donderwolk dichterbij was komen staan.

'Is dit je crew?'

Een brede, bijna wolfachtige grijns lag op zijn gezicht. Edelman was groot, bijna één meter negentig, schatte Chris. Sportief gekleed in een spijkerbroek en een nonchalant suède jack dat minstens een half maandsalaris van Chris gekost had. Een markante kop met dik haar dat bij de slapen op een fotomodellenmanier grijs kleurde. Maar dat was niet zijn grootste aantrekkingskracht. Het meest bijzondere aan hem was het bijna tastbare charismatische energieveld dat om hem heen hing. Chris merkte zelfs van een afstandje dat Yolanda er helemaal in opgezogen leek.

'Eh ja, eh … dit zijn Chris Spark en Eleftheria Marcropoulo, de rest is …'

Nog voor ze verder kon gaan, stapte Edelman energiek op Chris en Eleftheria af. Hij schudde hen de hand met een hartelijkheid alsof ze al jarenlang goede vrienden waren. Lefty stamelde een paar onduidelijke woorden en liep daarna terug naar de twee studenten. Chris bleef staan en keek de zakenman glimlachend aan.

'Wat een toeval, Richard Edelman in New York. Voor zaken?'

Edelman pikte de cynische ondertoon van Chris niet op of hij deed alsof.

'Ja, je weet wel. Broadway, er zijn hier altijd onderhandelingen over producties en voorstellingen. Nederland begint een aardige speler te worden op het gebied van formats. *Spoorloos, Miljoenenjacht, Big Brother, The Voice.* Creativiteit betaalt gewoon. Dat is al jaren duidelijk. En hier zitten de grote jongens die daar de kost mee verdienen. Zelfs onze toneelvoorstellingen zijn in trek. Je zult het niet geloven uit zo'n klein kikkerlandje. En jij … jij bent de nieuwe cameraman van Twilight?'

Het laatste klonk neerbuigend. Alsof Chris de volgende sukkel was die de heren aangesteld hadden om het zinkende schip te redden. Hij rechtte zijn rug zo onopvallend mogelijk.

'Ja, leuke productie waar we mee bezig zijn. Wordt echt een goede documentaire. Yolanda heeft ons met een pittige klus opgezadeld, maar het eindresultaat mag er straks zijn.'

'Een echte prijswinnaar, Richard,' vulde Yolanda gelaten aan.

Onderzoekend keek Chris zijn regisseuse aan, ze leek haast in trance.

Edelman verwerkte haar opmerking in stilte, zijn ogen boorden zich in die van haar. Toen liet hij het onderwerp los.

'Die verslaggever van je, hoe heet hij ook al weer, die met dat geföhnde kapsel, is hij er niet bij vandaag?'

Er viel een pijnlijke stilte. Even zag Chris dat Yolanda met haar ogen knipperde alsof ze een klap incasseerde. Had hij lichamelijk geweld gebruikt in hun huwelijk? Zijn ogen dwaalden af naar de grote handen van de zakenman.

'Die is vandaag niet nodig, we zijn bezig met raamopnames. Berend is vandaag in het appartement bezig met de teksten voor de voice-over.'

Over het gezicht van Edelman gleed even een blik van ongeloof. Zou hij op de hoogte zijn van het onfortuinlijke ongeluk van hun verslaggever? Hoe zou hij dat kunnen weten?

Yolanda leek haar stem weer hervonden te hebben.

'Ja, Yazel en Berend hebben vandaag een thuiswerkdag. Je weet hoe dat gaat …'

'Tja, het zal wel. Maar eh … hoe lang zijn jullie nog hier? Je werkt nu toch al een behoorlijk tijdje aan deze documentaire. Dat zal aardig in de papieren lopen voor de twee oudjes. En je moet zo'n productie toch voor een schappelijke prijs in de markt kunnen zetten. Je weet hoe het gaat, Yo. Die publieke omroepen knijpen de laatste euro winst uit je productie. Geld, geld, geld. Dat is waar het tegenwoordig om draait!'

'Dat weet jij als geen ander,' beet ze hem venijnig toe. 'Maar dat is niet altijd het belangrijkste. Het gaat ook om de inhoud. Wat wij hier aan het maken zijn, is niet iets wat in jouw wereldje past.'
De kleur was weer teruggekeerd in haar gezicht. Haar adem ging snel. Chris zag dat Edelman dit door had. Als een roofdier wist hij dat hij zijn prooi in een hoek had gedreven. Weer verscheen die wolfachtige grijns.

'Oh ja, ik zie de prijzen al klaar staan. Waar mik je op Yo, Oscar, Bafta, Emmy?'

'Doe maar cynisch. De afdeling p … pulptelevisie heb jij al voor je r … rekening genomen. Ik zou maar trots zijn op de g … gouden ringen die je verzamelt.'
In haar woede struikelde ze over haar woorden. Voor het eerst realiseerde Chris zich hoe ontzettend belangrijk *De Hemelpoort* voor haar was. Tot nu toe had hij steeds gedacht dat ze na haar scheiding een eigen bestaan wilde opbouwen. Maar nu drong het tot hem door dat ze haar ex haar waarde wilde bewijzen. Haar ambitie was niet alleen Twilight te redden, maar ook een prijs in de wacht te slepen voor deze documentaire, eentje waar ze hem de ogen mee uit kon steken. Alleen zou Edelman er niet van onder de indruk zijn. Geld was het enige wat voor hem telde.
Chris stak zijn hand uit ten teken van afscheid.

'Fijn om hier met je te staan kletsen, Edelman, maar je weet hoe het is: tijd is geld en we moeten helaas door.'
Maar Edelman gaf zich niet zomaar gewonnen.

'Over geld gesproken, ik hoor dat het niet zo goed gaat met de beide heren. Hebben nogal wat geld geleend her en der. Die gaan zonder een wonder het einde van dit jaar niet halen.'
Hij lachte kort.

'Maar goed Yo, je weet dat je altijd bij mij aan kunt kloppen voor geld of advies.'

Yolanda hapte naar adem om hem van repliek te dienen, maar op dat moment zagen ze achter de rug van Edelman een blonde vrouw van in de twintig heupwiegend op hen af lopen. Chris liet waarderend zijn ogen over het Bambi-lijf glijden. Ranke hertenpootjes, reebruine ogen, gehuld in een te luchtig jurkje dat niets te raden overliet.

'Daar ben je, ik was je kwijt.'

Edelman draaide zich om en de roofdierachtige glimlach verscheen weer op zijn gezicht. Bezitterig legde hij zijn hand op het achterwerk van de vrouw.

'Michelle, mag ik je voorstellen aan mijn ex en eh … Chris de cameraman. Dit is mijn assistente.'

Lamgeslagen mompelde Yolanda een begroeting. Chris knikte haar goedkeurend toe. Edelman had zijn zaakjes goed voor elkaar, dat moest hij hem nageven.

'We moeten echt gaan, Richie. De taxi is er,' zei ze temend tegen de lange man.

'Richie?' De assistente van Edelman nam Yolanda even snel op met haar bruine ogen. De blik sprak boekdelen. Yolanda vormde voor het jonge hertje geen serieus gevaar. Naast Michelle zag Yolanda er afgetobd uit, zorgrimpels tekenden haar voorhoofd, de lijnen naast haar mond waren duidelijk zichtbaar. Om zijn overwinning te benadrukken, trok Edelman de jonge vrouw naar zich toe.

'Oké schat, ik ben klaar hier.'

Zijn ogen schatten wellustig het jonge vlees van zijn assistente.

'Nou dan ga ik maar! En Yo, mocht het nodig zijn, je hebt mijn nummer!'

Zelfvoldaan over de laatste opmerking liep hij weg, zijn assistente in zijn kielzog. De betovering bij Yolanda was opeens verbroken en een plotselinge driftige energie maakte zich van haar meester. Ze greep haar spullen van de kerkbank.

'Ik geloof dat we hier wel klaar zijn voor vandaag.'

En zonder verdere uitleg liep ze naar Eleftheria en de twee studenten.

In het taxibusje op de weg terug naar het appartement heerste een opvallende stilte. De ontmoeting met Edelman had hen allemaal aangegrepen. Voor Yolanda was het een herbeleving van oude gevechten met haar ex, wonden die ze al lang geheeld had gedacht, waren plots weer opengereten.

Eleftheria staarde stil naar buiten, verzonken in haar eigen wereld. Chris' gedachten waren bij zijn eigen gestrande huwelijk. Het was niet de woordenwisseling tussen Yolanda en Richard Edelman die hem aan zijn situatie deed herinneren, het waren eerder de zinnen die niet werden uitgesproken. De onderstroom van woede, haat, verbittering opgelopen in een huwelijk dat met de jaren scheef gegroeid was als een zieke eik. Met lelijke knoesten waar vroeger de liefde gebloeid had.

Als slecht riekend gas in een moeras borrelden de vragen die hij nu al weken lang had weten te vermijden omhoog. Wilde Heather hem ook het bloed onder zijn nagels vandaan treiteren? Had ze daarom nu pas bekend dat Steven niet van hem was? Op het moment dat hun huwelijk niet meer te redden viel? Was dit een natuurlijke reactie van gekwetste mensen? Maar nee, Heather was niet iemand om zich te laten kwetsen, zij zorgde er wel voor om aan haar trekken te komen. Weer haatte hij de besluiteloosheid die hem al weken parten speelde. Hoe lang wilde hij nog weglopen voor de werkelijkheid? Hij nam zich voor morgen zijn vriend Herbert te bellen om hem naar het telefoonnummer van zijn advocaat te vragen. Hij moest weten waar hij stond.

Pas toen ze in het appartement waren in de veiligheid van de keuken, liet Yolanda haar emoties de vrije loop.

'De klootzak! Natuurlijk kon hij het niet laten om me te treiteren. Wat denkt hij wel niet! Jarenlang heb ik met hem geploeterd om zijn bedrijf van de grond te krijgen en nu loopt hij daar rond met zijn 'assistente'.'

Verstoord keek Yazel op van zijn computer.

'*Qué*? Waar heb je het over, Yo?'

Nijdig streek ze een losse pluk haar uit haar gezicht.

'Edelman, Richard Edelman, mijn ex. Daar heb ik het over.'

'Wat, waar? Waar heb je het over, is hij hier in New York?'

'Ja, we kwamen hem tegen in St. Paul's Chapel waar we aan het filmen waren. Hij moest me zo nodig even de hele zinloosheid van deze documentaire inwrijven. Dat was ongeveer het laatste wat ik kon gebruiken.'

Voor het eerst zag Chris dat Yazel boos werd. De altijd opgewekte productieleider verschoot van kleur.

'Hoezo, wat bedoel je met wat jij kon gebruiken? Deze productie is van ons, Yo. We werken hier allemaal even hard aan.'

Eleftheria, die op dat moment de keuken binnen liep, liet haar vracht met een klap op de grond vallen. Waarschijnlijk had ze de conversatie in de gang opgevangen, want ze viel Yazel bij.

'Het is jouw stomme ex die ons in de problemen brengt.'

Chris schrok van de manier waarop ze haar collega aanviel. Hij had dit niet verwacht. Tot nu toe had ze Yolanda altijd in bescherming genomen.

De woede die zich van Yolanda had meester gemaakt op het moment dat Edelman de kapel uit liep, was plots verdwenen. Moedeloos liet ze zich op een keukenstoel vallen. Met haar hoofd in haar handen keek ze verdrietig naar de vloer. Na een ongemakkelijke stilte begon ze zachtjes te praten.

'Vertellen jullie mij maar waar mijn schuld ligt. We zijn al bijna een jaar bezig met een documentaire van 90 minuten die, hoe was het ook alweer Yazel, niet meer dan 600.000 euro mag kosten. Door geldgebrek moeten we constant improviseren, werken we met slecht opnamemateriaal, hebben we een uitgekleed script en geen geld om ons goede diepte-interviews te kunnen veroorloven.'

Ze haalde diep adem en ging verder zonder iemand aan te kijken.

'Tot overmaat van ramp hadden we een cameraman die zich laat vermoorden omdat hij zijn collega wil beschermen. Voorts laat diezelfde collega zich een tweede keer het ziekenhuis in slaan. De joodse gemeenschap, mijn eigen mensen, wil geen toestemming geven voor onze belangrijkste opnames. En mijn ex vindt het grappig mijn bestaansrecht te bedreigen.'

Met haar hoofd gebogen, staarde ze naar de vloer. Niemand reageerde. Chris wist niet zo gauw wat hij moest zeggen. Het liefst had hij haar willen troosten, maar hij wist niet of ze dat zou accepteren. Zijn mening deed er op dit moment waarschijnlijk niet eens toe. Het script, de locaties, de onderwerpen, dat was iets waar hij nooit bij betrokken was geweest. Heimelijk vroeg hij zich af hoe ver ze het budget hadden overschreden. De Cubaan leek hem een goede onderhandelaar, maar de kosten voor de vliegtickets, hotels, salarissen, materiaalhuur? Hij had geen idee. Een goede productieleider hoorde dit van te voren te hebben berekend. Alsof ze zijn gedachten kon lezen, lachte Yolanda opeens schamper.

'Ik ben hier verantwoordelijk voor en niet jullie. Als wij niet slagen, word ik aan de kant gezet als een slechte vakvrouw. Mijn carrière is dan in feite gewoon over. Daarom zeg ik dat dit het laatste is wat ik kan gebruiken.'

De stilte in de keuken was om te snijden. Ze wisten dat ze gelijk had. Yolanda richtte zich opeens tot haar collega's.

'Jullie vinden wel weer een baan. Lefty, jij bent een veelzijdige montagevrouw, Yazel jij hebt je altijd wel weten te redden en Chris ...'

Even haalde ze diep adem.

'... jij bent een goede cameraman waar ze straks weer in rijen van drie op staan te wachten om je een baan aan te bieden. Maar ik ... ik ben degene die het project heeft laten mislukken. Mijn reputatie is straks naar de maan. En daar is het die rotzak ... die wraakzuchtige eikel om te doen.'

Haar lippen waren wit van ingehouden woede.

Eleftheria schraapte haar keel.

'Misschien heb je gelijk. Zo had ik het nog niet bekeken.'

Ze ging op de leuning van de stoel zitten en legde haar hand op Yolanda's schouder.

'Ik dacht dat het hem om Twilight Thoughts te doen was. Dat hij het bedrijf wilde overnemen, maar nu je dit zo zegt ...'

Het hoofd van Yolanda veerde op, haar wangen vertoonden een rode blos van opwinding.

'Oh, hij wil het bedrijf ook hebben. Daar ben ik zeker van!'

'Waarom zou hij dat bedrijf willen hebben, Yo? Zoals ik het beluister is het alleen nog maar een berg schulden die hij over zou nemen,' zei Chris bedachtzaam.

Yolanda zuchtte hoorbaar.

'Licenties, rechten, het fonds dat de heren bij elkaar hebben weten te verzamelen. Mijn ex mag zich dan wel gespecialiseerd hebben in pulp, hij is niet dom. Hij weet dat zijn bedrijf ook inhoud en gewicht nodig heeft om een internationale speler te worden. Stattler en Waldorf hebben in de halve eeuw dat hun bedrijf bestaat een indrukwekkend aantal prijzen in de wacht weten te slepen die, of je het belangrijk vindt of niet, wel de internationale pers hebben weten te halen. De televisiewereld zit raar in elkaar. Het grote geld wordt verdiend met de series, de spellenprogramma's, de quizzen en wat voor andere formats al niet. Maar aanzien krijg je met nominaties en prijzen.'

'Onderwijs versus vermaak,' vulde Chris zachtjes aan.

'Precies, mensen moeten niet alleen vermaakt worden, ze moeten ook onderwezen worden. Anders hebben we geen beschaving.'

'Tsaaa, het is alsof ik onze grote leider Fidel Castro hoor!'

Yazel haalde misnoegd zijn schouders op.

'Ik heb voor mijn hele leven genoeg speeches gehoord over *educación* … onderwijs. Voor mij is het gewoon een kwestie van geld. Wat zou die Edelman voor het bedrijf over hebben? Twilight heeft toch schulden zei je?'

Yolanda keek hem hoofdschuddend aan.

'Sorry Yazel, maar dan ben je wel heel naïef. Hij wacht geduldig af tot de zaak klapt en dan kan hij het bedrijf voor weinig overnemen.'

'Maar als iemand anders hem dan voor is?'

Yazel vond het niet prettig naïef genoemd te worden.

'Misschien zijn er wel meer kapers op de kust.'

Even leek Yolanda te twijfelen, maar toen schudde ze wederom haar hoofd.

'Nee, oh nee. Richard kennende heeft hij alles al lang op een rijtje.'

Chris had genoeg van dit doemdenken. De strijd was nog niet gestreden. Hij gunde de man met de mooie assistente zijn overwinning niet.

'Yazel, hoeveel geld en tijd hebben we nog? En Yo, wat is er nodig om de documentaire succesvol af te ronden? Geld?'

Yazel was haar voor.

'We zitten zo goed als op de bodem. En tijd ... hoe eerder dit ding klaar is hoe beter. Ik heb al contact gelegd met de VPRO en de EO voor de verkoop. Maar tot op heden hebben ze alleen op *recensíon* ... beoordeling van het script niet enthousiast gereageerd. Alleen Holland Doc is misschien geïnteresseerd.'

Yolanda reageerde niet op de woorden van de Cubaan. Chris had het gevoel dat ze iets achterhield. Hij negeerde Yazel en stelde haar de vraag nog een keer.

'Wat heb je nodig om de boel te bespoedigen?'

Bedachtzaam keek ze hem aan. Haar gezichtsuitdrukking veranderde.

'Een goede trailer. Daar kan ik mee de boer op.'

Even leek ze te twijfelen, maar toen ging ze door.

'Ik had het jullie nog niet willen vertellen, maar ik heb gisteren een gesprek gehad met Joshua Rosenfield van The Columbus Film Council. Zij nomineren voor het internationale film- en videofestival ieder jaar drie tot vijf documentaires die inhoudelijk zeer de moeite waard zijn. Joshua heeft mij beloofd onze documentaire te nomineren voor de prijs 'lange documentaires met als thema religie'. Maar dan moet hij wel zo snel mogelijk een trailer hebben.'

Daar was ze dus de avonden geweest dat zij onvindbaar was, ze was op zoek gegaan naar mogelijkheden om de documentaire te promoten. Hoe anders had hij over haar gedacht. Voor het eerst realiseerde Chris zich dat haar werk als regisseuse zich niet beperkte tot wat zij het leukste vond, het filmwerk. Haar verstrooidheid en het ontbreken van een goed draaiboek! Het werd nu allemaal verklaard. Haar constante strijd om geld en tijd te vinden voor haar productie had haar helemaal uitgeput.

Opeens wist hij met een ongelooflijk grote zekerheid dat hij haar wilde helpen, en niet alleen omdat hij medelijden met haar had. Hij kon zich niet meer voorstellen hoe het zou zijn om zonder haar te leven. De onverschilligheid die hij al die tijd gevoeld had viel van hem af. Een trailer maken, dat was iets wat in zijn straatje lag. Het was het minste wat hij kon bijdragen aan deze productie.

De laatste jaren had zijn werk steeds vaker bestaan uit het maken van wervende trailers voor pulpprogramma's. Hij was er een kei in geworden, of hij wilde of niet.

'Oké mensen, werk aan de winkel. Iemand moet vanavond naar Berend om te kijken hoe het met hem gaat en of hij van de week zijn stem kan gebruiken. De voice-over doen we gewoon in het ziekenhuis. De rest blijft hier. Yazel, bestel maar pizza's, want vanavond stampen wij er een trailer uit waar niemand omheen kan.'

Aangespoord door het enthousiasme van Chris stond iedereen op om aan het werk te gaan. Hij liep terug naar de gang om de rest van het materiaal naar boven te halen. Eleftheria liep achter hem aan.

'Chris,' fluisterde ze zachtjes.

Zijn hart begon sneller te slaan, misschien wilde Lefty weer met hem afspreken? Misschien wilde ze verder gaan waar ze gebleven waren?

Ze kwam dichtbij hem staan, hij rook haar kruidige lichaamsgeur.

'Chris, vind je het niet vreemd dat die Edelman daar vanmiddag toevallig was?'

Een race tegen de klok

De volgende morgen werd Chris wakker met een zwaar hoofd en verkrampte spieren. Tot drie uur 's nachts had hij de ruwe opnames bekeken van de documentaire *De Hemelpoort*. Een indrukwekkende hoeveelheid materiaal waar hij een trailer uit moest samenstellen.

Hij kon niet ontkennen onder de indruk te zijn van het vakmanschap van de vorige cameraman, maar iets klopte er niet. Zijn hoofd was gevuld met beelden, prachtige beelden, maar ze misten samenhang. Hij had gekeken naar een warrige kluwen van stillevens en interviews zonder leidraad. Yolanda en Eleftheria hadden naast hem gezeten.

Toen hij die nacht uiteindelijk aangegeven had naar bed te willen, hadden zij hem afwachtend aangekeken. Maar hij was niet in staat geweest een oordeel te vormen. Zonder commentaar was hij uiteindelijk gaan slapen, de twee in onzekerheid achterlatend.

Op blote voeten liep hij naar de woonkamer, op zoek naar zijn sigaretten. De tafel waar ze aan hadden zitten werken, was een stilleven van papieren, aantekeningen, notities, lege koffiekoppen en blikjes energydrank. Misnoegd keek hij naar de laptop met het ruwe beeldmateriaal.

Het enthousiasme waarmee hij zijn collega's gisterenavond aangespoord had, was deze morgen geheel verdampt en opgedroogd als de kringen gemorste drank op de tafel.

Met zijn pakje sigaretten liep hij naar de keuken. In het stille appartement waren de geluiden van de drukke stad duidelijk hoorbaar, de eeuwige sirenes van brandweerwagens en ambulances.

Chris was intussen gewend geraakt aan het vreemde contrast in deze wereldstad. Stilte en rumoer, rust en dynamiek, cultuur versus natuur, New York was eigenzinnig maar ook faciliterend, een stad vol tegenstrijdigheden die haar zo uniek maakten.

Hij was als een baksteen gevallen voor dit vat van onmogelijke tegenstellingen, de stad die nooit teleurstelde en hem bleef verrassen, zijn ego nietig door alle grandeur om hem heen, maar die hem ruim compenseerde met een mateloze energie waarmee hij zich dagelijks kon opladen.

Het terras werd overspoeld door zonlicht. Chris ging op het bankje zitten waar hij een paar dagen terug nog met Yolanda had gezeten, en stak een sigaret op. Hij leunde met zijn hoofd tegen de muur en sloot zijn ogen. Door zijn oogleden heen drongen flinters licht naar binnen, de geur van tabak vulde de lucht. Langzaam liet hij de wirwar van beelden door zijn geheugen glijden, net zo lang tot de chaos steeds kleiner werd. Zijn sigaret was opgebrand.

Hij had haar niet aan horen komen, de geur van koffie was het eerste wat tot hem doordrong.

'Goedemorgen.'

Yolanda ging naast hem zitten. Net als hij had ze zich nog niet aangekleed. Ze had een pyjama aan, die hij nog niet eerder gezien had. Ze trok haar benen op en liet haar blote voeten op de rand van het bankje rusten. Hij kon het niet nalaten zich af te vragen of zij ook aan die avond moest denken dat ze hier samen gezeten hadden. Maar ze had er tot nu toe met geen woord over gerept.

'Môge.'

Hij nam de kop koffie die ze hem aanbood dankbaar aan. Chris wist dat de vragen zouden komen, maar hij probeerde dat moment zo lang mogelijk uit te stellen. Zijn leven was die morgen nog heel even perfect, gewichtloos, alleen maar gevuld met gouden zonlicht en de geur van koffie. Zijn ogen dwaalden over het terras. Her en der stonden potten met grote exotische planten, hij herkende een vederpalm en een enorme Cycas revoluta, de valse sagopalm. Op een houten tafel stonden bakken met kruidenplantjes.

'En ...?'

De stem van Yolanda prikte zijn dromen stuk.

'En wat?'

Hij wist wat ze wilde vragen, maar probeerde tijd te rekken.

'Wat vind je van de opnames?' vroeg ze ernstig.

Hij wist dat hij het niet langer uit kon stellen.

'Yolanda, je hebt me nooit het script laten lezen. Wat is nou precies je doelstelling met de documentaire?'

'Dat heb ik je toch verteld?'

Haar stem klonk verbolgen, alsof hij weer oude koeien uit de sloot aan het halen was. Geduldig gaf hij antwoord.

'Ja, je hebt me de inhoud verteld. Maar het script? Hoe wil je het thema verwoorden?'

Was het nu echt zijn bedoeling om als een schoolmeester over te komen? Wilde hij toch laten merken dat hij meer ervaring had? Aandachtig bestudeerde hij haar gezicht, hij kende haar inmiddels goed genoeg om op de kleine nuances in haar gelaatstrekken te letten.

'Door de vragen die Berend stelt. Die geven de kijker een … eh … houvast.'

Het leek haar moeite te kosten een helder antwoord te geven. Misschien was ze na het zien van al het ruwe materiaal zelf ook moedeloos geraakt.

'De vragen zijn zo geformuleerd dat de herkenbaarheid van het thema duidelijk is. De kijker trekt dan zelf de conclusie hoe iedere willekeurige religie zich aanpast aan het land waar deze beleden wordt.'

Ze keek hem strak aan. Maar Chris had niet alleen goed leren kijken, maar ook goed leren luisteren. Hij hoorde de onzekerheid in haar stem. Zwijgend zaten ze naast elkaar. Niet zeker over wie het eerste zou moeten beginnen. Uiteindelijk ging Chris verder.

'Dat zijn twee thema's, Yolanda. De religie zelf waar je een beeld van laat zien, en de manier waarop zo'n religie in ieder land weer anders beleefd wordt. Twee thema's. Jij weet net zo goed als ik dat er niet meer dan één in een opname mag zitten.'

Hij pakte haar hand en keek haar diep in de ogen. Hij moest eerlijk tegen haar zijn, maar hij wist dat hij haar daarmee pijn zou doen.

'Yo, er zitten veel meer thema's in. Er zitten er zoveel in dat het een warboel is geworden. Met alle respect voor jullie werk, de beelden van Frits zijn echt schitterend, maar ik weet als kijker niet meer wat mijn houvast is. De opnames laten de grootste religies ter wereld tegelijk zien, in een handvol landen, met verschillende culturen. Beelden gevuld met familieverhalen, politieke verhalen, roddels, historische feiten, humoristische voorvallen, en kerken, veel kerken.' Langzaam zag hij een diepe blos op haar wangen komen. Hij had een gevoelige snaar geraakt, hij wist dat zij opeens ook zag wat hij gezien had. En waar hij net over na had zitten denken.

'Dat is wat jij vindt!' beet ze hem toe. Ze trok haar hand terug.

'Ja, dat is wat ik vind. Yo, ik wil je niet kwetsen. Je hebt een prachtig product gemaakt, alleen het is teveel!'
Hij zag tranen in haar ooghoeken opwellen en stond op om nog een kop koffie voor haar te halen. Toen hij terugkwam leek ze iets kalmer.

'Sorry dat ik uitviel, maar architectuur en religie gaan naar mijn mening wel degelijk samen. Die prachtige, grote gebouwen zijn juist daar om mensen tot inkeer te laten komen. Zich te bezinnen, na te denken over hun nietigheid, maar ook om mensen zich beter te laten voelen. Voel jij je niet geweldig wanneer je je in de nabijheid van een overweldigend mooi gebouw of kunstwerk bevindt? Word je dan ook niet naar iets hogers getild? Wat heeft de seculiere wereld ons gebracht? Ja, een enkele megalomane koning of rijkaard die iets voor zijn eigen plezier neerzet. Maar een gebouw toegankelijk voor iedereen? Zelfs voor een museum moet je entree betalen.'
Ze had gelijk, de kerken, gebouwen en tempels waren inderdaad een wezenlijk onderdeel van de religie.
Maar dat was nu niet van belang, hij moest haar zien te kalmeren, ze hadden geen tijd meer voor rivaliteit. Als ze deze week geen fatsoenlijke trailer produceerden, was het voorbij en konden ze het vliegtuig naar huis nemen. Berend zouden ze in New York achter moeten laten. Gisterenavond was Yazel bij hem op bezoek gegaan en hij had verteld dat de artsen hem nog minstens een week wilden houden.

Eleftheria had meteen gevraagd of hij dan wel in staat was de voice-over van de trailer te doen, maar dat hing helemaal af van hoe snel de zwellingen in zijn mond zouden genezen. Nu was hij niet in staat fatsoenlijk te formuleren.

'Is dit project het enige waar jullie het afgelopen jaar aan gewerkt hebben?'

'Nee, we hebben tussendoor nog andere producties gemaakt. Kleinere commerciële films en reclamespotjes die geld opbrachten. Anders hadden we het niet zo lang volgehouden.'

De volgende vraag moest hij haar stellen. De pijn die hij in haar ogen gezien had moest een oorzaak hebben. De vraag die Eleftheria hem fluisterend gesteld had, bleef hem plagen.

'Weet Edelman hoe hard je hier aan gewerkt hebt?'

Eerst hoorde hij haar stem nauwelijks.

'Vorige week wilde hij me via Skype ineens spreken. Ik ben toen stom genoeg over de documentaire begonnen. Ik kon het niet laten, ik was zo trots op ons werk. In m'n overmoed heb ik door laten schemeren dat *De Hemelpoort* vast in de prijzen gaat vallen. Ik had er nooit over moeten beginnen, want daarna vroeg hij om *samples* te sturen die hij kon bekijken.'

Woedend tilde ze haar hoofd op. Haar ogen spatten vuur.

'Hij is gevaarlijk, Chris. Die man gaat tot het uiterste om zijn zin te krijgen, daar weet ik alles van. Hij heeft me gewoon afgedankt. Na jaren dag en nacht met hem samengewerkt te hebben, werd ik van de ene op de andere dag aan de kant gezet omdat hij meer 'vrijheid' nodig had. Pah … hij had alle vrijheid die hij nodig had. Ik heb mijn ogen gesloten voor de affaires die meneer zo nodig had om te kunnen functioneren! Alles heb ik voor ons huwelijk over gehad. Maar uiteindelijk was die vrijheid het probleem niet, zijn ego stond het niet toe zijn successen nog langer met mij te delen. En met successen bedoel ik niet alleen het geld, maar ook de macht en het aanzien. En ik stommeling … ik heb het laten gebeuren. Ik ben gegaan met opgeheven hoofd.'

Chris zag haar voor zich, zoals ze het huis uitgelopen was, trots en stoer.

'Nu denk ik weleens dat ik die rotzak gewoon het vel over zijn oren had moeten trekken. Gewoon eisen waar ik recht op had. Dan kon ik zelf Twilight Thoughts overnemen.'

'Waarom ben je over de documentaire begonnen, Yo?' vroeg Chris zachtjes.

'Omdat ik hem wilde kwetsen. Aangeven dat ik met iets groots bezig was, hem niet meer nodig had.'

De hopeloosheid van de situatie drong nu pas echt tot hem door. Berend, hun verslaggever lag in het ziekenhuis, Yolanda, de regisseuse, had haar grootste concurrent voortijdig wakker geschud en volgens Yazel, de productieleider, hadden ze geen tijd en geld genoeg om de documentaire tot een goed eindproduct te brengen.

Maar hij wist ook dat hij niet op wilde geven. Hij wilde niet verslagen terug naar Nederland, daar wachtte alleen een onplezierige scheiding en die wilde hij zo lang mogelijk voor zich uitschuiven. Er moest iets gebeuren. Ze schrokken allebei op van de stem van Eleftheria.

'Wat zitten jullie hier gezellig samen?'

Fris gedoucht en met natte haren liep ze het terras op. Ze vertoonde geen sporen van de korte nacht en stak als een vrolijke lentebloem af tegenover haar twee collega's.

Zonder verdere omhaal vertelde Yolanda haar wat Chris over het ruwe beeldmateriaal gezegd had. Eleftheria trok met haar voet een metalen tuinstoeltje dichterbij en plofte neer.

'Dat is dan zwaar kut!'

Even was het stil en toen begon Chris te lachen. Hij moest zo hard lachen om de hele situatie, de hopeloosheid, de frustratie en het droge antwoord van Lefty, dat hij niet meer kon stoppen. Eerst keek Yolanda hem kwaad aan maar toen de tranen over zijn wangen begonnen te lopen, moest zij ook lachen.

'Ja, daar komt het wel op neer, Lefty,' wist Chris hikkend uit te brengen. De sfeer die eerst zo zwaar was geweest, had plaats gemaakt voor opgewektheid en een lichte hysterie. De twee vrouwen, het zonlicht, de geluiden van New York, alle ellende en tegenslagen, maar ook de mooie momenten. Wat had hij in deze korte periode al veel met zijn teamgenoten meegemaakt. Hij wist ineens zeker dat hij nog niet bereid was naar Nederland terug te keren. En als dat inhield dat hij verantwoording zou moeten gaan nemen voor deze productie, zou hij dat doen.

Aan het begin van de middag, nadat hij het materiaal nog een keer globaal bekeken had, wist hij de oplossing. De documentaire zou uitstekend als serie gemonteerd kunnen worden. Er was genoeg materiaal om een reeks afleveringen van 45 minuten te maken. De afleveringen zouden zich dan beperken tot één religie per keer, gefilmd in verschillende werelddelen. Dat bracht rust in de opmaak, de kijker kon zich steeds op één thema tegelijk concentreren.

Het betekende een hoop werk, maar zijn collega's omarmden zijn plan onmiddellijk.

Eleftheria was meteen aan het werk gegaan met de montage.

De keuze om de documentaire op te delen in afleveringen, had nog een bijkomend voordeel. Voor een serie van tien afleveringen konden ze meer geld vragen dan voor een documentaire van 90 minuten. Er was zelfs een mogelijkheid de serie te ondertitelen of na te synchroniseren en aan het buitenland te verkopen.

Na een korte aarzeling kon ook Yolanda het oude idee van de documentaire los laten. Bleven de twee oudjes over. Ook Van Hemelrijck en Berensteijn moesten akkoord gaan met het nieuwe plan. Yolanda vroeg zich af of ze moest bellen of dat het beter zou zijn om ze een mail te sturen waarin ze de situatie uitlegde. Verbaasd keek Chris haar aan.

'Is dit niet de taak van Yazel? Hij is de productieleider, verantwoordelijk voor de financiën. Ik vond het al vreemd dat jij zelf naar die instantie bent gegaan waar we de trailer voor moeten maken.'

'Dat ging niet eens om het geld. De eerste prijs voor een documentaire brengt hoogstens tienduizend dollar op. Een druppel op een gloeiende plaat. Het gaat mij alleen om de erkenning.'

'Hm ...' Chris keek bedenkelijk. 'Neemt niet weg dat dit Yazels werk is. Je trekt te veel naar je toe.'

Trots en moeheid vochten om een plaats op Yolanda's gezicht. Uiteindelijk won de moeheid.

'Je hebt gelijk. Laat hem dit maar opknappen.'

Ze stond op van de tafel in de woonkamer die Chris, Eleftheria en zijzelf gebruikten voor de montage. Eleftheria had een groot deel van de tafel voor zichzelf afgebakend. Chris en Yolanda werkten aan de kopse kant waar ze twee krukken dicht tegen elkaar aangezet hadden om ruimte te winnen.

Toen ze opstond, voelde hij haar borst langs zijn schouder strijken. Het gevoel was zo aangenaam dat hij strak voor zich uit bleef kijken. De leegte die haar afwezigheid na al die uren geconcentreerd werken achterliet, was onprettig.

Het was weekend en ze hadden geen van allen de moeite genomen zich fatsoenlijk aan te kleden. Chris had een oude spijkerbroek aangetrokken en een geruit overhemd. Yolanda droeg een soepele trainingsbroek van een onbestendig blauw met een wit T-shirt met lange mouwen. Het T-shirt had een wijde hals. Toen ze voorover boog om Eleftheria een usb-stick aan te geven, ving hij een glimp op van een kanten bh waarin een kleine borst rustte. De borst had hem oneindig teder toegeschenen, klein en onschuldig. Zo anders dan de zelfverzekerde eigenaresse ervan.

Nu ze aanstalten maakte om naar de keuken te gaan waar ze urenlang met Yazel zou debatteren over de financiën, wilde hij haar tegenhouden. Hij vond het prettig haar aan zijn zijde te hebben, de leegte die zij achterliet voelde koud aan.

'Oh Yo?'

'Ja, wat is er?'

'Eh … even een praktische vraag. Hoeveel straatopnames hebben we nog te gaan? Ik ben bezig met de trailer en Lefty met de montage, maar ik neem aan dat je nog een paar opnames in je script had staan.'

Het was niet zijn bedoeling, maar hij hoorde de kritiek in zijn woorden doorklinken. De moeheid verdween van haar gezicht en de trots keerde er op terug.

'We waren bijna klaar, alleen de boeddhisten en joden nog. Yazel is nu met de boeddhisten bezig, alleen mijn eigen volk levert nog een probleem op. Je weet hoe wij joden zijn, we doen altijd moeilijk!'

Ze probeerde de situatie met een ironische opmerking luchtig af te doen. Maar hij wist dat het haar dwars zat. Even overwoog hij haar zijn hulp aan te bieden, maar weer leek het of ze zijn gedachten kon lezen. Ze glimlachte wrang.

'Maak je geen zorgen, ik los het wel op.'

De opmerking was niet vriendelijk bedoeld, eerder afwerend. Klaarblijkelijk wilde ze hem duidelijk maken dat hij, met het veranderen van de documentaire, al genoeg leiding naar zich toe getrokken had. Ze draaide zich abrupt om en liep verder zonder commentaar naar de keuken. Chris draaide zich naar de tafel en keek recht in het gezicht van Eleftheria, dat boekdelen sprak.

Rond vier uur ging plotseling zijn mobiele telefoon. Chris schrok op van het beeldscherm en keek naar de display. Steven. Snel rekende hij terug naar de Nederlandse tijd. Daar moest het nu tegen elf uur in de avond zijn.

'Ha jongen, hoe is-ie?'

'Goed Chris, ben je nog steeds in New York?'

'Ja, natuurlijk. Anders had ik me wel gemeld.'

Het kwam er vlot uit, maar meteen bekroop hem een schuldgevoel. Was dat zo? Zou hij werkelijk doorgegeven hebben dat hij weer terug in het land was? Dan zou hij zijn koekoeksjong onder ogen moeten komen, hem moeten vertellen dat hij eigenlijk zijn vader niet was. Een jongen van zeventien, bijna achttien, had recht op de waarheid over zijn biologische vader. Hem niet vertellen wat er speelde, zou de verhouding tussen hen tweeën niet bevorderen. Maar de waarheid dat zijn moeder was vreemdgegaan, was niet iets wat hij graag met Steven wilde delen. Misschien was Heather zo flink het hem zelf te vertellen.

Hij schrok op uit zijn gedachten door de trage jongensstem, een overblijfsel sinds hij de baard in de keel had gekregen.

'Oké ... Zeg, heb je mijn iPad nog gekocht?'

Míjn iPad? Het ding was kennelijk al van hem voordat hij hem gekregen had.

'Je bedoelt de iPad die je misschien van mij gaat krijgen? Of krijg ik het geld van je?'

Steven was er niet de jongen naar om zomaar aan te nemen dat hij iets zou krijgen. Hij zou hem toch eens aan de tand moeten voelen over zijn vriendjes. Die stookten hem duidelijk op.

'Jee Chris, zo bedoel ik het niet, maar ...' Hij aarzelde. 'Maar Freddy B. zei dat die dingen niet zoveel kosten in Amerika.'

'Nou, daar zit je vriendje met de korte achternaam helemaal naast. Die dingen zijn hier ook rond de 500 dollar.'

'Sorry man, ik wist niet dat je pissig werd. Ik vraag je toch anders nooit wat!'

Hij zuchtte de jonge-mensen-getergd-door-vermoeiende-langzaam-denkende-ouders zucht.

'Trouwens, daar bel ik je niet alleen over. Hebben jullie geldproblemen of zo?'

'Nee, maar ik vind niet dat je zomaar een iPad van 500 dollar bij je vader bestelt zonder daar iets tegenover te stellen.'

'Hou nou op over die iPad, dan geef je die voor mijn achttiende verjaardag en kerst tegelijk. Ben je daar ook vanaf.'

Chris schrok, het klonk hatelijker dan hij van Steven gewend was. Was hij in die bekende fase beland waarin jongeren zich af beginnen te zetten tegen hun ouders? Het was het laatste waar Chris op zat te wachten. Moest hij hem straks in deze staat gaan vertellen dat hij niet zijn echte vader was. Hij reageerde voorzichtig.

'Hé, doe even rustig. Waarom denk je dat we geldproblemen hebben?'

'Nou, omdat er een bord in de tuin staat dat ons huis te koop is,' klonk het droog aan de andere kant van de lijn.

Het leek of de grond onder Chris wegzakte.

'Wat, staat het huis te koop?'

'Ja, wist je dat niet? Er loopt al dagen zo'n gladjakker hier rond, zo'n makelaar. Hij bleef zelfs een keer 's avonds eten, terwijl jij ook wel weet dat Heather niet echt graag kookt. Nou heeft hij alles opgeschreven, zelfs de spullen in mijn kamer. Die eikel heeft alles opgeschreven, gordijnen, meubels, apparatuur.'

Chris merkte pas dat zijn mond openhing toen hij zag dat Eleftheria hem bevreemd aankeek.

'Eh … nee. Ik heb je moeder daar niet over gesproken,' was het enige wat hij uit wist te brengen.

Zijn gedachten waren niet meer bij Steven. Een maalstroom van beelden overspoelde zijn hersenen. Heather die een ander had, hem een loer wilde draaien, alles verkopen, wegsluizen, verhuizen naar Amerika, Heather in bed met een andere man, andere mannen, misschien wel met een trio. Ooit had ze geïnsinueerd dat ze daar geen moeite mee zou hebben. Maar dat was tijdens een etentje met een paar goede vrienden geweest toen ze allemaal veel te veel gedronken hadden. Hij had haar opmerking nooit serieus genomen.

Tot die fatale dag, weken geleden, toen zij hem verteld had dat hij niet de biologische vader van Steven was, en ze hem ervan beschuldigd had niet avontuurlijk genoeg te zijn in bed. Ze had hem verweten altijd in slordige kleren rond te lopen en nooit eens de moeite te nemen haar te verrassen met 'speeltjes'. Dat hun seksleven niet genoeg voor haar geweest was. Hij had haar anders nooit horen klagen. Of was dat omdat zij er minnaars op na hield? Zijn rug werd ijskoud. Hij had nooit over deze mogelijkheid nagedacht. Dat het niet bij die ene keer vreemdgaan gebleven was, maar dat er meerdere waren.

Het bloed trok uit zijn gezicht. Opeens drong de stem van Steven weer tot hem door. Hij had hem kennelijk iets gevraagd, want een stilte aan de andere kant van de lijn gaf aan dat er op een antwoord werd gewacht.

'Ja jongen, dat is goed.'

Waaraan hij zijn goedkeuring gaf, was hem niet helemaal duidelijk. Weer iets over een weekend in Zeeland met zijn vrienden. Chris beëindigde het gesprek op de automatische piloot met wat vaag gemompelde waarschuwingen. Een oude reflex want hij wist dat Steven eigenlijk volwassen genoeg was om voor zichzelf te zorgen.

Ontluisterd zat Chris aan tafel bij zijn twee collega's. Zijn bleke gezicht was geen van de twee vrouwen ontgaan. Yolanda had op zachte toon gevraagd of hij problemen had. Haar medeleven op een moment dat haar eigen leven een grote puinhoop was, raakte hem dieper dan hij wilde toegeven. De bezorgdheid in haar stem maakte hem loslippig. Voor hij het wist had hij hen verteld van het gesprek met Steven.

'Je huis te koop? Zonder dat jij daarvan af wist?'
Yolanda keek hem verbijsterd aan.

'Ja, we hebben wat problemen. Maar dit …'
'Ben je in gemeenschap van goederen getrouwd?'
'Ja, soort van.'
'Volgens mij kan het dan niet eens. Je moet de verkoopopdracht allebei tekenen.'
De vragen drongen nauwelijks tot hem door, de vervelende denkbeelden bleven zijn hoofd bewolken.

'Die makelaar schijnt alles getaxeerd te hebben, ook de inboedel,' zei hij meer verwonderd dan kwaad.

'Voor een verkoop heb je dat niet nodig, Chris. Volgens mij is jouw vrouw bezig een optelling te maken van jullie bezittingen.'
Eleftheria was opvallend stil. Chris kon zich niet herinneren of hij haar verteld had dat hij getrouwd was. En dat hij momenteel in scheiding lag. Wat wisten zijn collega's eigenlijk van hem? Hij was ook weinig mededeelzaam tegen de heren van Twilight geweest. Een cv met zijn gegevens had hij niet eens hoeven overleggen.
Dus ze konden niets van hem weten. Niets van Heather of van zijn zoon Steven. En dat, terwijl hij van de meesten van zijn team alles wist. Van Yolanda en haar ex Richard Edelman, Eleftheria en haar dwingende Griekse ouders, Berend en zijn vreemde hobby en zelfs van Yazel wist hij voldoende van zijn achtergrond om zijn hang naar luxe artikelen te kunnen begrijpen.
Opzettelijk had hij hen niet in zijn leven toegelaten. Hij had deze baan aangenomen om een nieuwe weg in te slaan. Zijn leven weer naar zijn hand te zetten.
Van jongs af aan was Chris gewend zijn eigen weg gegaan. Hij was

al jong vertrokken uit het middenstandsmilieu waar hij vandaan kwam. De vijftien personeelsleden van het installatiebedrijf Spark hadden vreemd gekeken naar de twintigjarige zoon met de kunstaspiraties die in een andere wereld leek te leven dan zijn vader en niets voor het bedrijf voelde.

Toen hij op jonge leeftijd trouwde met een Amerikaanse die niet eens Nederlands sprak, hadden zijn ouders hoofdschuddend gemopperd dat hoogmoed ten val zou komen. Een van de vele calvinistische uitdrukkingen die ze te pas en te onpas bezigden. Maar nadat in de loop van de jaren het succes groeide waardoor ze het grote huis in het Gooi konden kopen, was de kritiek op hem langzaam verstomd. Zijn vader had, toen hij de pensioengerechtigde leeftijd bereikte, het bedrijf overgedaan aan het personeel. Chris moest het zijn ouders nageven dat ze hem in al die tijd nooit een verwijt gemaakt hadden. Maar een paar weken geleden, toen zijn huwelijk een farce bleek te zijn, en zijn enige zoon het kind van een ander, wist hij maar één ding zeker. Hij wilde terug naar zichzelf, terug naar de Chris die hij werkelijk was. Vrij van wat hem al die jaren gebonden had. Doen waar hij goed in was, al was het tegen een lager salaris.

Eleftheria stond op zonder een woord te zeggen en liep weg. Chris keek haar na, wat moest hij in haar ogen afgegaan zijn. Chrisspark heeft zijn vrouw niet onder controle, en dat voor een Griekse waar de man nog steeds de dienst uitmaakt.

Yolanda bleef zitten. Ze pakte de grote handtas waar hij haar de eerste keer op Schiphol mee had zien lopen en haalde een adressenboekje tevoorschijn.

'Ik heb een grote fout gemaakt bij mijn scheiding, ik heb dezelfde advocaat genomen als Richard. Dacht dat het goedkoper zou uitvallen. Maar goedkoop bleek duurkoop. Die advocaat had haar kansen berekend en was natuurlijk op de hand van degene aan wie zij het meeste kon verdienen.'

Na een poosje zoeken vond ze de naam van de advocate. Haar gezicht betrok even.

'Ze was niet goedkoop, maar wel heel goed. Ik ben met bijna niets weggegaan.'

Ze lachte weer haar schampere lach.

'Bovendien raakte ze betoverd door dat charisma van mijn ex. Hier ...'

Ze stond op en stak hem een stukje papier toe met een adres erop. Chris nam het achteloos aan en frommelde het in zijn zak. Het was vriendelijk van haar dat ze hem wilde helpen. Maar hij zou eerst Herbert van Slochteren bellen. Zijn vriend had zijn scheiding zonder al te veel problemen weten te regelen. De zorg voor Steven zou Heather toch krijgen, hij wist op dit moment niet eens of hij dat erg zou vinden. En het huis, hun bezittingen? Wat had hij eraan. Een kast van een huis in het Gooi. Geld om uit te geven? Was dat wat hij nodig had?

Voor het eerst in al die weken probeerde hij zijn situatie werkelijk onder ogen te zien. In zijn badkamer plensde hij koud water in zijn gezicht. Langzaam werd het rustiger in zijn hoofd, het werd hem allemaal steeds duidelijker. Heather had hem getolereerd zolang zij hem nodig had gehad.

Opeens schoot hem een voorval van afgelopen zomer te binnen dat hem nog helder voor de geest stond. Hoe had hij zo blind kunnen zijn? Op een warme zondag in juni hadden ze geluncht op het terras van Moeke Spijkstra in Blaricum. Chris voelde de warme zonnestralen weer op zijn gezicht. Ontspannen achterover geleund, met een glas koude rosé in zijn hand had hij het komen en gaan van de clientèle van het drukke eetcafé aan zich voorbij laten trekken. Die dag had het Gooi zich massaal in hun cabriolets verplaatst, flanerend over de weg voor het etablissement. Regelmatig stopte een dankbare klant om een praatje te maken met Heather. Een donkergrijze Porsche 911 parkeerde brutaal op de stoep vlak voor hun tafeltje. Een jonge, veel te rijke man voor zijn leeftijd, stapte uit en liep naar binnen. Toen had hij er geen aandacht aan besteed, maar nu schoot hem te binnen hoe de man in het voorbijgaan de schouder van Heather aanraakte. Op een bezitterige manier. Ze had niet opgekeken, wat hem toen bevreemdde. Een roze gloed was over haar gezicht getrokken. Die man moest een van haar minnaars geweest zijn. Misschien was de dure auto wel een cadeautje van haar geweest. Hij had geen idee wat ze met haar geld deed. Dat was iets wat ze nooit bespraken.

Weer voelde hij de knoop in zijn maag, de leegte. Waarom had ze er nu pas voor gekozen om hem over haar escapades te vertellen? Waarschijnlijk had ze nog jaren door kunnen gaan met haar leventje zonder dat hij iets in de gaten had. De waarheid was hard en hij moest de bittere pil slikken: ze wilde vrij zijn en had hem niet meer nodig.

Voor de spiegel in de badkamer nam hij op dat moment een stoutmoedige beslissing. Hij zou haar onderuit halen, koste wat het kost.

Met een veerkrachtige pas liep Chris door de gangen van het ziekenhuis op weg naar Berend. Hij had de terugkeer van Eleftheria niet afgewacht en Yolanda en Yazel gezegd dat hij deze avond het ziekenhuisbezoek voor zijn rekening zou nemen. Zo kon hij even alleen het appartement uit. De temperatuur was mild en de wandeling naar het ziekenhuis had hem goed gedaan.

Onderweg zag hij een bedelaar met een herdershond die zo bedreven was met het collecteerbakje, dat mensen glimlachend in hun zak naar kleingeld zochten. Kantoordames in nette mantelpakjes op gymschoenen, wandelende reclameborden die levensgrote broodjes worst moesten voorstellen. Op de straathoeken rijdende karretjes die hotdogs verkochten. En mensen die buiten op een stoel zonder haast naar de voorbijgangers zaten te kijken. New York leek deze avond op een gigantisch straattheater.

Bij de kamer van Berend hield Chris zijn pas in. Dit was zijn eerste bezoek, hij had Berend sinds het voorval niet meer gesproken. Niet uit onverschilligheid, maar meer omdat hij zelf nog niet klaar was geweest om het verhaal te horen. De beelden en de schrik van die avond stonden hem nog te helder voor de geest. Maar nu was hij zover om de confrontatie aan te gaan.

Voorzichtig opende hij de deur. In de kamer hoorde hij stemmen. Berend lag achter een gordijn dat hem aan het gezichtsveld onttrok. Chris deed een behoedzame pas de kamer in. Voor het gordijn bevond zich nog een bed waarin een patiënt lag te slapen. Het licht was gedempt, Chris zag alleen de deken die met de rustige ademhaling op en neer bewoog. De stem die nu duidelijker werd, kwam vanachter het gordijn.

'… onfortuinlijk, maar hoeft geen probleem te zijn.'

Een Nederlandse stem, een stem die Chris herkende. De schaduw achter het gordijn was van een lange gestalte. Een zwak gemompel was het vage antwoord van Berend. De man, en Chris wist het zeker, was Richard Edelman.

'Je laat niets merken en ik zorg ervoor dat je daarna bij mij in dienst komt.'

Weer klonk een vaag gemompel van Berend. Chris drukte zich plat tegen de muur om zo min mogelijk op te vallen.

'Nee, je geaardheid interesseert me niet. Ik bedoel; je bent niet de enige in de showbizz met een eigenaardige hobby, daar kan ik je wel wat meer voorbeelden van geven. Zorg jij nou maar dat je beter wordt en daarna praten we verder.'

Hij hoorde wat geritsel. De schaduw van de lange gestalte boog zich voorover naar de man in het bed. Toen kwam hij weer overeind. Edelman maakte duidelijk aanstalten om te vertrekken, hij had zijn boodschap overgebracht.

Het was jammer dat Chris het antwoord van Berend niet had kunnen verstaan. Zachtjes sloop hij de kamer uit om te voorkomen dat Edelman hem zou zien.

De lange gang bood weinig mogelijkheden om zich te verstoppen. Een paar meter verderop ging een deur open, een ziekenbroeder kwam de kamer uit met een patiënt in een bed. Chris wachtte tot de broeder weg was en glipte toen vlug de lege kamer in. Met de deur op een kier wachtte hij tot hij Edelman langs zag komen. Op slechts een meter afstand liep Yolanda's ex hem voorbij. Een zelfvoldane glimlach lag op zijn gezicht. Had hij bij Berend bereikt wat hij wilde?

Wat moest hij nu doen? Teruggaan naar het appartement en vertellen wat hij gehoord en gezien had? Dat was echt lam. Hij moest eerst Berend spreken en naar zijn gezondheid informeren. Hij was per slot de verslaggever en voice-over van hun documentaire. Wat had hij eraan om hem zo de stuipen op het lijf te jagen dat hij niet meer mee wilde werken? Nee, het was misschien verstandiger hem niet te laten merken dat hij Richard Edelman in zijn kamer gezien had. Hij besloot het nog even voor zich te houden. Hij schudde zijn hoofd. Hoe was het mogelijk dat Berend zo makkelijk te bespelen was. En dat na alles wat ze van hem hadden moeten verduren!

Hij liep terug naar de kamer, kwam duidelijk hoorbaar binnen en schoof met een ruk het gordijn om het bed opzij.

Tot zijn verbazing reageerde de verslaggever weinig schuldbewust op zijn verschijning. Hij leek eerder verheugd de cameraman te zien. Een vriendelijke glimlach verscheen op het toegetakelde gezicht. Het effect was deerniswekkend. De wond waaruit Berend zo heftig gebloed had, zat net onder de haargrens. Kleine, donkere hechtingen waren zichtbaar onder zijn blonde haar. Er was weinig over van het verzorgde kapsel, de ongewassen haren lagen tegen zijn hoofd geplakt met hier en daar nog restjes aangekoekt bloed. De bloeduitstortingen rond zijn mond waren donkerblauw gekleurd.

Met behulp van de takel boven zijn bed, hees Berend zich voorzichtig omhoog in een zittende positie. Een grimas van pijn trok over zijn gezicht.

'Zitten gaat moeilijk,' fluisterde hij met een hese stem.

'Dat kan ik me voorstellen. Ze hebben je aardig te pakken gehad volgens de arts.'

'Ja, de rotzakken … heb veel pijn. Je moet … weten …'

Een pijnscheut benam hem de adem. Wilde Berend hem over Edelman vertellen?

Chris ging op de stoel naast het bed zitten.

'Doe nou maar rustig aan. Ik kwam alleen even kijken hoe het met je is.'

'Nee, nee … dit is belangrijk.'

Berend hapte naar adem, de pijn verbijtend.

'Chris, jij … Je hebt mijn leven gered … en …'

Een traan rolde over het gehavende gezicht.

Chris legde zijn hand op die van de verslaggever. Hij gaf hem een kneepje om aan te geven dat het zo goed was. Maar Berend was nog niet klaar.

'Ik had het beloofd … aan Yo, en toch heb ik het weer … gedaan.' De tranen stroomden nu over zijn wangen.

'Het is … het is een drang. Ik kan het niet stoppen.' Hij snikte nu met lange, gierende uithalen. Chris moest zich naar hem toe buigen om hem te kunnen verstaan.

'Ik heb je zo … zo verkeerd beoordeeld. Je bent … je bent een toffe peer.'

Vermoeid zakte Berend weer achterover en sloot zijn ogen.

Chris wilde opstaan om hem te helpen, toen hij onder de hand een stuk papier voelde. Hij stak het snel in zijn zak. Daarna hielp hij hem een makkelijkere houding aan te nemen. Hij sprak sussende woordjes tot Berend weer rustig geworden was en hij zijn ogen zag dichtvallen.

Op zijn tenen liep Chris terug naar de gang. Daar haalde hij het stuk papier uit zijn zak. Het was een velletje met een telefoonnummer erop. Dat moest van Richard Edelman zijn. Chris moest terugdenken aan de moeizaam gesproken woorden van Berend. Een groot medelijden met de ijdele, blonde verslaggever vulde zijn hart.

Op de terugweg naar het appartement stopte Chris bij een café. Hij had tijd nodig om na te denken. Voor de zoveelste keer vroeg hij zich af wat zijn positie was in dit hele spel. Edelman had niet de moeite genomen hem te benaderen. Waarom was dat? Hij was de buitenstaander, de nieuweling. Slechts aangenomen om een dode cameraman te vervangen voor het laatste deel van een documentaire die de redding van zijn opdrachtgevers moest worden. Omdat hij geen hechte band met de opnameploeg had, zou hij de meest ideale persoon voor Edelman zijn sabotagewerk zijn.

Weer liet hij de feiten door zijn hoofd gaan. Twilight Thoughts stond er slecht voor, dat was duidelijk. Edelman Producties wilde het bedrijf inlijven, maar Richard Edelman was ook de ex-echtgenoot van Yolanda. En die wilde niets liever dan haar zelfstandigheid bewaren. Ook Eleftheria had hem tijdens hun afspraakje duidelijk gemaakt dat ze niet voor een grote maatschappij wilde werken waar ze standaardwerk te doen zou krijgen. En Yazel leek helemaal in zijn element omdat hij bij Twilight alle vrijheid had die hij zich kon wensen. Een andere opdrachtgever zou hem nooit zo met geld laten spelen. Want daar was Chris van overtuigd, Yazel leende en beleende het budget voor de documentaire. Maar waarom was alleen Berend benaderd door Edelman en niet de rest van de groep? Of had hij dat al geprobeerd en bot gevangen?

Chris voelde de tijdsdruk, ze moesten deze week de trailer afmaken en naar die contactpersoon van Yolanda sturen. Maar ze hadden ook nog minstens een paar dagen nodig voor de ontbrekende opnames. Eigenlijk kwam alles neer op geld en tijd. Waarvan ze nog maar weinig over hadden.

Edelman had duidelijk haast. Maar waarom? Wat kon het hem schelen of hij Twilight Thoughts nu of later overnam? Wat was het economische belang voor de succesvolle ondernemer?

Chris kon zich niet voorstellen dat zijn enige motivatie zijn ex-echtgenote dwars te zitten zou zijn. Of was wat Yolanda beweerde waar? Wilde hij Twilight Thoughts hebben vanwege de naam die het bedrijf had?

Hij bestelde een kop koffie en een donut en zocht naar zijn portemonnee, maar zijn zakken waren leeg. Die had hij natuurlijk weer in het appartement laten liggen. In zijn achterzak vond hij een tien dollarbiljet waarmee hij af kon rekenen. Hij zuchtte geërgerd. Die eeuwige slordigheid van hem, hij zou toch moeten leren beter voor zichzelf te zorgen. Dat zou hem een hoop ellende besparen.

Hij liep naar een vrij tafeltje bij het raam. De vorige klant had er een aantal kranten achtergelaten. Geïrriteerd wilde Chris iemand roepen om het tafeltje op te ruimen, maar het personeel achter de balie had het te druk met elkaar. Hij plofte in de leren kuipstoel en pakte het stapeltje op. De vorige klant moest een toerist geweest zijn, want het waren Duitse bladen.

Hij bladerde gedachteloos door de krant tot plotseling zijn oog op een artikel viel over de bedrijfsovername van televisiezenders door mediagigant Bertelsmann.

Aandachtig las hij het stuk van een Duitse journalist die zich inge-
graven had in de wereld van film, televisie, tijdschriften en kranten.
Klaarblijkelijk namen de faillissementen in de mediawereld, net als
in de vastgoedwereld toe. Steeds meer bladen redden het niet, steeds
meer televisiezenders moesten dure formats uit het buitenland kopen om te overleven. Het machtige Bertelsmann uit Gütersloh had
een bod gedaan op een aantal Duitse RTL's. Niet verkeerd, volgens
de journalist, om de krachten te bundelen. Maar, vroeg de schrijver
van het artikel zich wel bezorgd af, hoe zou de kwaliteit van het
Duitse *Fernsehen* gegarandeerd kunnen worden nu alles straks vanuit
één koker beslist ging worden. Chris floot tussen zijn tanden.

'En dat, mijn Duitse vriend, is precies de vraag,' mompelde hij
zachtjes.

Stel dat ook Edelman geldproblemen had en moest verkopen aan
een mediagigant? Aan Endemol of het Finse Sanoma? Chris had
geen verstand van dit soort transacties, maar van zijn ondernemende
vader had hij altijd begrepen dat voor een bedrijfsovername voorraad en klanten belangrijk waren.

De klanten waren in dit geval de afnemers van zijn formats en series,
en de voorraad moesten de gelauwerde documentaires van Twilight
Thoughts worden. Want wat had Edelman anders in te brengen?
Een paar matige films waarmee ze net uit de kosten gekomen waren? Zijn formats, die nu nog draaiden bij de Nederlandse omroepen maar die over een paar jaar vergeten zouden zijn?

Nee, hij geloofde niet in Yolanda's suggestie dat Edelman T.T. nodig
had om een solide naam op te bouwen. Het ging hier gewoon om
geld. Edelman wilde zijn bedrijf voor dik geld verkopen, en daar had
hij voorraad en klanten voor nodig. Twilight Thoughts had een aardige voorraad. En het zou hem niet verbazen als Edelman bij de verkoop de positie als directeur van een nieuw op te richten afdeling bij
de mediagigant in gedachten had. En aangezien Edelman naar New
York gekomen was, betekende dit dat hij haast had. De klok tikte.

Resoluut stond Chris op en stak de donut in zijn zak. Ze moesten
zo snel mogelijk de documentaire afmaken en in Nederland presenteren.

Maar wat te doen met Berensteijn en Van Hemelrijck? De twee heren waren vast niet op de hoogte van de overnamegevaren die om de hoek loerden. Die waren nog van de oude stempel, van de tijd dat een man een man en een woord een woord was. Chris moest stiekem glimlachen om zichzelf. Waar haalde hij dat calvinistische gezegde nou weer vandaan?

Het zou niet makkelijk worden. Want eerst moesten ze de twee eigenaren zover zien te krijgen dat zij de precaire situatie onder ogen zagen, en daarna moesten ze hen overtuigen zelf op zoek te gaan naar een mediagigant die T.T. over zou willen nemen. Want wat Edelman kon, dan konden zij zelf tien keer beter.

Namasté

Buddhism
Praise be to Sang Bhagava, the Pure. One who has attained enlightenment.
Let all Creature live in happiness in accordance to Your will (Parita Suci).

Op weg naar het appartement wilde de oplossing waar hij zo hard naar zocht, niet komen. Zijn frustratie werd met iedere stap groter, de nietigheid van zijn eigen persoon versterkt door de massa's mensen om hem heen. Was hij in staat dit verhaal tot een goed einde te brengen?

Vertwijfeld dacht hij aan zijn thuissituatie. Ook Heather had hij al die jaren haar gang laten gaan, zonder ergens tegenin te gaan.

Natuurlijk was de situatie in de filmploeg niet iets waar hij debet aan was, maar hij voelde dat het deze keer zijn beurt was er iets aan te doen. Maar kon hij daadwerkelijk iets betekenen? Zijn gedachten dwaalden naar zijn zoon, naar Steven, een jongen waar hij heimelijk trots op was. De opvoeding had Chris in z'n eentje voor zijn rekening genomen, dat was in ieder geval iets wat hij op zijn naam kon schrijven.

Opeens begreep hij de wens van mensen om hun problemen bij een almachtige neer te leggen. Een hogere macht die antwoord op al je vragen kon geven.

Hij passeerde een kleine kerk waarvan de deuren open stonden. Schoorvoetend beklom hij de trappen en liep naar binnen. In het kerkje viel de drukte van de straat weg. Hij rook de geur van kaarsen en stof. Langzaam liep hij het middenschip in, nam plaats op een van de banken en sloot zijn ogen.

'*Can I help you?*'

Hij schrok op van de vriendelijke stem. Voor hem stond een jonge pastoor in een zwart gewaad.

'Eh … ik ben eigenlijk niet religieus en ik weet niet of ik hier wel thuis hoor,' antwoordde hij in het Engels.

'Iedereen hoort thuis in een kerk, het is het huis van God waar iedereen welkom is,' sprak de man met een warme stem.

'Ja, natuurlijk,' mompelde Chris zonder veel overtuiging.

'Maar ik zie zorgen in uw gezicht, wellicht dat God u kan helpen,' probeerde de man opnieuw.

In het kerkje was het stil, misschien was hij die dag de enige bezoeker en zocht de pastoor wat afleiding.

'Ik weet niet of God mij kan helpen,' zei Chris zuur.

'Misschien God niet, maar ik wel.'

Het antwoord was zo onverwacht dat Chris ondanks zichzelf moest glimlachen.

'Dat zou mooi zijn!'

Voordat hij het wist, had hij zijn hele verhaal verteld. De pastoor keek hem indringend aan.

'Dat is nogal wat,' was het rustige antwoord.

Chris verwachtte nu een preek over wat hij allemaal fout gedaan had in zijn leven, maar tot zijn verbazing bleef de man zwijgen. Hij leek diep in gedachten verzonken. Waarschijnlijk was hij gewend de meest vreemde ontboezemingen aan te horen. Toen er na een ongemakkelijk lange stilte nog geen antwoord kwam, kreeg Chris spijt dat hij zijn hart gelucht had bij deze wildvreemde. Wat moest de pastoor met zijn verhaal?

Hij wilde opstaan om weg te lopen, toen de man begon te spreken.

'Ik ben nog jong, ik vervul mijn functie in deze kerk nog niet zo lang, maar ik heb inmiddels veel verhalen mogen horen. Mijn ervaring is dat mensen over het algemeen zelf het antwoord weten op hun problemen. Alleen hebben ze vaak geen zin naar deze antwoorden te luisteren, tenzij ze uiteindelijk door de omstandigheden gedwongen worden. God kan daar een hand in hebben, maar ik geloof eerder in het gezonde verstand en het normbesef dat in ieder mens verborgen zit.'

Chris wist zijn verbazing nauwelijks te verhullen.

'Dus ik weet zelf wat het beste is ...'

'Ja, diep in je hart wel. Die vrouw waar je mee getrouwd bent ... houd jij van haar?'

'Tja, ik dacht van wel, maar nu twijfel ik er aan. Ik ben opgevoed met de norm dat wat God samengebracht heeft niet gescheiden mag worden. Maar wat als onze verbintenis niets met de zegen van God te maken heeft gehad, dat het zijn bedoeling nooit geweest is dat wij samen waren?'

Chris stond versteld van zijn eigen diepere gevoelens. Had zijn opvoeding dan toch zoveel christelijke moraal in hem achtergelaten? De pastoor zuchtte.

'Ik heb zoveel ellende gezien tussen echtparen dat ik van mening ben dat het nooit Gods bedoeling kan zijn dat twee mensen ongelukkig samenwonen. Je eerste verantwoordelijkheid is aan jezelf. Je leven is een geschenk van God en daar moet jij het beste van maken.'

'Dat klinkt haast boeddhistisch,' zei Chris luchtig.

'Misschien wel.'

De man keek hem onderzoekend aan.

'Ik denk dat jij bij jezelf moet blijven. Dat geldt voor de situatie met je vrouw, voor je zoon, ook al is hij misschien niet van jou, je hebt hem je liefde gegeven. Je collega's zijn een ander verhaal. Je hebt een opdracht aangenomen en het is nu voor je eigen welzijn noodzakelijk deze zo goed mogelijk te volbrengen.'

'Dus ik moet ...'

'Ja, je moet naar een oplossing zoeken voor de documentaire. Met al je talenten die je gekregen hebt. God heeft mensen niet voor niets uitgerust met bepaalde kwaliteiten, die moet je gebruiken. Zou je dat niet doen, dan ben je de geschonken talenten niet waard.'

'Dat klinkt hard.'

'Ja, maar anders zat ik hier niet in deze kerk. Mijn talent is mensen helpen, soms moet ik daarbij de zaken hard stellen.'

De pastoor stelde het laatste zo simpel en rustig dat Chris er stil van werd. Was het inderdaad zo makkelijk? Had hij zich de laatste weken voornamelijk ondergedompeld in zelfmedelijden?

Hij schrok op toen de pastoor verder sprak.

'Nog één ding. Die vrouw, die Yolanda?'

'Ja?'

'Je houdt van haar, dat is voor mij duidelijk. En liefde is ook een geschenk van God. Ook dat geschenk zou ik met beide handen aannemen.'

Toen Chris uiteindelijk tegen acht uur de keuken binnenliep, zat Yazel nog achter zijn laptop.

'Hoe was het in het ziekenhuis?'

'Goed, het gaat al een klein beetje beter met Berend.'

Het was een leugentje om bestwil, want zoals Berend erbij gelegen had, ging het echt nog niet veel beter met hem. Maar het was niet nodig om zijn collega's nog ongeruster te maken. Chris besloot ook niets over het gesprekje met Richard Edelman te vertellen. Hoe minder zorgen, hoe beter meende hij.

'Kijk wat ik gevonden heb.'

Enthousiast schoof Yazel de laptop een stukje zijn kant op.

Chris boog zich naar het beeld. Een keur aan boeddhistische beeldhouwwerken vulde het scherm. Het betrof een tentoonstelling in het Metropolitan Museum of Art.

'*Y qué*? Kunnen we dit niet gebruiken?'

Als een hoopvol kwispelend hondje keek Yazel hem aan.

'Is misschien wel aardig om daar een stukje film aan te wijden.'

Chris haalde zijn schouders op, hij wilde geen spelbreker zijn. Een tentoonstelling van Boeddhabeeldjes? Het leefde niet echt. De opname zou hooguit twee minuten kunnen beslaan, net genoeg om de aandacht van de kijker vast te houden.

Yazel bemerkte zijn twijfel en kwam haastig met een tweede voorstel.

'The New York Buddhist Church ligt hier niet eens zo ver vandaan, aan de Riverside Street bij East 103. Is dat misschien wat?'

'Weer een gebouw?'

'Tja, je zou het tegen de andere opnames kunnen wegzetten.'

'Welke opnames?'

'Die we eerder hebben gemaakt.'

Stom, hij moest proberen zijn hoofd bij zijn werk te houden.

'Maar wat voor boeddhisten waren dat dan, Yazel?'

Chris had nog steeds het idee dat de Cubaan de rode draad van de documentaire niet helemaal begreep.

Yazel haalde zijn schouders op.

'Indiase boeddhisten, Chinese boeddhisten, Thaise boeddhisten, Nepal, Tibet, noem maar op. Allemaal weer verschillende stromingen.'

'Met verschillende tempels?'

'Ja, heel verschillend. Maar ze brengen allemaal dezelfde *ética* in de vorm van begrijpelijke sprookjes.'

Yazel grinnikte om zijn eigen spitsvondigheid.

'Net als Fidel en Raoul Castro dat bij ons doen.'

'Dat is wel heel kort door de bocht, Yazel. We moeten het speciale van dit geloof laten zien, dus met de buitenkant van een New Yorkse tempel kunnen we dat niet afdoen. We zoeken diepte, er moet een verhaal in zitten dat ...'

'*Sí, sí, sí*, de onbaatzuchtigheid, de *sacrifício* eh ... opoffering van het boeddhistische geloof laten zien. Ik snap dat soort shit toch niet. Wat wil je dan dat ik zoek?'

Zijn antwoord bevestigde Chris' bange vermoeden, het kon Yazel niet echt boeien.

Vaag mompelde de Cubaan een paar verwensingen, terwijl hij verwoed verder zocht op het internet.

'Wat is er in het draaiboek voor deze opnames bedacht?' vroeg Chris na een poosje voorzichtig.

Yolanda moest toch enigszins een idee hebben wat ze in New York wilde filmen.

'Welk draaiboek?'

Yolanda wandelde de keuken binnen met twee lege mokken koffie in haar hand. Toen Chris thuiskwam, hadden Eleftheria en zij nauwelijks opgekeken van hun werk. Eleftheria had voorovergebogen over de montage-apparatuur gezeten, haar hoofd verhit, de zwarte lokken aan haar hoofd geplakt. Ze had hem nauwelijks begroet.

Zou ze nog steeds verbolgen zijn over het feit dat hij haar niet verteld had dat hij eigenlijk getrouwd was? Chris verwenste voor de zoveelste keer zijn eigen stomheid.

'Het draaiboek voor onze laatste opnames?' zei Chris voorzichtig.
Yolanda liep naar het aanrecht en schonk twee koppen koffie in.
De woorden van de pastoor in het kleine kerkje hadden hem verrast. Maar nu hij haar slanke gestalte bij het koffiezetapparaat zag staan, wist hij dat de man gelijk had gehad. Al vanaf het eerste moment dat hij haar in de vertrekhal van Schiphol gezien had, had hij geweten dat hij bij haar wilde zijn. De moed, de kracht maar ook de kwetsbaarheid die zij uitstraalde, maakten dat hij een betere man wilde zijn. Waarom had hij het haar dan de afgelopen dagen zo moeilijk gemaakt, waarom was hij steeds de strijd met haar aangegaan? Wilde hij haar op de proef stellen, was hij bang dat ze eenzelfde soort vrouw als Heather was? Hij schrok op uit zijn gedachten toen Yolanda hem aanstootte en hem een kop koffie aanreikte.

'Voor de opnames van de boeddhisten wilde ik naar China Town gaan. Daar staan wat kleine tempels. Ik had gehoopt op weer een bijzondere ontmoeting, eentje die zo typisch is voor New York.'
Haar stem klonk onzeker.

'Misschien dat we weer een leuk moment kunnen scoren.'
Hij wist wat ze bedoelde, ze hoopte weer op een geweldige ingeving van de cameraman. Dat vertrouwen deed hem goed.

'Bekijk dit eens Yo, dit heb ik op internet gevonden.'
Yazel draaide zijn laptop weer een slag zodat ze mee kon kijken naar de collectie Boeddha's in het Metropolitan Museum.

'Tja, ik weet het niet, wat vindt Chris ervan?'

'*No sé*, hij vindt het niet boeiend genoeg.'

'Sorry Yazel, maar deze keer ben ik het met hem eens.'
Chris keek verwonderd naar de eigenwijze regisseuse. Had haar meegaandheid te maken met zijn persoonlijke problemen? Wilde ze 'aardig' voor hem zijn? Maar dat was niet genoeg voor hem. Hij probeerde haar uit de tent te lokken.

'Ja, en dan hebben we nog de opnames van de joodse gemeenschap. Heb je daar al wat voor bedacht?'

'Voor de joden weet ik het nog niet. Dat zal ik moeten improviseren.'

Moest zij improviseren of moest hij dat voor zijn rekening nemen? Hij kon het er niet bij laten zitten.

'Je hebt nog steeds geen toestemming?'

Chris probeerde geen beschuldiging in zijn stem door te laten klinken.

'Nee. Ik heb echt al mijn contacten benaderd. Het probleem is dat de joodse gemeenschap in New York welgesteld is, ze doneren veel aan het moederland maar willen absoluut niet in de belangstelling staan.'

'Dat ligt natuurlijk politiek veel te gevoelig.'

Zijn vermoeden werd bevestigd. Ze had hem nodig om te improviseren. Hij probeerde het gevoel van triomf te negeren, hij moest zich concentreren op de documentaire. Wat had de pastoor ook alweer gezegd? Zijn talenten moest hij inzetten, dat was nu het allerbelangrijkste. Hoe konden ze deze laatste obstakels overwinnen? Het was begrijpelijk dat de gemeenschap terughoudend was in verband met alle negatieve publicaties rond de politieke voorkeur van de Verenigde Staten in het Midden-Oostenconflict. Iedereen wist dat de joodse lobby in Amerika heel sterk was.

Er wilde hem niets te binnen schieten. Hij keek haar recht aan.

'Oké, laten we ons dan eerst op de boeddhisten focussen. Wie weet vinden we nog een oplossing voor het joodse probleem.'

'Als je dat zou lukken, zou dat een wereldwonder zijn!'

De laatste opmerking brak het ijs en ze schoten alle drie in de lach. Eleftheria kwam op het vrolijke geluid uit de keuken af.

'Waar hebben jullie het over?'

'Niets, gewoon over de opnames.'

Ze plofte neer op een keukenstoel.

'Ik krijg vierkante ogen van dat monteren. Hoop dat we morgen weer een opnamedag hebben.'

'Daar hadden we het net over. Morgen is het de boeddhistische dag.'

'Wat is het script?' vroeg Eleftheria achteloos.

'Begin jij nou ook al?'

Yolanda's stem klonk eerder vermoeid dan geërgerd.

'Ja, nou duh! We moeten toch weten wat je insteek gaat worden.'

Yolanda zweeg even voor ze antwoord gaf.

'Boeddhisme wordt vaak eerder gezien als een filosofie dan een religie. Volgens de Duitse filosoof Arthur Schopenhauer is het een psychologisch geloof. Boeddhisme streeft zelfloosheid na, die ons uiteindelijk naar totale opname in de bron zal leiden. Verlossing uit de kringloop van het bestaan, ook wel *samsara* genoemd, het steeds weer opnieuw geboren worden, om uiteindelijk als je alle ervaringen op deze wereld juist weet te interpreteren, in het Nirwana terecht te komen.'

'Samsara, dat is toch een vrouwenparfum?'

De opmerking kwam van Yazel. Een duur parfummerk. Natuurlijk had Yazel dat ooit naar Cuba gesmokkeld.

'Ja, Yazel, en Nirvana is een popgroep. Jij leert ook nooit wat,' beet Eleftheria hem toe.

Yolanda nam het van Eleftheria over.

'Het grote verschil met de hindoes is dat de boeddhisten niet geloven in een kastensysteem, iedereen is gelijk, en ze geloven niet in een metafysisch zelf. Maar dat maakt het ook weer moeilijk, want als je niet in jezelf gelooft, kom je vanzelf in het nihilisme terecht en dat streven ze ook weer niet na. Het gaat in het boeddhisme om het vinden van je balans, vandaar dat er door mensen die dit geloof aanhangen veel aandacht wordt besteed aan het fysiek in balans krijgen van de mens. Yoga, tai chi, Qigong en Kungfu, allemaal sporten die met balans te maken hebben. Boeddhisme is niet zomaar een levensinstelling, de boeddhist heeft respect voor het mysterie van leven en dood en probeert antwoord te vinden op vragen naar de zin, oorsprong en bedoeling van dit vergankelijke bestaan.'

'Dank je voor deze korte beschrijving.'

Deze keer meende Chris het echt, maar Yolanda bloosde alsof hij haar niet serieus nam. Hij twijfelde wat hij zou doen. Zeggen dat hoe interessant hij de informatie ook vond, het nog geen antwoord op de vraag was? Of haar in haar waarde laten? Nee, dat zou slap zijn. Zijn ogen zochten de hare, met zachte stem begon hij te praten.

'Toch ben ik bang dat we weer dezelfde soort opnames krijgen als bij de protestanten, katholieken en islamieten. Een dominee Williams die met zijn gezin zingt, een Bunny Thompson-Wandelaar die haar 'negerschuilplaats'-kerk laat zien of onze 'vriendelijke' islamieten in zwart Harlem. Het is allemaal heel aardig, maar het trekt geen miljoenen kijkers. Hetzelfde geldt voor een leuke opname van een boeddhistische tempel in China Town of een opname in het museum, het is allemaal behang. We moeten choqueren, met iets komen waardoor iedereen dit programma wil zien. Anders vervallen we in een reisprogramma waar Floortje Dessing heel goed in is, en wat we niet na willen doen.'

Beteuterd zat de ploeg aan de keukentafel. Bijna een jaar werk werd door Chris weggezet als een reisprogramma. Hij schrok van hun reactie.

'Kom, zo bedoel ik het niet. Er zitten briljante stukken in iedere aflevering. Maak jullie daar geen zorgen om. We moeten alleen zorgen dat de laatste aflevering, de aflevering in New York, alles verduidelijkt. In deze smeltkroes van culturen moeten we de kern van ieder geloof weten vast te leggen. Wat zorgt er nou voor dat ze ver van huis, in een ander land, weg van hun cultuur nog steeds aan hun geloof vasthouden?'

Zijn stem klonk nu bijna smekend.

De ernstige blik op Yolanda's gezicht verraadde dat ze over haar script zat na te denken. Chris wist hoe gevaarlijk het was tijdens een langlopende productie te gaan zwabberen en de rode draad te verliezen. Peinzend staarde ze voor zich uit, toen begon ze te praten.

'Toen de Nederlanders hier vierhonderd jaar geleden aankwamen, werden ze opgewacht door Lenape indianen in hun kano's. Die hadden ook een god, die heette zoiets als Kishelemukong! Die Lenape's geloofden dat de aarde ontstaan was uit een enorme schildpad die hun god uit de oceaan had laten komen. Handig genoeg hadden ze voor ieder natuurverschijnsel een subgod. De god van het graan, de vruchtbaarheid, het weer, de maan, verzin maar waar je een god voor nodig hebt. Kon je kiezen waar je voor wilde bidden. Dat geloof is echter nooit overgenomen door de eerste veroveraars.'

'Ze hadden gewoon niet genoeg aanhangers om de Europeanen enthousiast te krijgen,' merkte Eleftheria droog op.

'Haha, meer aannemelijk is dat onze voorvaderen ze niet echt als ontwikkeld zagen, maar meer als heidenen die bekeerd moesten worden. Dat hadden ze mooi in onze geloven ingebouwd, alles moest bekeerd worden.'

'Marketing *avant la lettre*. Tegenwoordig heet zoiets merk *branding*. Net zo lang adverteren en drammen tot iedereen erbij wil horen,' bemerkte Yazel dromerig op. 'Coca-Cola, Nike schoenen, McDonald's, designer jeans. Alles waar wij van droomden in Cuba.'

'Precies, anders hadden wij het geloof van die indianen wel overgenomen.'

'Dus jij denkt dat alles om geld draait? Dat er geen sprake is van overtuiging, van geloof?'
Yolanda keek Chris onderzoekend aan. Hij moest nu voorzichtig zijn met zijn uitspraken.

'Niet alleen geld, ook macht. Macht en massa. En natuurlijk ook overtuiging,' voegde hij er snel aan toe, toen hij de uitdrukking op haar gezicht zag.

'Als je dat gelooft, kun je deze reportage niet maken, Chris. Dan geloof je dat wij niet meer dan dieren zonder geweten zijn en niet in staat te evolueren. Maar dat slaat nergens op. Een mens is wel degelijk in staat een geweten te ontwikkelen. Daarnaast heeft ieder mens een diep verlangen te weten waarom hij hier op aarde is. We hopen op verlichting, op een hiernamaals. Op een plek waar het ooit beter zal zijn. Dat is waar ieder mens in gelooft en waarvoor we bereid zijn naar een hogere macht te luisteren.'
Het viel Chris op dat ze van het afstandelijke 'iedere mens' naar het persoonlijke 'wij' was overgestapt. Ook al wilde ze het niet toegeven, maar ook zij had een geloof nodig. Haar bleke gezicht was nu rood gekleurd, haar adem ging sneller.
De blosjes stonden haar goed. Opeens probeerde Chris zich haar voor te stellen in zijn bed, hijgend, rood van opwinding. Met

haar slanke lijf nat van het zweet, haar kleine borsten heftig op en neer bewegend. Verrukkelijke gedachten. Hij keek op en zag dat Eleftheria hem strak aankeek. Betrapt schudde hij zijn hoofd om de fantasieën te verdrijven.

Er viel een stilte in de keuken. Yazel zocht verder op zijn laptop. Enthousiast wees hij weer naar zijn scherm.

'*Oye* ... Chris, misschien is dit dan iets wat we kunnen gebruiken.'

Hij begon een artikel voor te lezen uit de *New York Times*.

'De Zen Studies Society (ZSS), een in New York gevestigde boeddhistische organisatie met twee prestigieuze centra, verkeert in grote financiële problemen. ZSS heeft grote moeite om het onderhoud van de gebouwen en terreinen te bekostigen. Volgens Amerikaanse media komt dat niet alleen door de economische crisis, maar ook door een verscheidenheid aan schandalen waarin de in 2010 gepensioneerde abt Eido Tai Shimano was verwikkeld. Een man die, volgens de media in de USA, over een periode van zesenveertig jaar, door onder anderen zijn studenten beschuldigd is van seksueel wangedrag, financiële onregelmatigheden, zelfverrijking en het verdraaien van de waarheid.'

Triomfantelijk keek de Cubaan naar zijn collega's.

'Zie je. Het gaat altijd weer om dezelfde dingen, geld, *poder* ... macht en lust.'

'Mij bewijs je hier niets mee. Dit soort schandalen hebben wij in de protestantse kerk en in de katholieke kerk ook gehad. Dat zijn individuele gevallen.'

Blijkbaar was Yolanda niet bereid zich zomaar gewonnen te geven. Opeens bedacht Chris zich dat het joodse geloof dieper in haar moest zitten dan hij verwacht had. Eeuwen uitgekotst worden door alle andere geloven had de joden een hardnekkigheid gegeven die hij toch moest bewonderen.

'Ja, maar die organisatie is wel in de problemen gekomen door hun leider. Ze moeten nu heilige grond verkopen om die man, die Shimano, zijn pensioen van negentigduizend dollar per jaar te kunnen betalen. Daar zie ik geen boeddhistische zelfloosheid in, Yo. Alleen maar eigenbelang.'

'Daar ben ik het helemaal mee eens!' mengde Eleftheria zich in de discussie.

Haar reactie bracht Chris plotseling op een idee.

'Het is misschien niet helemaal netjes, maar we zouden wat opnames kunnen maken van die zenboeddhistische tempel, en dan zoeken we daarna de woning op van Shimano. We wachten net zo lang tot de man naar buiten komt en dan stellen we hem een paar confronterende vragen.'

'Ik weet het niet, Chris. Vind je dat niet erg laag?'

Yolanda keek hem aan alsof ze hem voor het eerst zag.

'Nee, ik vind het nieuwsgaring, je publiek voorzien van informatie waar het recht op heeft.'

Yazel en Eleftheria keken gespannen naar de twee collega's. Benieuwd wat de uitkomst van deze discussie zou worden.

'Kijk Yolanda, ik had nooit van mezelf gedacht dat ik dit zou voorstellen. Het is ook niet mijn manier van televisie maken. Maar we moeten dit doen om te overleven. Anders worden we opgegeten door de grote jongens die hier niet voor schromen. Dat weet jij net zo goed als ik,' voegde hij er veelbetekenend aan toe.

'Tja, maar waarom dan de boeddhisten, Chris? Dan hadden we dat bij de andere religies net zo goed kunnen doen. De katholieke priesters zijn hier in New York ook zwaar over de schreef gegaan met hun koorknaapjes.'

'Tegen de tijd dat wij klaar zijn met deze documentaire is de hele wereld al over de katholieke kerk heen gevallen. Een boeddhistische voorganger die over de schreef gaat is daarentegen nieuws.'

Yolanda haalde onverschillig haar schouders op.

'Nee, volgens mij zijn er in het verleden wel meer van die goeroes en Hare Krishna-achtige organisaties ontmaskerd.'

'Ik heb het niet over kleine sektes die de fout zijn ingegaan. Nee, dit gaat om *mainstream* boeddhisme, een religie met wereldwijd meer dan vierhonderd miljoen aanhangers.'

De twee keken elkaar strak aan. Opeens wendde Yolanda haar blik af.

'Oké Chris. Yazel zoek uit waar die Shimano woont. Maar we besteden er niet langer dan een dag filmwerk aan.'

'*Ningún problem,* maar je vergeet wat, Yo.'

'Wat dan?'

'*El locutora* … onze verslaggever ligt in het ziekenhuis.'

'Oh nee, dat was ik vergeten! Wat stom!'

Ontreddert keek ze naar Chris voor hulp. Weer voelde hij dat vreemde sprankje hoop opvlammen. Hij was de eerste waarbij ze haar toevlucht zocht. Hij bleef haar aankijken terwijl hij langzaam zijn gedachten uitsprak.

'Als we nu eens Lefty gebruiken als verslaggeefster. Zij is een mooie vrouw.'

Zonder om te hoeven kijken, voelde hij Eleftheria naast zich verstijven op haar stoel.

'Daar is die Shimano gezien zijn reputatie vast gevoelig voor. Bovendien heeft ze Berend al zo vaak interviews zien doen dat zij het ook moet kunnen.'

Eleftheria zei niets.

Langzaam keerde de hoop weer terug op Yolanda's gezicht.

'Maar ze heeft nog nooit …'

'Yo, wat vertelde jij me ook alweer? We zijn een 'Nikkelen Nelis', we kunnen alles zelf en elkaars taken overnemen.'

Bemoedigend glimlachte hij naar haar.

'Kom, neem eens een risico. Wat vind jij Lefty, durf je het aan?'

Hij draaide zich om naar de montagevrouw die schuchter naar haar collega's keek.

'Tja, Chrisspark, ik zou het misschien wel …'

'Natuurlijk durf je dat. Ik heb gezien wat je kan, jij gaat een puik interview afnemen!'

'Oké, oké. We hebben geen andere keuze.'

Eleftheria stond op, liep naar een keukenkastje en haalde een grote fles whisky tevoorschijn.

'Voor ons gehaald.'

Ze schonk vier ruime glazen drank in. Dus daar was ze heen gegaan toen hij de twee vrouwen van zijn ellende verteld had. Ze was een fles drank voor Chris gaan halen, om hem een hart onder de riem te steken. Opeens ontroerd hief hij zijn glas op.

'Namasté, mensen. We gaan er een mooie opname van maken.'

Het geluk was voor het eerst met hen, de volgende dag was het een prachtige opnamedag. Ze hadden goede opnames van de boeddhistische tempels in China Town kunnen maken. Nu stonden ze al een uur voor het huis van Eido Tai Shimano te wachten. East 69th Street was een rustige, lommerrijke straat met statige bomen in de Upper East Side, de dure wijk van New York. Een straat met aan weerskanten huizenblokken van drie verdiepingen met een stenen trap naar de beletage. Eleftheria was nerveus.

'Zie ik er goed uit?' vroeg ze voor de zoveelste keer aan Chris.

'Je ziet er nog steeds geweldig uit, Lefty. Net als een uur geleden!' Hij streek met zijn hand door haar dikke, golvende haar.

'Nu niet zenuwachtig zijn. Ik weet zeker dat je dit helemaal goed gaat doen!'
Dankbaar voor zijn vertrouwen rechtte ze haar rug. Eleftheria had tot laat in de nacht alle informatie over de boeddhistische meester gelezen. Het boekje met aantekeningen trilde lichtjes in haar handen.

'Als we hem treffen, heb je al geluk als je hem maar een paar vragen kunt stellen. We hebben daar vanmorgen op geoefend.'
Ze knikte, niet al te overtuigd.

'Waarom is Berend nu niet hier, hij kan dit zoveel beter,' zei ze voor de zoveelste keer die dag.
Chris glimlachte, Berend was een meester in het stellen van prangende vragen, maar ze hadden niet anders.
Het was niet makkelijk geweest het huisadres van de roshi, een eretitel die de boeddhistische priester zich aangemeten had, te achterhalen. Ze waren die morgen eerst naar het Zen Boeddhistische Centrum in East 67th Street gegaan om een opname van de buitenkant te maken. Het centrum was gevestigd in een ouderwets, vier verdiepingen tellend koetshuis, een historisch stadshuis met op de begane grond ruimte voor de stalling van paard en wagen. Het

was moeilijk voor te stellen dat bij het ontstaan van New York deze huizen aan de achterkant een uitgebreid stuk grond hadden bezeten waar groenten verbouwd werden en vee werd gehouden. Nu waren de oude koetshuizen vaak in gebruik als winkel of restaurant.

Slechts een paar Japanse tekens boven de voordeur duidden op de huisvesting van het studiecentrum. Natuurlijk was het gebouw, zo vroeg in de morgen, gesloten. Maar een behulpzame postbode wist hen te vertellen dat de voormalige abt van het centrum een paar straten verderop woonde. Steeds vaker viel het Chris op dat de metropool slechts bestond uit een aaneengeregen kralenketting van wijkjes en gebieden waar iedereen elkaar kende.

Bezorgd keek hij naar de lucht. Het was een prachtige heldere dag geweest, met een blauwe lucht zonder enig wolkje. Maar het licht begon zachter te worden. Nog even en het zou te donker worden om nog een mooie opname te kunnen maken.

Chris liep naar de boom waarachter hij zijn filmapparatuur verborgen had opgesteld en pakte een nieuw pakje sigaretten uit zijn tas. Hij zocht tevergeefs in zijn zakken naar een aansteker.

Hij liep terug naar het gehuurde busje waarin Yolanda en Yazel zaten. Het dashboard lag bezaaid met lege koffiebekers, dozen met donuts en pakjes sigaretten. De deur stond open en Chris leunde over Yolanda heen om tussen de rommel naar een aansteker te zoeken.

'Hier, zoek je dit?'

Ze hield de aansteker in haar hand.

'Ja, dank je.'

Haar hand beroerde de zijne toen ze de aansteker aangaf. Het bezorgde hem een aangename tinteling. Hij bood haar een sigaret aan, die ze aannam. Stijf van het lange zitten, liet ze zich behoedzaam uit het busje zakken.

'Denk je nog steeds dat dit een goed plan is?' vroeg ze na een paar trekjes.

Haar blauwgrijze ogen stonden vermoeid. Nadat Yolanda alle informatie die ze over de boeddhistische voorganger kon vinden had gelezen, had ze een nauwgezet script geschreven. Dat had ze met

Eleftheria doorgenomen. Exact met haar geoefend wat ze moest zeggen. Klaarblijkelijk had de zenmeester een groot ego. In tegenstelling tot wat de boeddhistische leer voorschreef, leek de priester niet aan zelfreflectie te doen. De vrouwelijke studenten die hij tot orale bevrediging dwong, vertelde hij dat het een test was om te zien of ze tot volledige overgave bereid waren. En wanneer ze alsnog hun beklag deden bij het bestuur, wuifde de zenmeester deze aantijgingen weg met de verklaring dat de studentes last hadden van vrouwelijke fantasieën en teleurstelling in hun eigen persoon.

Op zich was dit niet uniek voor het boeddhistische geloof. Ook geestelijke leiders van andere religies wisten vaak handig hun volgelingen ervan te overtuigen dat zij het beter wisten en de beste bedoelingen hadden. Schuld en boete. Het werkte altijd weer. Maar de dure kleding waar de zenmeester zich in hulde, de opulente studiecentra waar steeds grotere donaties voor gevraagd werden en het extravagante pensioen dat de roshi na zijn terugtreden eiste, waren niet iets wat bij armoede, afzien en onbaatzuchtigheid hoorden.

'Het is een uitstekend plan,' zei Chris met meer overtuiging dan hij zelf voelde.

'We moeten alleen geluk hebben dat hij snel komt opdagen. Nog een uur en het licht is weg.'

Hij trapte de sigaret uit. In de verte stond Eleftheria nerveus aan haar jurk te trekken. Ze hadden haar gevraagd om zich speciaal voor het interview zo uitdagend mogelijk te kleden, zonder echter aanstootgevend of ordinair te worden. Onderuit haar koffer had ze een mooi zomers jurkje met een klein mouwtje gehaald.

'Voor het geval ik een romantische date zou hebben,' had ze grijnzend gezegd. Soepele stof bedrukt met roosjes in pasteltinten, een laag gesneden vierkante hals die net voldoende bedekt liet om tegelijk sexy en vrouwelijk te zijn. Haar dikke haar had ze bijeengebonden met een lint, alleen haar tien centimeter hoge hakken waren niet echt onschuldig te noemen. Zonder dat Eleftheria het merkte, stonden de twee tegen het busje aangeleund haar te observeren.

'Lefty ziet eruit om op te eten,' zei Chris terwijl hij naar de Griekse staarde.

'Ja, Berend zou jaloers zijn geweest op de schoenen.'

Ze schoten allebei in de lach.

'Een geluk voor Lefty dat ze niet zijn maat zijn, anders had hij ze vast 'geleend'.

De grap om de ongelukkige verslaggever brak de spanning. Chris draaide zich weer naar Yolanda. De nabijheid van de regisseuse maakte hem roekeloos. Bijna verloren in haar aanwezigheid reageerde hij teder.

'Maak je niet druk, Yo. Ze kan het wel, die meid kan meer dan we denken.'

Haar blauwe ogen stonden serieus en leken haast grijs in het vervagende avondlicht.

'Chris …'

Ze aarzelde, snel keek ze naar de openstaande deur van het busje. Maar Yazel zat met zijn oortjes in naar muziek te luisteren.

'Chris, eigenlijk vind ik je een toffe vent. Het spijt me dat ik niet altijd even aardig tegen je ben, maar de druk waaronder …'

Grappig dat Berend een paar dagen geleden hetzelfde tegen hem gezegd had. Chris legde een hand op haar arm.

'Je hoeft geen excuses te maken, Yo. Ik heb me niet altijd even geweldig tegenover jullie gedragen. Voor mij was dit in het begin ook maar een job, een mooie gelegenheid om even weg te gaan uit Nederland.'

Yolanda keek hem begrijpend aan, maar zei niets. Zwijgend leunden ze tegen het busje, hun blik gericht op de nerveuze Eleftheria. Na een poosje verbrak Yolanda de stilte.

'Ik weet dat je Lefty aardig vindt, maar ik moet je waarschuwen. Ze lijkt heel stoer en ze gaat graag uit, maar ze is veel gevoeliger dan je denkt. Diep in haar hart is ze een echte Griekse die in het huwelijk, in trouw en in kinderen gelooft. Ik zou het vervelend vinden wanneer je haar pijn deed.'

Dus Yolanda dacht dat hij geïnteresseerd was in Eleftheria. Hoe kon ze er zo naast zitten?

Nerveus maakte ze met haar ene hand het donkerblonde haar los. Het elastiekje waarmee het vast had gezeten, verdween om haar pols. Chris had haar dit vaker zien doen, vooral wanneer haar iets dwars zat. Dan speelde ze met haar haren.

Hij wist niet zo gauw wat hij moest antwoorden. Natuurlijk vond hij Eleftheria leuk, welke man zou niet vallen voor de exotische Griekse? Maar verder gingen zijn gevoelens niet.

Hij stond net op het punt haar dit eerlijk toe te geven, toen een grote witte BMW 7 serie voor de deur van nummer 356 stopte. Een oudere man in flamboyante traditionele Japanse kleding stapte uit. Opeens kwamen ze allemaal tegelijk in beweging. Eleftheria liep op de man af, terwijl Chris haar met zijn camera volgde. Yazel vouwde zich uit het busje met de microfoon aan een hengel.

'Roshi Shimano!'

Eleftheria sprak de ex-zenmeester aan met de titel die hij niet meer had. Het grote vleien was begonnen. De man draaide zich naar haar om en even verscheen een gekunstelde glimlach op zijn gezicht.

Chris was zo dichtbij, dat hij de zijde van het Japanse gewaad hoorde ruisen. Hij schatte Shimano een eind in de zeventig, hij was kaal met de geloken schuine ogen van een boeddha.

Snel introduceerde Eleftheria het team met het voorbereide verhaal. Een cameraploeg uit Nederland, op zoek naar bijzondere personen. Ze waren geïnteresseerd in zijn verhaal en wilden graag een paar vragen aan hem stellen.

Yolanda stond vlak bij Chris. Zachtjes mompelde ze: 'Rustig Lefty, rustig.'

Maar ze hoefde zich niet ongerust te maken. Eleftheria was een en al kokette glimlach en vol jonge meisjesmaniertjes. Chris hield zijn adem in.

De Japanner liep niet weg, maar bleef met uitdrukkingsloze, koude ogen naar de Griekse staren. Opeens verscheen weer die gekunstelde glimlach op zijn gezicht. Hij wenkte de rest van de ploeg dichterbij.

Hij had niet veel tijd, maar hij was bereid om hen, omdat zij van zo ver weg uit Europa kwamen, een paar minuten te woord te staan.

Voorzichtig formuleerde Eleftheria de eerste onschuldige vragen om de zenmeester in de juiste stemming te krijgen. Steeds antwoordde hij vriendelijk met zachte stem, maar zijn ogen bleven koud.

De straat was gelukkig niet druk, maar steeds wanneer er een auto voorbij reed, moesten ze pauzeren. Elke keer liet Yazel dan de microfoonhengel zakken. Geïrriteerd gebaarde Chris dat hij de hengel dichter bij de priester moest houden. Ze hadden maar één kans om een goede opname te maken. Het zweet liep hem over de rug.

Na een paar vragen en onderbrekingen werd Shimano onrustig.

Yolanda fluisterde naast Chris: 'Nu Lefty, nu!'

'Wat vindt u van de oneerlijke aantijgingen die u heeft moeten verduren?'

Zorgvuldig hadden ze deze bewoordingen gekozen, in de hoop dat ze hem hiermee uit zijn tent zouden lokken. De man beet van zich af.

'Dwalingen, allemaal mensen die het ware boeddhisme niet begrijpen. Jammerlijke individuen die niet in staat zijn los te komen van hun eigen ego en de wereld in een breder perspectief te zien.'

Dat was het diplomatieke antwoord dat ze verwacht hadden. Het was nu het moment hem verder te irriteren en uitspraken te ontlokken die minder correct waren.

'Dus u bedoelt dat alle beschuldigingen van aanranding, persoonlijke verrijking en het verkondigen van leugens berusten op het ontbreken van de juiste inzichten van uw studenten?'

Onschuldig keek Eleftheria de man aan. De zenmeester sperde zijn ogen opeens wijd open.

'Amerikanen zijn barbaren. Allemaal opgevoed met joodse en christelijke geloven, vol met ethiek en moraal waar wij niet aan doen. Japans zenboeddhisme is geënt op de discipline van het individu, veel belangrijker en veel moeilijker. En dat kunnen zij hier niet aan. Ze klagen dan dat de meditaties te lang zijn en de opofferingen te moeilijk. Nooit zullen deze barbaren leren wat een echte boeddhist kan, nooit!'

Zijn ogen spuwden vuur. Een prachtige uitspraak en een geweldige slotzin. Chris gaf Eleftheria zo onopvallend mogelijk een teken dat ze af kon ronden. Ze maakte een diepe buiging naar de meester en bedankte hem met haar twee handen tegen elkaar gevouwen.

'*Namasté*, roshi Shimano, *namasté.*'
Pas nadat de zenmeester de trap naar zijn woning was opgelopen en achter de gesloten voordeur was verdwenen, liet de ploeg luidruchtig hun triomf horen.

Die avond hing er een uitbundige stemming in de keuken. De tafel was bezaaid met bekers koffie en whiskyglazen. De ster van die dag, Eleftheria, had het hoogste woord. Ze had haar hoge hakken uitgetrokken en verwisseld voor een paar makkelijke Uggs en ze had een dik vest over haar luchtige zomerjurkje aangetrokken.
De laatste opmerking van de zenmeester had voor een verhitte discussie gezorgd. Uitgelaten als kinderen na een lange schooldag, hadden ze alle energie in het onderuithalen van elkaars ideeën gestopt.
Vier verschillende mensen met een totaal andere achtergrond probeerden elkaar te overtuigen van hun zienswijze. Want had die boeddhistische priester gelijk gehad? Was ons gedrag slechts een gevolg van een eeuwenlang dogma gepredikt door onze kerken? En kon roshi's boeddhistische zelfdiscipline de samenleving inderdaad verbeteren?
Maar na twee uur discussiëren waren ze nog niet veel verder. Er viel een lange stilte.
'Wij komen al niet uit deze vragen, laat staan dat de kijker dat zal lukken. Maar het is in ieder geval iets waar we het publiek mee aan het denken zetten. En dat is precies de opzet van de documentaire,' verzuchtte Yolanda.
'Ja, Lefty heeft de meester toch maar mooi tot deze uitspraak gekregen.'
Yazel keek waarderend naar zijn collega.
'Berend had je dit niet na kunnen doen,' zei Chris complimenteus.
'Oh Berend, we zijn vergeten naar Berend te gaan!'
Het glunderende gezicht van Eleftheria betrok.
'Laten we hem bellen, of een sms'je sturen. Hij heeft zijn mobiele telefoon toch bij zich?'

'Nee, zijn telefoon is gestolen toen hij …'

Yolanda haperde even bij de gedachte aan die vreselijke aanranding van Berend.

'Toen ze hem hebben aangevallen.'

'Ach, hij ligt daar helemaal alleen. Weet je, ik ga hem opzoeken en neem eten voor hem mee. Dat ziekenhuisvoer is vast niet te pruimen. Ik neem aan dat ik dan vanavond even vrij krijg, Yo?'

Yolanda glimlachte naar haar jongere collega, de bezorgdheid om Berend was typisch iets voor de warmbloedige Griekse. Het was haar dag geweest, ze had voor het eerst van haar leven gewerkt als verslaggeefster. En dat had ze met verve gedaan.

De montage van de trailer was nog lang niet af. Maar ze had nu inderdaad recht op een momentje van ontspanning.

Maar nog voor Yolanda haar kon antwoorden, viel Chris in.

'Goed idee, Lefty. Ga jij maar naar Berend. Maar wees niet te enthousiast over vandaag, dat is alleen maar kwetsend voor hem.'

Het was een leugentje om bestwil, want de mogelijkheid bestond nog steeds dat Berend in zijn enthousiasme Richard Edelman op de hoogte zou stellen van hun voortgang. Hoe wist Chris niet, want het stukje papier met het nummer van Edelman erop had hij meegenomen. Maar hij kon het risico niet lopen dat Edelman Berend een tweede bezoekje zou brengen.

Hij keek naar Yolanda en opeens schoot hem haar opmerking te binnen over zijn interesse voor Eleftheria.

'Vind je ook niet, Yo?' vroeg hij zachtjes.

'Ik ben het met Chris eens, jij hebt een vrije avond verdiend.'

Eleftheria griste snel een paar donuts mee die op tafel lagen en deed ze in een zak.

'Voor onderweg,' zei ze verontschuldigend.

Alsof ze bang was dat Yolanda van gedachten zou veranderen, liep ze zonder zich om te kleden naar de voordeur.

'Oké luitjes, zie jullie morgen!'

En weg was ze. Yolanda keek Chris aan.

'We zijn er nog lang niet en over twee dagen moeten we de trailer klaar hebben. Denk je dat het ons gaat lukken?'

Met de oprechte vraag was de stille machtsstrijd verdwenen, wegge-vaagd door het grotere belang.

'Het is krap, Yo. Vooral ook omdat Berend een onzekere factor is. Yazel zou alvast op internet naar geschikte achtergrondmuziek kunnen zoeken.'

Hij wendde zich tot de producer.

'Jullie Cubanen hebben een goed oor voor muziek.'

Yazel had er tot nu toe wat ongeïnteresseerd bij gezeten, maar het compliment beroerde zijn latino trots.

'*Claro,* daar zijn wij heel goed in. Laat mij maar hier in de keu-ken, ik ga op zoek naar een geweldige *música.*'

Yolanda stond op om met Chris naar de werktafel in de woonkamer te verkassen, toen opeens haar telefoon ging. Ze keek op de display en haar gezicht betrok. Zonder iets te zeggen liep ze naar het terras, waar ze op veilige gehoorsafstand van haar collega's de telefoon aannam. Chris kon het niet letterlijk verstaan, maar ze sprak Nederlands. Geagiteerd ijsbeerde ze heen en weer. Af en toe stond ze stil, dan liep ze weer heftig gebarend verder. Het gesprek duurde niet lang. Briesend stormde ze de keuken binnen.

'De klootzak!'

Yazel en Chris keken elkaar aan, ze waren dit soort uitspraken niet van haar gewend.

'Wie was dat? Edelman?'

Eigenlijk wist Chris al dat het een overbodige vraag was.

'Ja, wie anders! Hij belde me even om te vertellen dat hij binnen een week de eigenaar zal zijn van Twilight Thoughts. Volgens zijn zeggen heeft hij de twee heren 'in zijn zak en eten ze uit zijn hand'!'

'Zou dat kunnen? Heeft hij daar het geld voor?'

'Ik heb geen idee. Richard heeft zijn wegen.'

Yolanda zuchtte diep, alsof ze pijn had.

'Toen ik hem …'

Ze wilde iets zeggen, maar besloot het niet te doen. Waarschijnlijk over die keer dat ze dat Skype-gesprek met hem gehad had. Maar dat was al langer geleden, voordat haar ex met zijn assistente naar New York was afgereisd. Chris herinnerde zich het vage excuus dat

Edelman voor zijn reis had opgelepeld. Er moest iets meer aan de hand zijn, iets wat Yolanda hem nog niet had willen toevertrouwen. Had het ex-echtpaar nog zaken die ze voor het team verborgen hielden? Financiële belangen?

Steeds meer raakte Chris ervan overtuigd dat Edelman het geld niet had om Twilight over te nemen. Zijn vader had hem meer zakelijk instinct meegegeven dan hij ooit gedacht had. Ergens wist hij dat Edelman Twilight nodig had als bruidsschat om zichzelf aan een groot bedrijf te verkopen.

Woest smeet Yolanda haar mobiele telefoon op de tafel, alsof ze het gesprek en haar ex van zich af wilde gooien.

'Hij zal het bedrijf overnemen en ons ontslaan, dat is zijn plan!'

Chris moest weer denken aan het gesprek dat hij in het ziekenhuis had gehoord. Edelman was niet van plan geweest Berend te ontslaan. Hij had hem zelfs geprobeerd over te halen iets voor hem te doen. Maar wat? Twilight was zonder de documentaire minder waard, dat was duidelijk. Of wilde hij Twilight Thoughts laten klappen en het bedrijf dan voor weinig van de curator overnemen? Maar dan waren er veel meer kapers op de kust. Hij moest dus het hele spel goed in scène zetten om de eerste te zijn die het bedrijf voor weinig kon overnemen.

Opeens werd het Chris allemaal duidelijk. Edelman wilde het bedrijf overnemen voor een faillissement, maar dan moest hij eerst het personeel kwijt. Gedwongen ontslagen en rechten die afgekocht moesten worden, dat was te kostbaar. Alleen de verslaggever was in dit stadium nog belangrijk, de stem van de documentaire, monteren kon hij uitbesteden.

'Dus je denkt dat hij ons ontslaat op het moment dat hij het bedrijf heeft overgenomen en niet daarvoor?' vroeg Chris voorzichtig aan Yolanda.

'*Qué no*! Natuurlijk niet!'

Yazel mengde zich plotseling opgewonden in het gesprek.

'Die documentaires kan niet iedereen maken.'

Yolanda leek Yazel niet te horen, nerveus streek ze met haar handen langs haar heupen, alsof ze iets van zich af wilde wrijven.

'Mijn ex kennende wil hij in ieder geval mij kwijt!'
Alle lucht leek uit haar te lopen, verslagen staarde ze voor zich uit.
Opeens stond ze op en greep Chris bij zijn schouder.

'Hoe ver ben je met die trailer?'

'Schiet al aardig op. Ik ben nog niet helemaal tevreden met de spanningsboog, maar daar zal ik me nog even over buigen.'

'En de muziek, Yazel?'

'*Sí, sí*, daar ga ik zo gelijk mee aan de slag.'

'Oké. Chris, pak je camera, wij gaan vanavond ergens eten.'

'Ergens eten?'
Chris keek haar verbaasd aan.
In de rommelige huiskamer lag nog een berg werk te wachten. De montage van de afleveringen was nog lang niet klaar. Eleftheria was weg. Hoe kon Yolanda nu opeens beslissen ergens te gaan eten? En waarom moest hij zijn camera meenemen?
De vrouw bleef een mysterie voor hem, het ene moment kon hij haast medelijden met haar krijgen om haar hulpeloosheid, het volgende moment was ze als een leeuwin vol briesende energie.

'Ja, ergens eten. Ik hoop dat je honger hebt.'
Haar gedachten leken al weer ergens anders en zonder verder iets te zeggen liep ze de keuken uit naar haar slaapkamer.

Raam-Raam, Sita-Raam

Hindu

Om Sanghyang Widhi Wasa the Greatest, all wealth and intelligence comes from Your blessings. Keep our minds and manners pure and let us attain inner peace and happiness.

Zwijgend, in gedachten verzonken, waren ze om het universiteitsgebouw heen gelopen naar het metrostation van 125th Street. Daar stonden ze te wachten op de blauwe A-metro.

De wandeling naar het metrostation was aangenaam geweest. De avond was mild. De studenten waren hun benauwde onderkomens ontvlucht en hingen rond in het park van de campus. Chris en Yolanda zigzagden tussen de groepjes door.

Om zo min mogelijk op te vallen had Chris zijn camera weer in de rugzak van Yazel gestopt, die hij achteloos over een schouder gehangen had. Hij voelde zich licht en soepel. Tussen al die studenten overviel hem het gevoel dat ze allebei nog jong waren en dat hun leven nog voor hen lag.

De bestemming was Chris nog niet duidelijk, maar hij besloot zonder commentaar te wachten tot Yolanda het tijd vond hem te vertellen waar ze naar op weg waren. Dromerig staarde hij naar de gietijzeren voetgangersbrug die over de bovengrondse metrobaan gespannen was. Net als ieder metrostation in New York ademde ook dit station een bijzondere sfeer. Het had iets melancholisch. Misschien ook omdat het platform waar zij stonden te wachten, werd verlicht door oude gietijzeren lantarenpalen. Hij wist zeker dat hij ook dit station gezien had in een film, in een spannende achtervolgingsscène waarbij de acteurs op rijdende treinen waren gesprongen. Hij draaide zich half om naar Yolanda.

'*U.S. Marshalls* met Tommy Lee Jones en Wesley Snipes,' zei ze zonder hem aan te kijken.

'Hoe wist je dat ik dat wilde vragen?'

'Ik zag je staren.'

Verbaasd hield hij zijn mond. Was hij zo makkelijk te duiden?

'We gaan naar Brooklyn, naar Schermerhorn Street, ik dacht iets van elf haltes verder,' zei ze plotseling.

Chris gaf geen antwoord.

'We moeten wel zorgen dat we bij Canal Street naar Brooklyn gaan, anders komen we bij het WTC terecht.'

Om zijn onwetendheid over een doodlopende metrolijn te maskeren, zei hij luchtig: 'Dit is toch dezelfde lijn die we vanaf het vliegveld genomen hebben?'

'Ja klopt, downtown Manhattan is momenteel een rommeltje. We moeten goed opletten.'

Op dat moment kwam de trein aanrijden. Het spitsuur was voorbij en het was niet moeilijk een zitplaats te vinden. Chris zette de rugzak met zijn camera op een lege stoel naast zich. De trein zette zich in beweging. Hij staarde naar buiten. De achterkant van gebouwen had hem altijd al geïnteresseerd. Hier zag je het alledaagse leven voorbij flitsen. Balkons met drogende was bij de woningblokken, bij de kantoorpanden zag hij de nooduitgangen waar steevast iemand stond te roken. Kleine, rommelige parkeerplaatsen volgestouwd met vuilnisbakken, pallets, fietsen, troep en troosteloze graffiti op de muren. De achterkant van het leven.

Even later schoot de trein ondergronds. De eerste halte was Columbus Circle aan de rand van Central Park. Hier stapten toeristen en jongeren in op weg naar het uitgaansleven. Voorbij Canal Street stroomde de trein leeg. Stapvoets reed de metro voorbij de gevaarlijk oude haltes van het onderste gedeelte van Manhattan. De metrotunnel werd gestut door oude houten palen die vervaarlijk kreunden bij iedere trein die passeerde. Her en der bungelden losse lantarens aan de balken, in beweging gebracht door de luchtstroom van een naderende metro. Chris waande zich Indiana Jones op zoek naar een oude schat.

Na de laatste halte in Fulton Street was er plotseling niets meer, al- leen het lange regelmatige gedreun van de metro op de dwarsliggers.

'We zitten onder East River, over drie haltes zijn we er.'

Ze stapten uit in hartje Brooklyn. Chris knipperde met zijn ogen tegen het felle neonlicht. Hij telde wel acht sporen in plaats van de normale twee of vier. Maar ondanks de vele sporen waren er niet overdreven veel reizigers.

'Vier sporen zijn niet meer operabel. Daarom worden die vaak gebruikt voor filmopnames. Michael Jacksons videoclip *Bad* is hier opgenomen.'

Voor de tweede keer die avond leek ze te raden wat hij dacht.

Ze liepen samen de trap op naar de uitgang. Buiten sloeg Yolanda rechtsaf. Schermerhorn Street was een brede straat met grote impo- sante gebouwen, opgetrokken uit witte en bruine metselsteen.

Ze liepen een tijdje in oostelijke richting. Gaandeweg werden de gebouwen iets kleiner. De winkeltjes op de hoeken van de straten verraadden dat de kolossen hier bestemd waren voor bewoning. Het was niet echt een straat zoals in Spaans Harlem waar ze die eerste avond gegeten hadden. Nergens waren restaurants te bekennen.

Opeens hield Yolanda stil voor nummer 305, een uit beige stenen opgetrokken gebouw met witte boogramen.

'Ziehier, de Radha Govinda Mandir Hindu Temple!' zei ze tri- omfantelijk.

'Een hindoetempel?'

Chris was totaal van zijn stuk gebracht. Het statige gebouw leek in niets op een rommelige hindoetempel zoals hij die in de opnames van de documentaire gezien had.

'Hoe wist je van deze tempel? En trouwens, wat heeft dit met een restaurant te maken?'

Verbaasd keek hij haar aan.

'Het is een verrassing.'

Ze glimlachte nu breed.

'Hm …'

'De hindoes stonden wel in het draaiboek, maar dit had ik je niet verteld.'

'Je had dus niet de moeite genomen?'
Waarom bleef ze het zo moeilijk vinden hem in vertrouwen te nemen?

'Nee, eh … dat bedoel ik niet. Eh ´… de opname is niet heel belangrijk omdat …' Hakkelend zocht ze naar een verklaring.

'Omdat wat? Omdat er weinig hindoes zijn in New York?'
Haar gezicht was inmiddels rood aangelopen.

'Nee, ze zijn weinig opvallend. Hindoeïsme is een rustig geloof dat zich in het buitenland vrij laag profileert.'
Even leek het alsof hij haar onderlip zag trillen. Dit had ze niet verdiend. Waarom kon hij het niet laten haar steeds op de huid te zitten.

'Ach, zo belangrijk is het nou ook weer niet. Vertel me maar waarom we hier zijn.'
Nadat Chris zijn camera voorzichtig op de grond gezet had, begon ze te vertellen. De meeste hindoetempels bevonden zich vreemd genoeg in de wijk Brooklyn, in de noordelijke deelwijken Elmhurst en Flushing. Yolanda had deze tempel gekozen omdat hij het dichtst bij Manhattan lag en omdat het eten er goed was.

'Het eten?' vroeg Chris wederom verwonderd.

'Ja, wacht maar af.'
Ze liepen door de kleine deur naar binnen. In de hal stond het vol met schoenen. Yolanda boog voorover om haar sneakers uit te trekken en Chris volgde haar voorbeeld. Daarna duwde ze een deur in het midden van de hal open. Opeens stonden ze in een rustige gebedsruimte waar alle geluiden van buiten wegvielen. Fluisterend wendde Yolanda zich tot Chris.

'Kijk, hier komen de mensen om hun *puja's* te zeggen, hun gebeden te doen. Soms zingen ze hier ook hun *aarti's*, de heilige liederen.'

'Worden hier ook diensten gehouden?'
Chris keek rond in de serene ruimte waar slechts een enkele afbeelding het gehele interieur vormde.

'Nee. De hindoes kennen wel een voorganger, een swami, maar het is eigenlijk een godsdienst zonder preken. Het oudste geloof ter wereld, duizenden jaren geleden ontstaan en in het begin overgeleverd via verhalen en liederen. Ze geloven net als de boeddhisten dat ze steeds weer opnieuw reïncarneren tot ze zalig verklaard worden. Het is je eigen verantwoordelijkheid wat je met je leven doet, je beloning zit in de reïncarnatie. Hoe beter jij je best doet, hoe beter je reïncarnatie.'

'Haha, dan kom ik terug als een aardvarken denk ik.'

Chris dacht aan zijn slordigheid.

'Ja?' gniffelde Yolanda. 'En ik misschien wel als boomspecht.'

'Boomspecht?'

'Ja, die kunnen ook lekker op je in blijven hakken.'

Hij begreep dat ze nooit dichter bij een excuus zou komen dan ze nu deed.

'Je bent vergeven.'

'Fijn, dat helpt.'

'Maar hoe weten hindoes dan hoe ze moeten leven?' vroeg Chris, nadat hij een paar opnames gemaakt had.

'Dat is het cruciale van dit geloof. Het zijn voornamelijk de regels van de maatschappelijke groep waarin je geboren bent waarnaar je moet leven. Ze geloven sterk in hiërarchie, in een kastenstelsel. Iemand uit een lagere kaste kan nooit trouwen met iemand uit een hogere kaste, enzovoorts. Dat is het grote verschil met de boeddhisten.'

Een vrouw in een kleurige sari betrad de ruimte. Yolanda stopte met praten en liep eerbiedig met gebogen hoofd naar de ingang waar ze hun schoenen gelaten hadden. Buiten de gebedsruimte sprak ze weer hardop.

'Ze hebben geen vaste tijden voor gebeden of diensten. Maar ze hebben wel een grote hoeveelheid goden en godinnen waar ze bij te rade kunnen gaan.'

'Waarschijnlijk moest deze vrouw de godin voor overspelige mannen raadplegen.'

Zijn blik was op Yolanda gericht die haar sneakers stond aan te trekken. Weer viel hem op hoe slank ze was in de strakke spijkerbroek. Zo anders dan de bevallige, maar mollige vrouw in de sari die ze net gezien hadden.

Yolanda kwam overeind en keek hem aan.

'Dat is niet het enige wat vrouwen dwars kan zitten, Chris.'

'Sorry, je hebt gelijk. Het kan ook de gezondheid van een kind zijn, of een ouder. Of geldproblemen, onvruchtbaarheid, een lastige buurvrouw, gezondheidsproblemen. Eigenlijk kunnen vrouwen best veel problemen hebben.'

'Ja, en jullie dan?'

'Wij mannen? Wij hebben geen problemen.'

'Natuurlijk niet! Jullie hebben elkaar en de kroeg.'

'Precies, problemen is een vrouwending.'

Hij grinnikte ondeugend naar haar, terwijl hij op één been balanceerde om zijn trainers aan te trekken.

Yolanda antwoordde niet, maar gaf hem een duwtje zodat hij zijn evenwicht verloor. In zijn val greep hij haar been zodat zij over hem heen viel. Hij voelde haar adem langs zijn nek strelen, de losse haren beroerden zijn gezicht. Met één arm klemde hij haar tegen zich aan, terwijl ze zich los probeerde te worstelen.

'Chris, dit is een tempel! We kunnen hier niet zomaar …'

In haar vermanende woorden hoorde hij een vrolijke ondertoon.

'Wat kunnen we niet zomaar?'

Hij wilde het aangename gevoel van haar lijf op het zijne niet kwijt, tempel of geen tempel.

'We kunnen niet zomaar op de grond blijven liggen,' zei ze hijgend, maar ze stribbelde steeds minder tegen.

'Wat als er iemand binnenkomt?'

Nog even rook hij haar aangename, lichte geur, toen liet hij haar gaan. Hij probeerde de brok in zijn keel weg te slikken. Ze moesten het nu vooral luchtig houden.

'Oké, je hebt gelijk. Maar jij begon!'

Yolanda stond op en trok haar blouse recht. Ze ontweek zijn blik. Chris vroeg zich af of ze hetzelfde gevoeld had als hij. Maar voordat hij de kans kreeg om het haar te vragen, liep ze resoluut weg in de richting van een trapgat waaruit geroezemoes opsteeg.

'Zo, en nu gaan we eten.'

Hij liep achter haar aan de trap af. Een kruidige etenslucht vulde zijn neus. Tot zijn verbazing stonden ze opeens in een drukke eetgelegenheid. De verscheidenheid aan mensen was net zo groot als de verschillen in kleding. Tussen de Indiërs, gekleed in alle kleuren van de regenboog, zag hij ook jonge mensen in verschoten kleding met grote rugzakken naast hun stoel.

Op de tafels stonden schaaltjes met veelkleurig eten. In Amsterdam had Chris wel vaker bij een Indiaas restaurant gegeten, maar dit was zo anders. Geen chant muziek met schaalklanken op de achtergrond, geen zorgvuldig gestileerd interieur, geen glimlachende obers die haast onhoorbaar op je tafel afslopen, maar gewoon een kelder vol etende en pratende mensen met een bediening die zich van tafel naar tafel haastte.

Yolanda schoot een van de obers aan die hen naar een tafeltje in de hoek bracht. Anders dan de eerste keer dat ze samen uit eten waren geweest, wist Chris nu precies wat hij wilde bestellen. Zonder de menukaart te bekijken, nam hij het initiatief.

'Wat denk je van wat masala dosa, chapati's, kip tikka masala, een portie medu vadai, mango lassi en wat gewoon naan brood?'

Vergenoegd leunde hij achterover, hij wist zeker dat ze onder de indruk van zijn kennis zou zijn.

'Mmm, klinkt goed. Ik weet alleen niet of ze hier ook gerechten uit Sri Lanka hebben. Die Tamils hebben een eigen keuken, hoor.'

Vergiste hij zich nu of was dat een ondeugende blik die in haar ogen verscheen?

'En kip serveren ze niet. Alles is uitsluitend vegetarisch, vandaar dat hier zoveel alternatieve rugzaktoeristen zitten.'

'Rugzaktoeristen? Hoe weten die dat er onder deze tempel een restaurant zit? Het wordt nergens aangegeven.'

Haar plezier was nu compleet, met een brede glimlach keek ze hem aan.

'Het eten is een belangrijk onderdeel van het hindoegeloof. Alle hindoetempels in Brooklyn hebben een restaurant in de kelder. Dat weet iedere rugzaktoerist. Het eten is er altijd goedkoop. Slechts 3 tot 5 dollar per gerecht.'

Hoe kon hij ooit indruk maken op deze vrouw. Een vrouw van de wereld die haar talen sprak. Zelfstandig, eigengereid en … mooi. Ja, ze was mooi. Niet alleen haar uiterlijk, haar karakter was ook mooi. Ze had iets nobels, iets fiers. Ze koketteerde nooit expres met haar kennis, het was er gewoon wanneer het nodig was of wanneer er om gevraagd werd.

'Dat is wel een bijzonder geloof dan,' zei hij vaag, zijn gedachten nog steeds bij hun vriendschappelijke worsteling.

'Het is inderdaad een bijzonder geloof. Ik heb in India het Holi-feest meegemaakt, het feest aan het einde van de winter waarbij ze met kleurige verfstof gooien om boze geesten te bezweren. Zo bijzonder. Iedereen is dan vrolijk en uitgelaten.'

Ze nam een slok water uit haar glas.

'Het hindoeïsme is weliswaar een van de vijf grootste geloven, maar ze doen niet echt moeite mensen te bekeren. Maar goed, ik kan me voorstellen dat een religie zonder regels en wetten moeilijk te *marketen* is. En het heeft ook een groot nadeel, het heeft weinig gemeenschapszin zoals je bij de christelijke geloven ...'

Yolanda praatte opgewekt verder. Chris hoorde haar stem op de achtergrond van zijn eigen gedachten. Hoe had hij al die tijd zo dom kunnen zijn. Nu besefte hij dat hij 's avonds in bed haar ranke lijf in gedachten had, haar kleine borsten, de bleke huid waar op haar armen een zacht dons van blond haar te zien was, haar geur. Het was vreemd hoe hij na bijna twee weken gehecht was geraakt aan haar geur, een mengeling van lavendel en iets zoutigs. Een bloem die in het duin aan zee groeide.

Uit het niets verscheen een serie witte bordjes met kruidige gerechten op tafel. Mandjes met brood, schaaltjes met chutney, sambar, rasam. Iemand had de tafel omgetoverd in het pallet van een schilder. Ergens op de hoek werd nog een theepotje met twee kopjes geperst.

Hindoes behoren geen alcohol te drinken, en voor het eerst in zijn leven had Chris geen behoefte aan een borrel. Hij was al dronken van het geurige eten op tafel en de aanwezigheid van Yolanda. Het leven was goed.

'Eet smakelijk,' zei ze.

Enthousiast begon ze kleine beetjes eten op haar bord te scheppen.

'Ja, jij ook.'

Chris volgde haar voorbeeld.

'Ik wil zo nog even een paar opnames maken. Denk je dat dat kan?'

Yolanda keek om zich heen.

'We zitten hier redelijk afgezonderd. Doe net of je mij filmt. Anders zitten we straks weer met allerlei mensen die over auteursrechten beginnen.'

'Goed plan.'

Chris stelde de camera in, zonder dat de andere aanwezigen er erg in hadden. Vanaf zijn plek aan tafel maakte hij een paar opnames, de camera op Yolanda richtend. Zijn hart sloeg een paar tellen over toen hij haar in beeld kreeg. Die verliefde glimlach op haar gezicht om een gelukkig paar uit te beelden.

Op dat moment wenste hij vurig dat de glimlach oprecht voor hem bedoeld was.

Een uur later stonden ze weer buiten op Schermerhorn Street. Ze liepen terug in de richting van het metrostation. De zwoele avondbries droeg stadse geuren met zich mee. Geluiden van het verkeer drongen nauwelijks tot hem door, hij was voor het eerst sinds tijden gelukkig. Gelukkig om hier te lopen naast Yolanda. Het was een bijzondere avond waarbij alles wat hem neerslachtig maakte van hem afgevallen was.

Toen ze bij het metrostation aankwamen, liep Yolanda tot zijn verbazing door. Hij keek haar met opgetrokken wenkbrauwen aan.

'De avond is nog niet om, Chris. Ik heb nog een verrassing voor je.'

Bij het volgende blok sloeg ze rechtsaf, een drukke straat met veel verkeer in. Yolanda liep in een rustig tempo door, af en toe wees ze Chris op een bezienswaardigheid. De rugzak met de camera begon zwaar te worden. Voor zijn gevoel hadden ze al een heel eind langs grote gebouwen met etalages op de begane grond gelopen, toen de weg opeens langzaam omhoog liep. Opeens was Chris de zware rugzak vergeten.

Voor hen uit torende de oudste brug van New York, de Brooklyn Bridge. Het gigantische gietijzeren gevaarte baadde in een goudgeel licht. Dichter bij de brug werd het steeds drukker. Fietsers en voetgangers verdrongen zich om het bovenste gedeelte van de brug te bestijgen.

Op de brug waar de fietsers zich van de wandelaars scheidden, werd het rustiger. Langzaam liepen ze samen naar het hoogste punt. Aan de andere kant van de rivier lag Manhattan, de sprookjesstad verlicht door miljoenen lichtjes.

In stilte genoten ze van het uitzicht. De stalen kabels waaraan het horizontale vlak van de brug hing, verdwenen hoog de lucht in richting de sterren. Toen ze bij het hoogste punt aangekomen waren, stonden ze stil bij de gietijzeren brugpoort waar een grote plaquette was aangebracht met de datum waarop de brug in gebruik genomen was.

De drukte was gaandeweg afgenomen. Het was stil om hen heen.

Yolanda leunde met haar ogen dicht tegen de reling. Ze boog haar hoofd naar achteren en liet haar losse haren wapperen in de wind. Chris ging naast haar staan en volgde haar voorbeeld. Even lieten ze zich samen meevoeren door het geluid van de wind in de tuien van de brug. Alles om hen heen viel weg.

Met zijn ogen nog steeds gesloten zocht Chris Yolanda's hand. Zo stonden ze daar, alleen verbonden door twee handen. Na een tijdje draaide Yolanda zich naar Chris toe zonder zijn hand los te laten.

'Wat vind je van je verrassing?' vroeg ze zachtjes.

Met tegenzin liet hij de betovering varen en opende zijn ogen. Zijn stem klonk hem vreemd in zijn oren. Een beetje onzeker.

'Yo, dit is het beste wat me ooit is overkomen.'

Met zijn andere hand trok hij haar naar zich toe. De zachte bries had haar haren in haar gezicht geblazen. Met zijn vrije hand streek hij ze naar achteren. Haar gezicht was puur, zonder make-up. Zoals ze daar stond in het flauwe goudgele licht was ze voor Chris een volmaakt sublieme sculptuur van een vrouw. Haar lippen roze en zacht. Haar blauwgrijze ogen leken te zwemmen in haar gezicht. Hij deed zijn ogen weer dicht, liet haar hand los en omarmde haar eindeloos teder. Hij voelde hoe ze haar hoofd tegen zijn schouder aan vleide en zich in de omarming nestelde.

'Mij ook!' fluisterde ze in zijn oor.

Zijn hele hart leek open te gaan, zijn borst verbreedde zich en langzaam gleed ze zijn wezen binnen. Roerloos stonden ze daar, in een geborgenheid zo groot als hij nooit gevoeld had. Die sterke, eigenzinnige vrouw in zijn armen. Het gevoel dat zij één waren en de wereld samen aan konden.

Een stel luidruchtige toeristen, gewapend met camera's, groene opblaasbare Vrijheidsbeelden op hun hoofd, liep kwetterend hun kant op. Glimlachend keken ze elkaar aan. Beschaamd als twee tieners gingen ze uit elkaar. Nadat de toeristen uitgebreid hun foto's gemaakt hadden, liepen ze weer verder.

Chris trok Yolanda bij de reling vandaan en leidde haar naar de beschutting van de brugpoort. Tegen de plaquette aan gaf hij haar hun eerste kus. Zachtjes drukte hij zijn lippen op die roze, volle mond. Eerst zachtjes, daarna steeds harder zoog hij zich aan haar vast. Gretig, alsof hij lange tijd niet meer gedronken had, nam hij haar in zich op. Zijn handen woelden door haar haren, die zijdezacht aanvoelden. Veel zachter dan hij verwacht had. Alles aan haar voelde zacht, haar huid, haar lippen. Haar buik die tegen de zijne drukte. Voorzichtig gleed zijn hand onder haar blouse naar het smalle stuk van haar rug. Tussen de band van haar broek gleed zijn andere hand naar haar zachte billen.

'Oh Chris ...'

'Ik ... oh Yolanda ... ik ... wist niet dat ik ...'

Hij voelde zijn lid hard worden, maar het was geen gewone lust. Het was anders, dieper. Zijn hele wezen was door haar geroerd, hij voelde een thuiskomen, een mengeling van lust, liefde en een gevoel dat hij niet direct thuis kon brengen, dat niet te beschrijven viel, maar hem diep raakte.

Plots wist hij met een alomvattende zekerheid dat wat hij nu voelde iets was waar hij altijd recht op had gehad. Dit was waar hij al die jaren voor geleefd had, maar wat hij nooit had gekend. Zijn hoofd voelde licht door deze openbaring. Hier stonden niet twee mensen die opgewonden raakten, maar twee mensen die wisten dat ze bij elkaar thuiskwamen.

Hij stopte met haar te kussen en keek haar aan. Op haar wangen blonken tranen. Ze glimlachte naar hem. Hij wist zeker dat zij hetzelfde gevoeld had.

'Hallo, Chris Spark. Fijn dat je onze groep komt versterken.'

'Ja?' zei Chris verwonderd.

'Ja. Dat had ik moeten zeggen toen ik je op Schiphol zag. Maar ik kon het niet.'

'Waarom niet,' vroeg hij zachtjes.

'Omdat mijn keel dichtgesnoerd leek toen ik je zag.'

'En daarom hing je gewoon de harde tante uit.'

Yolanda keek naar het glimlachende gezicht van Chris.

'Ja, dat was makkelijker.'

'Makkelijker dan dit?'

Opnieuw kuste hij haar. Ze sloot haar ogen, een grimas verscheen op haar bleke gezicht.

'Nee, dit voelt heel natuurlijk. Ik wilde alleen niet … Chris, ik was zo gekwetst door Richard, ik durfde niet meer te hopen. Ik …' De tranen stroomden nu over haar gezicht.

'Toen jij die nacht met Eleftheria …'

Dus ze had het wel gemerkt. Chris wist niet goed hoe hij de avond met Lefty aan haar moest uitleggen.

'Eerlijk gezegd, was mijn nacht met Eleftheria het gevolg van wat … moeilijkheden die ik in Nederland heb gehad met mijn vrouw. Of mijn ex moet ik misschien zeggen, gezien de laatste ontwikkelingen.'

Het viel hem nog steeds moeilijk de waarheid te vertellen. Dat Steven niet zijn zoon was. Dat Heather hem bedrogen had. Weer leek het of Yolanda zijn gedachten kon lezen. Ze legde een vinger op zijn mond.

'Je hoeft mij niet iets te vertellen wat je niet kwijt wil.'

Dankbaar nam hij haar vinger weg en kuste haar opnieuw met een vurigheid die hem zelf verbaasde.

Toen ze twee uur later eindelijk in het appartement aankwamen, was het ver na twaalven in de nacht. De keuken was leeg, Yazel was naar bed. Maar in de woonkamer zat Eleftheria nog te werken. Ze keek verstoord op van haar apparatuur. Even vernauwden haar ogen zich toen ze de twee zag.

'Ze hebben geprobeerd je te bereiken op je mobiele telefoon.' Ze wees met haar hoofd naar het mobieltje van Chris, dat tussen de papieren op tafel lag. Hij keek op het display naar het nummer van de gemiste oproep en rekende terug. Het moest vroeg in de morgen geweest zijn toen ze hem geprobeerd hadden te bellen. Wie zou hem nou om zeven uur 's ochtends willen spreken? Het nummer was hem onbekend en er was ook geen bericht achtergelaten op zijn voicemail. Achteloos stak hij de mobiele telefoon in zijn zak. Vast iemand die een verkeerd nummer had gekozen.

'Jullie moeten de hartelijke groeten hebben van Berend,' vervolgde Eleftheria zonder op te kijken.
Yolanda ging op een stoel naast haar zitten. Alle lichtheid leek opeens uit haar verdwenen, haar gezicht had een bezorgde uitdrukking.

'Hoe gaat het met hem, Lefty?'

'Gaat wel. De arts zei dat hij nog erg angstig is.'

'Dat kan ik me voorstellen,' zei Yolanda nadenkend. 'Ik denk dat hij hier niet makkelijk overheen zal komen. Dit moet heel traumatisch voor hem zijn. Denk je dat hij nog in staat zal zijn om de voice-over van de trailer in te spreken?'
De stugheid in Eleftheria verdween een beetje, ze voelde zich duidelijk gestreeld dat haar mening gevraagd werd.

'Ik weet het niet, Yo. De zwellingen bij zijn mond zijn weliswaar minder geworden. Maar ze houden hem rustig en slaperig, hij klinkt daarom een beetje alsof hij dronken is. Wanneer wil je de trailer af hebben?'

'Van de week. Dat is de sluitingsdatum voor de genomineerden om hun materiaal in te leveren. Joshua Rosenfield heeft al een uitzondering gemaakt door me op mijn woord te nomineren, hij heeft nog niets gezien.'

'Dan zullen we moeten improviseren,' zei Eleftheria met een diepe zucht.

Weg was de uitgelatenheid waarmee Chris en Yolanda waren binnengekomen. Hij moest weer aan zijn ouders denken. 'Het werk gaat voor het meisje.' Een van de vele calvinistische uitdrukkingen waarmee zijn vader hem op de 'belangrijke zaken van het leven' had gewezen. Maar hij wist dat hij het altijd anders zou zien. De problemen losten zich niet op door met gebogen hoofd door het leven te gaan. Duidelijk was wel dat de geweldige avond met Yolanda hier ten einde was gekomen.

Maar daar vergiste hij zich in. Een half uur nadat hij naar bed was gegaan, ging zijn kamerdeur zachtjes open. In het licht dat vanaf de gang naar binnen scheen zag hij het ranke lichaam van Yolanda.

'Chris, ik slaap vannacht bij je,' was het enige wat ze zei.

Verdenkingen

Promise

Who am I, darling to you?
Who am I?
Going to tell you stories of mine
Who am I?
Who am I, darling for you?
Who am I?
Could be a burden in time, lonely
Who am I, to you?
Who am I, darling for you?
Who am I?
Going to be a burden
Who am I, darling to you?
Who am I?
I come alone here.

Ben Howard

'Goh, je bent wakker! Ik zit hier al een uur te werken. Yazel zei dat hij de muziek voor je trailer gevonden heeft. Oh … en de broodjes staan in de keuken.'
Eleftheria liet niets merken. Ze moest gezien hebben dat Yolanda uit zijn kamer was gekomen. Hij liep zonder commentaar door naar de keuken waar hij Yazel druk aan het werk achter zijn laptop aantrof. Chris probeerde zich te concentreren op de taken die voor hen lagen, maar zijn gedachten bleven teruggaan naar de voorbije nacht. Ondanks het feit dat hij een douche had genomen, rook hij nog steeds de geur van Yolanda aan zijn lijf.

Met moeite had hij zich die morgen van haar los gemaakt. Naakt had zij tegen hem aan gelegen, het bed een wereld waaruit hij niet meer wilde vertrekken. Toen hij aanstalten had gemaakt om op te staan, had ze hem tegengehouden. Ze was tegen hem aan gaan liggen, borst tegen borst, heupen tegen heupen, hun benen verstrengeld. Hij voelde haar hart opgaan in het ritme van zijn hart. Eén volledig wezen.

Uiteindelijk was hij opgestaan. Teder had hij het laken over haar heen getrokken, en toen, gezeten op de rand van het bed had hij haar onomwonden verteld dat hij van haar hield. Zijn wereld stond op zijn kop, alles was veranderd, niets was meer zoals het was. Maar één ding wist hij zeker, hij hield van haar en wilde met haar verder. In de koele keuken gevuld met ochtendlicht stond de werkelijkheid nu onverbiddelijk voor hem. Maar hij had geen angst meer om te falen. Een man, zeker van zichzelf en met een onstuitbare energie, stond hier voor de productieleider.

'Môge.'

'*Buenas*. Ik heb muziek gevonden. Hier, kijk maar wat je ervan vindt.' Yazel tikte iets aan op het keyboard van zijn laptop. Opeens vulde de keuken zich met langzaam aanzwellende muziek. Muziek die je mee leek te nemen naar grote hoogten, de stem van de zanger was helder maar niet opdringerig. De woorden van het lied waren poëtisch, niet gelijk te begrijpen, maar de rillingen liepen Chris over de rug, toen hij het lied hoorde.

Prachtig ingehouden, met af en toe een mooie diepte in de muziek die klanken uit Indiase muziek leek te bevatten.

In het refrein herhaalde de zanger steeds '*Who am I to you …*'

Een vraag die de hele lading van de documentaire leek te dekken.

Wat betekende de heilige in welke naam en vorm dan ook voor de gelovige? Wat betekende het geloof voor al die mensen die ze hadden gefilmd?

Maar er was meer in het lied dat Chris raakte. De tederheid waarmee de zanger de vraag opnieuw en opnieuw stelde deed hem aan zijn eigen situatie denken. Wat betekende gisterenavond voor Yolanda en hem? De vraag boorde gaten in zijn ziel.

Toen het lied afgelopen was, liep hij nonchalant naar Yazels laptop.

'Hoeveel minuten?'

Chris vertrouwde zijn eigen stem niet voldoende om Yazel een compliment te maken voor zijn keuze.

'*Ya*, precies genoeg voor de trailer.'

'Goed werk, Yazel.'

'Er is alleen een probleem.'

'Een probleem?'

'Ik heb dit nummer van YouTube. Weet niet of de zanger wil meewerken. Het is nog niet uitgebracht.'

'Ook dat nog, vinden we een perfecte sound, kunnen we geen overeenkomst sluiten!'

'Wat is er voor probleem?'

Chris keek op en zag Yolanda de keuken binnenkomen. Even verzachtten haar ogen zich toen ze naar hem keek.

'Yazel heeft de perfecte muziek gevonden voor de trailer, maar hij weet niet of de artiest mee wil werken. Het nummer staat op YouTube maar is nog niet uitgebracht.'

'Laat eens horen.'

Opnieuw speelde Yazel het nummer af. Chris draaide zich om en liep naar de zak met broodjes op het aanrecht. Hij durfde Yolanda niet aan te kijken, zijn gevoelens waren nog rauw na hun nacht samen. Hij hoopte dat zij hetzelfde in het nummer hoorde.

Vlak voordat het afgelopen was, draaide hij zich om en zag nog net hoe Yolanda een traan uit haar ooghoek veegde. Even keken ze elkaar aan.

In die blik leek een hele wereld van verstandhouding te zitten. Daarna draaide ze zich om naar Yazel.

'Ik wil die muziek, Yazel. Maakt mij niet uit hoe we eraan komen.'

Opgelucht haalde Chris adem. Hij liep naar haar toe en pakte haar elleboog beet.

'Yo, ik weet niet of je mij vandaag nodig hebt. Ik wil ergens naar toe om wat te onderzoeken, misschien is het wat, misschien ook niet.'

Haar ogen peilden zijn gezicht.

'Hoe ver is de trailer?'

'De muziek heb je gehoord. Nu moet er nog een stem gezocht worden om de tekst in te spreken. Liever niet Berend, maar een echte Hollywood-stem. Morgan Freeman of iemand die een gelijkwaardig mooie stem heeft. Is daar een bureau voor?'

Ze keken beiden naar Yazel.

'Er lopen hier zat werkloze acteurs met een mooie stem!'

'Dat hoeft niet zo duur te zijn, misschien is het een half uurtje werk?' vroeg Chris hoopvol.

'Ik zal mijn best doen.'

Haar ogen zochten de zijne af, toen haalde ze diep adem.

'Ik snap dat je privétijd nodig hebt, het is alleen …'

'Nee, dat is het niet. Ik wil alleen wat zien te regelen.'

'Regelen?'

Yazel keek op, dat was zíjn werk.

'Nou ja, ik ga iemand zoeken.'

Twee paar ogen keken hem vragend aan. Het was dom om ze te vertellen dat hij die morgen wakker geworden was met de naam van Hussein in zijn gedachten.

'Een mannending, Yazel.'

Chris liep zonder verder iets te zeggen naar de woonkamer waar hij zijn cameraspullen in de rugzak pakte. In de gang hield Yolanda hem staande.

'Je kunt mij toch wel zeggen waar je naartoe gaat?'

Haar stem klonk zacht, teder. Zijn hart smolt. Voor haar kon hij geen geheimen hebben, dat zou verkeerd zijn. Hij wist niet wat de toekomst zou brengen, maar deze keer wilde hij een relatie op de goede manier beginnen. Zonder leugens.

'Ik ga proberen die Jemeniet, die Hussein uit het Central Station te vinden. Misschien dat hij een afspraak met het Cordoba Instituut kan regelen.'

'Oké, maar neem je mobiel mee voor het geval dat!'

Snel kuste hij haar op de lippen, verheugd om de rode blos die hij op haar gezicht zag verschijnen.

Chris was aan zijn vierde kop koffie begonnen in de restauratie van het Central Station maar hij had nog geen glimp van Hussein opgevangen. Voor de zoveelste keer vroeg hij zich af wat hij hier aan het doen was. Dacht hij nou werkelijk dat hij zo maar weer tegen hem zou aanlopen en een afspraak met de sjeik van het Cordoba Instituut kon ritselen.

De hele wereldpers was over de bouw van die moskee tegenover *Ground Zero* gevallen. Steeds weer hadden de New Yorkse islamieten uitgelegd dat zij zich net zo getraumatiseerd voelden door de aanslag als de rest van de bewoners van de stad. Er deden zelfs complottheorieën de ronde dat Amerika zelf de aanslagen beraamd zou hebben om Bush een excuus te geven om Irak binnen te vallen.

Rellen en dreigementen hadden er op het laatst voor gezorgd dat de bouw niet doorging. Een interview zou een echte opsteker zijn voor de documentaire. Hussein was zijn laatste redmiddel om een afspraak te kunnen regelen. Maar waar was hij?

'Hello Dutchman.'

Chris viel bijna van zijn bankje bij het horen van de stem met het grappige Arabische accent. Hij draaide zich om en daar stond Hussein, net als de vorige keer gekleed in het wit.

'Ik ben blij je te zien, Hussein.'

Hij schudde de Arabier enthousiast zijn hand.

'Ik heb hier op je zitten wachten met een verzoek.'

'Jij wilt een interview met sjeik Feisal Abdul Rauf,' glimlachte Hussein.

'Ja, hoe weet je dat?'

'Hussein is niet dom. Dit is een goed interview voor jullie documentaire.'

Chris kon zijn geluk niet op. Hij had niet verwacht zoveel medewerking te krijgen. Maar nu moest hij hem nog zo ver zien te krijgen om de afspraak snel te regelen.

'Eh Hussein, ik wil niet opdringerig zijn, maar zou het ook snel kunnen?'

De ogen van Hussein verkleinden zich, terwijl hij zijn hoofd met het witte mutsje scheef hield.

'Jij hebt haast?'

'Ja, nou het is een lang verhaal.'

'Hussein heeft geen hekel aan lange verhalen. Op mijn eiland hielden mensen van lange verhalen, goed om de tijd door te brengen. Is het een vrouw?'

Hij doelde op het telefoongesprek dat Chris in zijn bijzijn met Heather had gehad.

'Nee of ja, of in ieder geval allebei.'

Voor de tweede keer binnen twee dagen vertelde Chris zijn verhaal. Toen hij eindelijk zweeg, keek de Jemeniet bedenkelijk. Hij zei niets en liep weg. Na tien minuten wachten kwam hij terug, met een brede grijns op zijn gezicht.

'Ik heb een afspraak geregeld.'

Chris wilde de man bijna om zijn hals vallen, maar Hussein was nog niet klaar. Zijn gezicht stond nu ernstig.

'Politiek gezien is het van belang dat sjeik Feisal Rauf zijn verhaal kan doen.'

Steeds wanneer het om zijn werk ging, verbeterde het Engels van de Arabier opmerkelijk. Chris luisterde aandachtig, terwijl Hussein naast hem ging zitten.

'Cameraman, wij hebben er belang bij dat er een goed beeld van de sjeik naar buiten komt. Hij is door zijn eigen mensen op een zijspoor gezet omdat hij te veel bezig zou zijn met globalisering van de islam. De moskee tegenover *Ground Zero* zou volgens hem een conferentieoord moeten worden voor alle islamieten, van welke stroming dan ook. Maar daar is niet iedere moslim het mee eens. Daarnaast heeft Feisal wat problemen met ontvangen subsidies die hij in zijn eigen panden heeft geïnvesteerd.'

Het verhaal leek hem moeite te kosten.

'De overheid wil niet voor gek staan, snap je. Wij willen een correct beeld naar buiten brengen.'

Het laatste klonk haast smekend. Chris dacht snel na. Dit kon politiek wel eens een wespennest zijn. Een blik met wormen waar hij in ging roeren. Maar hij kon de opname maken en dan alsnog bedenken of hij gebruikt ging worden. Opnieuw verwenste hij de toestand van Berend. Nu had hij hem nodig, hoe wist hij welke vragen te stellen? Maar Hussein was hem voor.

'De vragen zullen door mij gesteld worden en dan moet het interview zonder aanpassingen opgenomen worden in jullie documentaire.'

Tijd om met Yolanda te overleggen had Chris niet, hij kon niet anders dan knikken. Maar Hussein was nog niet klaar.

'Die vrouw, die collega van je, is zij lang, slank en heeft ze donkerblond haar?'

'Ja,' zei Chris verbaasd.

'Zij was eergisteren eind van de middag hier,' zei Hussein beslist.

'Hier, dat kan niet! Weet je het zeker? Er zijn zoveel vrouwen die lang en slank zijn met donkerblond haar!'

'Jawel, maar deze had een rugzak bij zich met precies hetzelfde logo erop.'

Hussein wees op het logo van Twilight Thoughts op de rugzak die Chris weer van Yazel had geleend.

'Bovendien sprak zij hetzelfde vreemde taaltje van jou.'

'Hoe weet je dat?'

'Omdat ze niet alleen was. Ze was met een man die dat taaltje ook sprak.'

'Een man?'

'Ja, een grote man, wel bijna twee meter met een ...'

Hier trok de Jemeniet een brede glimlach. '... grote lach!'

Chris hoorde alleen nog maar het suizen van het bloed in zijn oren. Richard Edelman. Yolanda had een afspraak gehad met Richard Edelman. Eergisteren, dat was de middag dat hij naar het ziekenhuis was gegaan, naar Berend. Eerst had hij Edelman daar betrapt aan het bed van Berend. Daarna had de producent afgesproken met Yolanda. Zijn ex. Natuurlijk. Terwijl Chris op zijn gemak koffie had zitten drinken in de Starbucks, hadden die twee, zonder dat hij het wist, afgesproken. Maar waarom? Wilde Edelman Yolanda ook overhalen om voor hem te komen werken? Of erger nog, hadden ze dit hele verhaal soms samen opgetuigd?

Chris voelde alle leven uit zich verdwijnen. Als een zoutzak zat hij op het bankje onder de oude bagagerekken. Hussein keek hem bevreemd aan.

'Wat is gebeurd? Jij nu boos op de vrouw?'

'Nee, ja ... ik weet het niet,' stotterde Chris.

'Ach vrouwen! Daarom wil Hussein maar één vrouw. Geven altijd problemen!'

Hij trok aan het jasje van Chris.

'Kom snel, afspraak kan niet wachten!'

Hussein liep de trap op naar de ingang van het station en Chris kon niet anders dan hem volgen. Buiten aangekomen maakte Hussein een handbeweging en even later stopte een zwarte Mercedes met geblindeerde ramen. Na een lange rit waar Chris niets van mee kreeg, stopte de wagen voor een adres in Bergen Street waar ze ontvangen werden door sjeik Feisal Abdul Rauf.

Anderhalf uur en ontelbare kopjes thee later stond hij weer buiten. Het interview was keurig netjes, te netjes. Het was niet het spraakmakende verhaal waar Chris op gehoopt had. Bovendien merkte hij dat hij tijdens de opname zijn aandacht niet bij zijn werk had kunnen houden. Wat waren Edelman en Yolanda van plan? Had ze hem gebruikt? De gedachten aan de afgelopen nacht waren opeens van heel andere aard.

Toen hij bij het weggaan probeerde nog meer informatie los te krijgen, kwam hij niet veel verder. Hussein had het stel maar kort gezien, zijn aandacht was op dat moment door andere mensen in beslag genomen. Chris dwong zichzelf rustig te blijven. Wat waren de feiten? Alleen het logo op de rugzak was Hussein opgevallen. De vrouw had met haar rug naar hem toe gezeten. En hij had de uitdrukking op haar gezicht niet gezien. Was ze boos geweest op Edelman? Hadden ze ruzie gehad of juist plezier?

Beleefd had sjeik Rauf gevraagd of de zwarte Mercedes Chris ergens naar toe kon brengen. In eerste instantie had hij willen weigeren, maar toen bedacht hij dat hij naar Berend toe wilde in het ziekenhuis. Het werd tijd om open kaart te spelen.

Bij het ziekenhuis raapte Chris zijn spullen bijeen. Hij nam afscheid van Hussein en beloofde hem een kopie van de opname te sturen. Met zijn zware rugzak liep Chris het drukke ziekenhuis in. Tot zijn verbazing zat Berend rechtop in bed met een stapel kussens in zijn rug. Hij zag er al een stuk beter uit, alle verontrustende slangen en apparaten waren verdwenen. De bloederige plakkaten op zijn hoofd waren weg, iemand had zo te zien zijn haren gewassen. Alleen zijn gezicht was nog bont en blauw. Maar dat leek hem niet te hinderen, want hij begroette Chris joviaal.

'Hee, cameraman, wat goed je te zien!'

Het klonk gemeend, en niets in zijn houding wees meer op de strijd die Chris en hij in het begin van de opnames gevoerd hadden.

Chris pakte een stoel en ging naast het bed zitten. Een waterige zon scheen door de ongewassen ramen van het ziekenhuis. Aan de schoonmaak werd duidelijk niet veel geld besteed.

Nauwlettend bestudeerde Chris het gezicht van Berend. De blauwe plekken waren geelgroen, die waren makkelijk weg te schminken. Nog een dag of wat en hij zou in staat moeten zijn de voice-overs voor zijn rekening te nemen.

Maar dat was niet het enige waar hij naar keek, eigenlijk zocht hij het gezicht van zijn collega af op iets wat hij niet kon duiden. Valsheid, oneerlijkheid? Kon je dat wel aflezen aan een gezicht? Hij besloot het erop te wagen.

'Berend, ik ben niet helemaal eerlijk tegen je geweest.'

Verbaasd keek de verslaggever hem aan, maar hij reageerde niet. Geduldig keek hij naar Chris in afwachting van wat er ging komen.

'Toen ik laatst bij je op bezoek kwam, zag ik dat Richard Edelman al bij je was. Ik heb jullie afgeluisterd. Misschien niet netjes, maar ik wist zou gauw ook niet wat ik anders moest doen. Ik zag dat hij je een stuk papier met zijn telefoonnummer toeschoof. Dat heb ik zonder dat je het doorhad bij je weggehaald. Sorry. Maar ik wist niet of ik je kon vertrouwen.'

Een grote glimlach gleed over het gehavende gezicht van Berend.

'Och man, maak je daar niet druk om. Het is niet de eerste keer dat die eikel mij probeert over te halen om voor hem te komen werken. Maar ik vreet nog liever een paar van mijn hoge hakken op dan dat ik dat doe.'

Opgelucht haalde Chris adem, niets in het gezicht van Berend verried een leugen. Het was alleen niet zijn enige vraag. Wat hij nu ging zeggen, viel hem veel zwaarder.

'Dat had ik eigenlijk ook niet verwacht, man. Wie wil er nou met zo iemand in zee!'

Dit was voor Berend zo vermakelijk dat hij hard begon te lachen. De kramp schoot door zijn gezicht en hij boog voorover.

'Oh, oh, dat doet pijn in mijn kont. Nee Chris, dat geloof je toch zelf niet. Die man is nog niet eens in staat een serieuze documentaire te maken, al zou zijn leven ervan afhangen.'

Chris lachte met hem mee, voorzichtig koos hij zijn woorden.

'Denk jij dat Yolanda nog gevoelens voor hem heeft? Ik bedoel als je ze aan de telefoon hoort dan maakt ze zich zo kwaad. En je weet wat ze zeggen, de grens tussen liefde en haat is klein.'

Berend keek nu bedenkelijk.

'Tja, dat is een moeilijke. Ik weet dat ze het er heel zwaar mee heeft gehad, ze was echt verkikkerd op die vent. En hij is erg charismatisch. Yolanda wordt helemaal klein als ze bij hem in de buurt is.'

Precies datgene was Chris ook opgevallen toen ze Edelman waren tegengekomen bij de opname in dat kerkje. Er bleef niets van haar bravoure over.

'Denk je dat hij nog steeds macht over haar heeft?'

'Hoe bedoel je?'

'Nou, ze vormden een goed team samen. Stel dat hij zou willen dat ze weer met hem ging samenwerken. Zou ze dat doen?'

Berend kon niet weten dat de luchtig gestelde vraag Chris de hele dag al beziggehouden had. Wellicht had hij het antwoord dan anders geformuleerd, maar dat kon hij op dat moment niet weten.

'Ach joh, je weet het nooit met vrouwen. Die doen soms alles om het maar weer 'goed' te maken, toch?'

Hij praatte door over koetjes en kalfjes, zonder dat Berend zijn onrust in de gaten had. Na een poosje stond hij op en nam afscheid.

Het eerste wat Chris zich de volgende ochtend voornam was zijn bank te bellen. Zijn passen moesten onmiddellijk worden gedeblokkeerd. Zonder geld was hij afhankelijk van zijn collega's en dat wilde hij niet. Hij keek op zijn horloge. Het was voor acht uur, dus was de bank in Nederland in ieder geval nog open. Hij ging met een kop koffie bij Starbucks zitten en belde zijn accountmanager. Tot zijn grote opluchting kreeg hij deze meteen aan de telefoon. Chris vertelde dat hij in het buitenland was en geen gebruik kon maken van zijn passen, zonder verder in te gaan op de redenen waarom die geblokkeerd zouden kunnen zijn.

De man vroeg Chris even geduld te hebben terwijl hij het ging uitzoeken. Tijdens het wachten speelde hij bedachtzaam met de beker koffie die voor hem op het tafeltje stond. Wat was het belang van Edelman en Yolanda om hem of beter nog de documentaire, te dwarsbomen? Steeds meer vreemde voorvallen schoten hem te binnen.

Berend en Frits die in Thailand overvallen waren, waarbij Frits zelfs was overleden aan zijn verwondingen. Al die keren dat het gehuurde materiaal stuk was, de mensen die niet op waren komen dagen, afspraken die niet nagekomen waren.

Was er iemand bezig de documentaire te saboteren? Maar het kon ook allemaal toeval zijn. Hersenspinsels omdat op dat moment alles tegen zat in zijn leven.

Misschien was de nacht met Yolanda wel echt geweest. En was hij te blind om dit te willen accepteren.

De accountmanager klonk opeens weer in zijn oor.

'Het spijt me heel erg meneer Spark, maar door een fout bij ons is uw rekening geblokkeerd geraakt. Uw vrouw schijnt het tegoed op haar zakelijke rekening te hebben overgeboekt naar het buitenland, maar dat neemt niet weg dat wij uw gezamenlijke rekening niet zonder uw toestemming hadden mogen blokkeren.'

'Overgeboekt naar het buitenland?'

'Ja, maar daar mag ik verder niets over zeggen omdat uw handtekening niet op het contract van deze rekening staat.'

De man schrok hoorbaar. Hij had dit niet mogen vertellen, maar hij kende het echtpaar Spark al zo lang dat hij daar even niet bij stil had gestaan. Chris wilde hem niet verder in verlegenheid brengen.

'Aha, ja dat klopt. Eh ... kun je ook aangeven wat het saldo van de gezamenlijke rekening is?'

Opgelucht haalde de man adem. Deze vraag kon hij zonder risico beantwoorden.

'Uw saldo is vijfenzestighonderd euro.'

'Bedankt voor de informatie.'

'En u kunt uw passen vanaf vandaag weer gebruiken. Nogmaals onze excuses voor het ongemak en een prettig verblijf in het buitenland.'

Snel deed de accountmanager plichtmatig zijn goede nieuws verhaal.

'Ja, dank je wel.'

Chris hing op, maar hij was nog niet klaar. Het komende half uur besteedde hij aan het bellen van een aantal oud-collega's. Omzichtig won hij informatie in over Richard Edelman en zijn ex Yolanda Rosenthal.

Nadat hij het laatste gesprek had beëindigd, zakte Chris achterover in de comfortabele stoel. De mening van zijn vroegere collega's over Richard Edelman was unaniem, het was een nietsontziende man waar hij maar beter ver bij vandaan kon blijven.

Over Yolanda was hij minder te weten gekomen. Als regisseuse werd ze alom geprezen als talentvol, maar verder kwamen zijn informanten niet. De ploeg van Twilight Thoughts werd als anarchistisch en excentriek omschreven, maar daar was Chris zelf ook inmiddels achter. Geen verdere verhalen over Eleftheria, Yazel, Berend of Yolanda. In ieder geval niet meer dan hij zelf al wist.

Vermoeid probeerde hij zijn gedachten op een rijtje te krijgen. Zijn hele leven was een puinhoop. Heather die haar rekening had overgeboekt naar het buitenland. Het huis wat ze te koop had gezet. Waar was ze in godsnaam mee bezig? En dan Steven, die wist vermoedelijk nog steeds van niets.

Hij had nog ruim zesduizend euro op de gezamenlijke rekening staan. Had Heather dat expres gedaan?

Hij schrok op uit zijn sombere gedachten door het geluid van zijn mobiele telefoon. In het beeldscherm stond weer dat Nederlandse nummer dat gisteren ook gebeld had. Hij nam op.

'Chris Spark.'

'Goedemorgen, meneer Spark. U kent mij niet, maar ik ben de moeder van Frederik Beulenakker.'

Freddy B., dat was de naam die Steven pas genoemd had. Een koude hand leek zijn hart te omklemmen. Zou er iets met Steven zijn?

'Eh ja, is er iets met Steven?'

'Nee, nee, maakt u zich geen zorgen. Ik belde u eerder om toestemming te vragen. Ziet u, uw vrouw is wat moeilijk te bereiken in Houston, vandaar dat mijn man en ik toch besloten hebben om u in New York te bellen. Van Steven hadden wij vernomen dat u daar namelijk een film aan het maken bent.'

Even dacht hij vertederd aan de jongen met het bruine haar die over zijn vader had lopen opscheppen.

'Mijn vrouw is in Houston?'

'Ja, ze moest onverwachts weg. Ze zou u nog bellen. Of heeft ze dat al gedaan? Het is natuurlijk moeilijk een moment te vinden. U zit met uw filmopnames, en zij met haar werk. Begrijpelijk dat er dan dingen fout gaan. Maar zo'n film maken is natuurlijk niet niks.'

De moeder van Freddy B. ratelde door over het belang van filmopnames. Chris onderbrak haar relaas.

'Is er iets met mijn schoonouders?'

De ouders van Heather, voor zover ze nog bij elkaar waren, woonden in Houston.

'Ja, ik geloof dat het wel urgent was. Maar ze had zo'n haast dat ik er eigenlijk niet naar gevraagd heb, en Steven weet het ook niet.'

Zo te horen was de moeder van Freddy B. van het nieuwsgierige soort en had ze haar informatie al lang proberen in te winnen.

'Maar u wilde toestemming vragen?' onderbrak Chris haar voor de tweede keer.

'Eh ja, precies. Dat is wat ik wilde. Wij hebben in Ouddorp een leuk vakantiehuisje. Nou wilden we weten of het voor u een bezwaar is als de jongens daar het weekend naar toe zouden gaan. Ze zijn nu op een leeftijd dat ze niet altijd meer met ons oudjes opgescheept willen zitten.'

Aan haar geaffecteerde stem kon hij horen dat ze zichzelf niet echt als een oudje zag. Chris vermoedde eerder dat ze in het weekend liever niet met een stel puberende jongens opgescheept zat. Plichtmatig antwoordde hij haar.

'Nou, die leeftijd zal wel meevallen, mevrouw Beulenakker.'

Er klonk een kirrend lachje aan de andere kant van de lijn, dat had hij dus goed ingeschat. Maar iets aan haar vraag klopte niet. Voor zover hij wist waren de jongens al vaker naar Ouddorp geweest, hij kreeg eerder de indruk dat mevrouw Beulenakker benieuwd was naar de terugkeer van Stevens ouders.

'Heeft mijn vrouw gezegd wanneer ze terug is?'

'Nee, ook dat eigenlijk niet. Maar ik had begrepen dat u nog een weekje werk hebt?'

Bingo! Ze wilde weten wanneer Chris terug zou zijn in Nederland. Maar dat was op dit moment het laatste wat hem bezighield. Eerst moest hij erachter zien te komen waarom Heather naar Houston was vertrokken, zonder adres achter te laten en nadat ze het geld op haar bankrekening in het buitenland had overgemaakt.

Hoe lang had ze gedacht dat het zou duren voordat hij haar verdwijning in de gaten kreeg? Of was ze niet verdwenen, was ze domweg naar haar ouders vertrokken. Maar dat kon hij zich nauwelijks voorstellen.

Haar vader was een *wildcatter*, een gelukszoeker naar olie in de onmetelijke vlaktes van Texas. Soms was hij maanden afwezig, had hij weer van een gebied gehoord waar nog geen claim van een grote oliemaatschappij op lag. Dan ging hij met zijn rammelende vrachtwagen met daarop een krakkemikkelige boorstelling op zoek naar olie. Een paar keer had hij geluk gehad en had hij de boorput voor veel geld verkocht aan een grote maatschappij. Maar dat geld hield hij nooit lang, hij joeg het er weer net zo snel doorheen.

In een van zijn welvarende periodes had hij Heathers moeder leren kennen. Zij was een danseres in Las Vegas met de bijnaam 'Juicy Lucy', haar echte naam was Mary Lou Ann Buchanan. Het stel werd heftig verliefd en binnen de kortste keren waren 'Juicy Lucy' en Larry Carmichael getrouwd.

Mary Lou Ann Buchanan had na haar huwelijk weliswaar haar beroep als danseres opgegeven, maar ze bleef zich kleden in strakke maillots en opzichtige topjes en blouses. Maar dat was voor Larry geen probleem, hij hield van zijn vrouw. Toen ze uiteindelijk zwanger bleek en een dochter ter wereld bracht, was het echtpaar Carmichael extatisch van geluk.

Voor het eerst had Larry regelmaat in zijn leven. Met het geld dat hij bij zijn laatste olievondst verdiend had, kochten ze in een van de buitenwijken van Houston een witte bungalow. Het was hun paradijs op aarde en speciaal voor de geboorte van de dochter verfde Larry de luiken roze.

Toen baby Heather twee jaar oud was, raakte het geld op en moest Larry weer op zoek naar nieuwe olieputten. Dit bleek echter steeds lastiger naarmate de grote oligarchen alle olievelden in hun bezit kregen. Verbeten bleef Larry zoeken, maar hoe hopelozer zijn zoektocht werd hoe meer hij ging drinken. Soms kwam hij na maanden met lege handen terug. Flink afgevallen en ruikend naar de drank.

Chris had al jaren geen contact meer met zijn schoonouders gehad. Heather schaamde zich voor het opzichtige stel. Hij kon zich dan ook niet voorstellen dat ze hals over kop naar haar ouders was vertrokken.

Mevrouw Beulenakker praatte nog steeds door. Hij voelde een lichte hoofdpijn opkomen. Snel stelde hij haar gerust, hij zou zo spoedig mogelijk naar Nederland terugkeren om zijn zoon op te halen, en hing op.

Chris staarde naar de voorbijgangers op straat. Zijn leven had een vreemde wending genomen, dat was hem duidelijk.

In zijn telefoon zocht hij naar het nummer van Herbert van Slochteren. Na een tijdje wachten werd hij met zijn oude tennismaat doorverbonden.

Herbert reageerde enthousiast op zijn telefoontje, en natuurlijk wilde hij het naadje van de kous weten. Maar Chris bleef vaag. Het had geen zin zich bij zijn oud-collega en vriend te beklagen. In het verleden hadden ze samen wat klussen gedaan en daarna hadden ze een tijdlang op zaterdag getennist. Maar dat was inmiddels lang geleden. Ze waren allebei andere levens gaan leiden.

Voor oude vrienden was het grote huis met het glamourleven van de familie Spark vaak een barrière geweest om contact te houden. Nu dat sprookje uiteenviel, bevestigde het wat iedereen achter zijn rug om over hem vertelde; geld maakt niet gelukkig.

Zo eerlijk mogelijk legde Chris hem in het kort uit wat hem was overkomen. Herbert bleek nog steeds de vriend die hij in het verleden altijd geweest was. Zonder verdere omhaal gaf hij hem het telefoonnummer van zijn advocaat. Chris nam afscheid met de belofte bij terugkeer in Nederland een keer af te spreken.

Met licht trillende vingers toetste hij het nummer van de advocaat in. Ook hier hoefde hij niet lang te wachten. De advocaat was, volgens een jonge vrouw met een prettige stem, aanwezig. Nadat Chris de secretaresse aangegeven had dat hij in het buitenland op filmlocatie was, werd hij snel doorverbonden. Een leugentje om bestwil, maar hij wist dat het altijd werkte.

De advocaat was verrassend goed, want na een uitgebreid overleg vertelde hij hem precies wat hij moest doen. Hij hing op en zocht het telefoonnummer van Delta Airlines. Even later had hij een ticket voor diezelfde avond naar Houston geboekt.

Going back to Houston ...

De vlucht van JFK Airport naar George Bush Airport in Houston werd geplaagd door turbulentie, Chris was blij toen de machine de grond veilig raakte. Voor hem was de luchthaven bekend terrein. Hier was hij eerder met Heather geweest. Hij zocht zijn spullen bijeen en liep naar de uitgang van het vliegtuig, zijn gedachten nog bij de afgelopen uren.

Bij terugkomst in het appartement die middag was het tot zijn opluchting stil. Het was niet het moment geweest om zijn collega's onder ogen te komen. De tegenstrijdig gedachten in zijn hoofd waren een draaikolk, een vortex waarin hij leek te verdrinken. Wat zou hij Yolanda hebben moeten zeggen? Dat hij haar wantrouwde? Dat hij haar verdacht de hele documentaire te boycotten in het voordeel van haar ex-echtgenoot?

Hoe meer hij hierover nadacht, hoe meer hij overtuigd raakte van haar plan. Het ontbreken van een draaiboek, het slechte opnamemateriaal. Maar dan gingen zijn gedachten weer naar de nacht die ze samen hadden doorgebracht. Hoe kon dit zo echt gevoeld hebben, zo als thuiskomen?

Op de keukentafel legde hij een briefje neer dat hij onverwachts op reis moest voor privéredenen. Hij had snel de laatste schone stukken kleding in de sporttas gepropt. Hij moest Heather vinden en de scheidingsstukken persoonlijk aan haar overhandigen.

Volgens de advocaat had hij een groot voordeel dat hij in Amerika voor de wet getrouwd was. In dit land had de verlaten echtgenoot zonder omhaal recht op de helft van het vermogen van de partner. Het geld dat Heather naar de buitenlandse bankrekening doorgesluisd had, was voor de helft van hem. Dat had de advocaat hem op het hart gedrukt. De Nederlandse wet was daar minder duidelijk in en hij kon er zijn voordeel mee doen dat ze in Amerika was. Nu moest hij haar zien te vinden, haar de echtscheidingspapieren persoonlijk overhandigen en ervoor zorgen dat Heather ze tekende.

Hij liep met de stroom mensen naar de uitgang en zocht het kantoor van KLM Delta Airlines. De advocaat had hem beloofd de stukken naar dit kantoor te mailen. Bij de balie van de KLM kiosk stond een rij vermoeide reizigers die een ticket moesten omboeken. Hij keek op zijn horloge, het was al later dan hij gedacht had. Hij stapte uit de rij en liep naar het kantoortje. Daar, naast het kopieerapparaat lag een bruine A4 envelop. Keurig zoals afgesproken. Hij liep om het kantoortje heen naar de achterkant. De deur van de personeelsingang stond op een kier. Voorzichtig duwde Chris hem verder open. Een medewerkster draaide zich om. Chris gebaarde naar de envelop. Niet al te vriendelijk stond ze op en overhandigde hem de envelop nadat ze zijn paspoort gecontroleerd had.

Hij liep snel naar de uitgang van het vliegveld waar hij een taxi aanhield. Hij gaf het adres op van het huis van zijn schoonouders. In de taxi maakte hij de envelop open en las de documenten.

Chris raakte steeds meer onder de indruk van de advocaat van Herbert van Slochteren, de documenten waren in het Engels en lieten geen onduidelijkheid bestaan over de eisen van de bedrogen echtgenoot.

Ondanks dat het laat was, waren de wegen goed verlicht door de volle maan. Nu pas merkte hij dat het in Houston veel warmer was dan in New York. Hij trok het dikke jack uit en staarde naar buiten. Chris herkende de Katy Freeway, de drukste ringweg van Houston met de misleidende meisjesnaam. In een ver verleden had hij hier een auto gehuurd.

De grootste stad van Texas met miljoenen inwoners had een eenvoudig wegennet in de vorm van een wagenwiel. Wanneer je eenmaal dat wagenwiel in je hoofd had zitten, kon je niet fout rijden. De taxi reed richting het noordwesten.

Daar, aan de bovenzijde van de wijk Cinco Ranch, dat vroeger een buitengebied was geweest vol boerderijen, stond de witte bungalow met de roze luiken. Het was nu het meest groene gedeelte van de stad, vol parken en golfbanen. Larry Carmichael had in de tijd dat hij nog veel geld verdiende, de woning gekocht vlakbij de Pine Forrest Country Club.

Mary Lou Ann had in dit deftige deel van Houston haar verleden als 'Juicy Lucy' achter zich kunnen laten en een nieuwe identiteit aannemen. Maar Mary Lou Ann veranderde niet, en Larry ook niet. Gekleed in te opzichtige kleding wilden ze maar niet thuishoren tussen de welgestelden van Houston.

De taxi stopte voor de witte bungalow. In het donker kon Chris zien dat het huis verwaarloosd was. Alleen in de woonkamer brandden een paar van Mary Lou Ann's roze lampenkapjes. Ze waren in ieder geval thuis.

Chris betaalde en rekte zich uit, het was een lange dag geweest. Hij keek op zijn horloge, iets over elven.

Hij liep naar de voordeur. Van dichtbij zag hij het verval nu nog beter. Het beetje gras in de voortuin was verdord, het onkruid groeide door de betonnen oprit, die overal gaten en scheuren vertoonde.

Hij belde aan. Een poosje hoorde hij niets. Toen klonk er gestommel. Achter de hordeur ging een raampje in de deur open. Het eerste wat hij zag was de loop van een geweer, met daarachter het bange gezicht van Mary Lou Ann.

Ze was oud geworden. Het blonde haar dat ze altijd in een typische Texaanse *big hairdo*, een getoupeerde hooiberg op haar hoofd had gedragen, was dood geverfd en hing futloos rond haar gezicht.

'*Who is it?*'

Haar stem klonk onzeker.

'Ik ben het. Chris, je schoonzoon,' voegde hij er onnodig aan toe.

Het luikje ging dicht en even later zwaaide de deur open. May Lou hield het geweer nog steeds in haar linkerhand, maar de glimlach op haar gezicht toonde aan dat ze hem herkende.

'*Oh honey! How nice to see you!*'

Hartelijk als ze altijd geweest was, gooide ze haar armen om hem heen, het wapen nog steeds in haar hand.

'Oh sorry!'

Ze trok hem naar binnen en zette het geweer achter de deur.

'Ja, ik moet voorzichtig zijn. Larry is al maanden op pad. En zo gauw men weet dat hier een vrouw alleen woont, moet je maatregelen nemen.'

Het bleef Chris verbazen hoe normaal het in Texas was een wapen in huis te hebben. Tijd en welvaart leken weinig invloed gehad te hebben op het land van cowboys en indianen.

'Kom binnen, kom binnen.'

Zijn schoonmoeder trok hem mee naar de woonkamer. Mary Lou Ann leek verheugd eindelijk gezelschap te hebben. Chris realiseerde zich voor het eerst dat het voor haar ook niet makkelijk moest zijn, hier in deze deftige wijk van Houston. Een ex-danseres, die het ogenschijnlijk nooit gelukt was de identiteit van een keurige, welgestelde burgervrouw aan te nemen. Glimlachend keek hij naar haar slippers met roze veren pompoentjes, een glimmende rok die haar steeds wijder wordende heupen strak omspande, met daarboven een blouse die meer liet zien van haar ouder wordende decolleté dan netjes was. Energiek liep ze naar de keuken om een ketel water voor thee op te zetten.

'Waar is mijn dochter, is die meegekomen?' riep ze vanuit de open keuken.

Dat beantwoordde Chris' eerste vraag, ze wist duidelijk niet waar Heather was. Dat maakte het vragen stellen voor hem echter ook moeilijker.

Hoe moest hij Mary Lou Ann vertellen dat haar enige dochter er vandoor was met al het geld dat ze bezaten? Om nog maar niet te spreken van het huis. Wat had ze daarmee gedaan? Het was onmogelijk dat ze dat in haar eentje verkocht kon hebben. Voor zover zijn advocaat wist, moesten ze beiden tekenen voor de verkoop. Tenzij ze een koper had weten te vinden en een voorschot geëist had in afwachting van de definitieve akte. Chris had geen idee wat ze de makelaar op zijn mouw had gespeld.

Opeens kreeg hij het warm. Misschien had ze zijn handtekening vervalst. Heather was handig, het was niet de eerste keer dat zij voor hen beiden beslist had. In het verleden had hem dat niet kunnen schelen, zijn vertrouwen in haar was altijd rotsvast geweest.

'Nee, Mary Lou Ann. Daarom ben ik eigenlijk hier. Ik moet je wat vertellen.'

De vriendelijke glimlach verdween van het gezicht van zijn schoonmoeder. Met een pot thee en twee kopjes kwam ze terug naar de woonkamer.

'Zit mijn dochter in de problemen?'

'Waarom vraag je dat?'

Ze beet op haar lip, haar gezicht leek opeens heel oud, diepe groeven verschenen aan weerszijden van haar mond.

'Oh Chris, het is zoveel jaren goed gegaan. Ik had nooit verwacht …'

Opeens barstte ze in huilen uit. Chris sloeg zijn arm om haar heen en wachtte tot ze weer bedaarde. De hele situatie was hem een groot raadsel. Met een door mascara besmeurd gezicht keek Mary Lou Ann haar schoonzoon aan.

'"Je wilt gewoon nergens voor deugen." Dat zeiden mijn vader en moeder toen ze me op mijn zestiende het huis uitgooiden. Ik was dwars, wilde andere dingen dan mijn godvrezende ouders. Maar toen ik met Larry trouwde en Heather kreeg, dacht ik dat het allemaal zou veranderen. We waren zo gelukkig die eerste jaren. Maar ik kon mijn straf niet ontlopen, want mijn dochter had mijn genen geërfd. Toen Heather zestien werd, was ze niet meer te hanteren!'

Ze veegde haar neus af aan een minuscuul zakdoekje dat ze in haar mouw verstopt had. Snikkend haalde ze adem, toen ging ze verder.

'Heather haatte arm zijn, ze haatte de blikken van de dames van de country club, ze haatte haar leven hier. Zo gauw ze haar opleiding had afgerond, is ze in de city van Houston gaan werken bij een bekende plastische chirurg. Daar heeft ze haar vak geleerd. Maar niet alleen dat …'

Weer barstte ze in een onstuimige huilbui uit. Chris gaf haar een kopje thee aan.

'Niet alleen leerde ze het vak van haar baas. Hij had nog een andere kant. Hij was een man met een seksverslaving waar Heather maar al te graag gehoor aan gaf. Voordat ze het wist, had ze zich in een luxe appartement in Houston geïnstalleerd als speeltje van de chirurg. Niets was haar te dol.'

Ze zuchtte hoorbaar.

'Ik heb dingen gedaan waar ik niet trots op ben toen ik werkte als 'Juicy Lucy', maar Heather genoot ervan. Ze kon er geen genoeg van krijgen.'

Klaarblijkelijk kon de chirurg niet zonder zijn zeer gewaardeerde assistente en partner in bed. Zelfs op zijn reizen naar het buitenland vergezelde Heather haar baas en minnaar.

Tot ze in Amsterdam waren om een conferentie over plastische chirurgie bij te wonen. Zijn vrouw, die al jarenlang een vermoeden had dat haar echtgenoot een hobby had die het daglicht niet kon verdragen, was haar man achterna gereisd en had de twee betrapt in het Hotel de l'Europe in hartje Amsterdam. De chirurg beloofde beterschap, want hij kon zich in het hypocriete Amerika geen slechte naam veroorloven, en kocht Heather met een grote som geld af. Dat was het moment geweest dat Chris haar had leren kennen.

Toen Chris en Heather trouwden waren Mary Lou Ann en Larry dolblij geweest dat hun dochter eindelijk een net leven ging leiden, ver weg in Europa. Maar het duurde niet lang of Larry kwam er bij toeval achter dat de chirurg niet bereid was geweest zijn speeltje zomaar op te geven. De man vloog op gezette tijden naar Nederland om daar met zijn voormalige assistente een weekend vol seks te beleven.

Al die jaren hadden zijn schoonouders hem niet de waarheid durven vertellen uit angst dat Chris Heather aan de kant zou zetten.

In het bijzijn van zijn schoonmoeder drong de werkelijkheid opeens keihard tot hem door. Niets was wat hij gedacht had. Zijn huwelijk niet, zijn vrouw niet en ook zijn kind niet. Alsof hij al die jaren zijn liefde aan twee mensen gegeven had die niet echt bestonden, die opeens lucht bleken te zijn.

Chris wist niet of hij op dat moment boos op zijn schoonmoeder moest worden of medelijden met haar hebben. De volgende vraag moest hij haar toch stellen.

'En Steven?'

'Wat is er met Steven?'

'Heather wil scheiden. Voordat ze verdween, heeft ze me verteld dat Steven niet van mij is. Wie is de vader?'

Mary Lou Ann sloeg haar hand voor haar mond.

'Nee, dat zou toch niet ...'

'Die chirurg zijn? Ik weet het niet meer, ik weet niet meer wat ik geloven moet.'

'Maar die jongen houdt van je, Chris. Jij bent zijn echte vader.'

Mary Lou Ann legde een hand op zijn arm.

'Het kan haast niet anders dan dat hij jouw zoon is. Anders had Heather hem wel meegenomen naar haar minnaar.'

Dat had zijn advocaat ook gezegd. Hij had hem aangeraden zodra hij in Nederland was, een DNA-test te doen. Voor de Nederlandse wet zou hij sterker staan wanneer de jongen zijn zoon was en Heather als weggelopen moeder kon worden aangemerkt.

'Mary Lou Ann, weet je waar die chirurg woont?'

Een frons verscheen op haar gezicht.

'Nee, maar ik weet wel iets beters. Het appartement waar Heather woonde toen ze nog voor hem werkte. Hopelijk heeft hij het nooit weggedaan en ontvangt hij hier nog steeds zijn speelpartners.'

Beschaamd keek ze hem aan, waarschijnlijk wisten zij en Larry nog veel meer. Toen Chris haar indringend aankeek, kon ze zich niet meer inhouden.

'Ja, Chris, daar ontvangt hij zijn speelpartners. Mijn dochter heeft er klaarblijkelijk geen moeite mee seks te hebben met meerdere mensen om haar minnaar te behagen. Dat heeft ze mijn Larry verteld. De laatste keer dat hij haar sprak, wilde hij haar waarschuwen dat ze waarschijnlijk niet de enige was voor de chirurg. Ze heeft hem toen keihard in zijn gezicht uitgelachen. "Wat denk je wel niet," had ze geroepen. "Ik ben de dochter van Juicy Lucy, ik heb met meer partners geëxperimenteerd dan jullie ooit in je armzalige leven gedaan hebben."'

Zachtjes begon zijn schoonmoeder weer te huilen.

'De schok, Chris! Wij hebben veel fout gedaan, Larry en ik. Maar we waren trots dat onze dochter zo goed terecht was gekomen, een succesvolle zakenvrouw, een leuk gezin ...'

Ze droogde haar tranen en liep naar de keuken, daar rommelde ze in een keukenla. Even later verscheen ze met een verschoten boekje in haar handen.

'Hier is het, West Oak Park Road 252 – bis 20, dat ligt in het centrum.'

Chris toetste het adres snel in zijn mobiele telefoon. Op zijn navigator app kon hij zien waar het lag. Hij stond op, hij moest een taxi bellen.

'Ga je al weg? Het is laat, je kunt blijven slapen en morgen bij daglicht gaan kijken.'

'Nee, Mary Lou Ann, ik heb al veel te lang gewacht.'

Bovendien had hij meer kans ze 's nachts in het appartement aan te treffen.

Van de ooit glorieuze danseres was niets meer over, zijn schoonmoeder zat als een verpieterd vogeltje op de bank. Opeens realiseerde Chris zich dat het voor haar ook niet makkelijk moest zijn. Zijn stem verzachtte.

'Het zou fijn zijn als ik hier vannacht kon slapen.'

Verheugd met het vooruitzicht iemand om zich heen te hebben waar ze voor kon zorgen, veerde ze op.

'*Of course, honey*! Hier, neem de sleutels van mijn auto, de huissleutel hangt er ook aan. Maak je niet ongerust, ik ga gewoon naar bed en zie wel wanneer je terug bent.'

Hoe kon een mens met zoveel goedheid in zich, zo'n dochter voortbrengen. Dankbaar maakte Chris gebruik van haar aanbod. Hij haalde zijn kleding uit de sporttas, alleen de kleine camera nam hij mee.

In de garage stond de oude Chevrolet van Mary Lou Ann, natuurlijk was deze roze. Niet een wagen waarmee hij onopvallend het appartement kon benaderen. Heather zou de auto van haar moeder onmiddellijk herkennen. Voordat hij het wist, zat hij weer op de Katy Freeway richting het centrum. De tolvrije snelweg was nog steeds druk, ondanks het late avonduur. In de stad parkeerde hij de opzichtige auto op de West Oak Park Road, een aantal blokken van het adres vandaan.

Het was een rustige straat met weinig verkeer en grote afrasteringen waarachter zich huizenblokken bevonden. Hij liep naar nummer 252. Tot zijn grote ontsteltenis stond hij voor een *gated community*, een omheind appartementencomplex met een eigen poort en portier. Hij had een goed verhaal nodig om binnen te komen bij appartement bis 20. Hij zocht in zijn zakken. In de binnenzak van zijn jas had hij de envelop met de aanvraag tot scheiding die hij van de advocaat Heather persoonlijk moest overhandigen. De man had gezegd dat hij haar moest laten tekenen. Daarna moest hij de papieren bij de plaatselijke rechtbank laten registreren.

De sporttas met de camera hing aan zijn schouder. Koortsachtig dacht hij na hoe hij dit ging oplossen. De portier was vast gewend dat op nummer bis 20 tot laat in de nacht gasten kwamen. Hobbygenoten van de chirurg, mannen, vrouwen, hij had geen idee hoe ver de perversiteiten van die twee gingen.

Natuurlijk had hij zich nooit afgevraagd waar Heather was wanneer ze weer eens een avond moest overwerken, of een paar dagen weg was om een cursus te volgen. Altijd had hij aangenomen dat het voor haar werk was, dat belangrijke werk waar ze zo riant van leefden. Wat een farce was het allemaal geweest!

Zijn woede gaf hem opeens moed en inspiratie. Uit zijn achterzak viste hij zijn internationale vergunning als cameraman. Het was niet de eerste keer dat hij met dit document gesloten deuren open had gekregen. Vastberaden liep hij naar de zwarte portier die in een klein hokje een blad zat te lezen.

'*Howdi,* ik ben besteld voor appartement bis 20.'

'Op welke naam?' vroeg de portier ongeïnteresseerd zonder zijn blik van het tijdschrift te halen.

'*I don't know, man.* Ik kom hier om een opname te maken,' zei Chris zo onverschillig mogelijk.

Hij liet zijn internationale vergunning zien. De portier keek onderzoekend naar het document.

'Laat mij nou maar binnen, ik snap niet wat sommige lui zo laat nog willen. Ik wil aan het einde van de dag gewoon lekker naar huis en met mijn voeten op tafel, een bier in mijn hand, alleen nog maar naar sport op tv kijken.'

De tanden van de zwarte man lichtten wit op in het donker toen hij naar Chris lachte.

'Ja, vertel mij wat.'

Hij opende de poort voor voetgangers en liet Chris binnen.

'Rechtdoor, achterste gebouw, bovenste verdieping.'

Hij knikte vriendelijk en keerde weer terug naar zijn tijdschrift.

De tuin van het complex was goed verlicht. Chris liep langs keurig bijgehouden groene perken. Aan de linkerkant, achter een recht geknipte haag lag een klein rechthoekig zwembad met daaromheen een aantal ligstoelen. Op bordjes, laag bij de grond, stonden de huisnummers van de blokken in sierlijke letters aangegeven. Het geheel straalde rust en elegantie uit.

Het appartement lag op de bovenste verdieping. Een penthouse, hoe toepasselijk. Chris nam de lift die opende in de entree van de woning. Zijn handen waren klam van het zweet. Het was nu of nooit. Uit de sporttas haalde hij zijn kleine camera tevoorschijn en de scheidingsaanvraag. Hij drukte op de bel en ging naast de deur staan, weg van het kijkgaatje. Binnen klonk muziek en gelach, zo te horen was er een feestje. Hij zou een van de verlate gasten kunnen zijn.

Iemand schoof de grendel van de deur. Hij hoorde een stem roepen, maar de woorden kon hij niet goed verstaan. Het was een opgewonden stem, iemand die nog meer gasten verwachtte. Zijn hart klopte in zijn keel, zijn mond was droog. Opeens vloog de deur open. Hij zich richtte de camera op het interieur van het penthouse.

'Hallo Heather,' zei Chris terwijl de camera draaide.

Trouble in Paradise

'Chris, Chris!' Een schelle vrouwenstem riep zijn naam, gevolgd door een roffel op de deur. Verdwaasd keek hij om zich heen. Hij lag begraven tussen de roze knuffels en kussentjes.

De zon scheen volop de kamer binnen. Met zijn ogen half dichtgeknepen tegen het felle zonlicht, bestudeerde hij zijn omgeving. Petieterige geborduurde schilderijtjes prijkten aan de wand. Een levensgrote poster van een ballerina in roze tutu bedekte de deur van de kledingkast.

Heathers oude kamer, ingericht door een moeder die veel van haar dochter gehouden moest hebben. Zijn sporttas en kleren lagen op de grond. Zijn keel voelde droog aan. Moeizaam probeerde hij zich te herinneren hoe hij de vorige avond zijn weg terug had gevonden naar de witte bungalow. Maar niets wilde hem te binnen schieten.

Opnieuw klonk zijn naam en het geklop op de deur. Snel trok hij de roze chenille sprei over zijn blote lijf. Het was in Houston ook 's nachts beduidend warmer dan in New York en hij was gisterenavond naakt op de sprei in slaap gevallen. Hij rook onder zijn oksels. Niet al te fris! Tijd om onder de douche te springen had hij niet, want zijn schoonmoeder kwam wankelend met een groot dienblad de slaapkamer binnen.

'*Good morning, honey!*'

Haar stem klonk opgewekt. Haar kapsel zat weer zoals hij dat van haar gewend was, hoog getoupeerd met kleine schuifspeldjes vol briljantjes. Ze droeg een strakke lange broek met een ruimvallende heldergele satijnen blouse over haar uitdijende vormen.

Haar gezicht had ze weer opgemaakt zoals ze dat in haar professionele tijd als danseres gewend was, felblauwe oogschaduw, de wimpers zwart aangezet en gekruld. De lippen met fluorescerende roze lippenstift bedekt.

Met een schuin oog keek Chris naar het blad dat ze op bed zette. Zo te zien was ze al een tijdje op.

Vers sinaasappelsap, pannenkoekjes, wafels, een fles stroop, geroosterd brood, schaaltjes met jam, een gekookt eitje en een grote mok koffie. Al haar onbeantwoorde moederliefde had ze in zijn ontbijt verwerkt. Ze ging op de rand van het bed zitten.

'Ik wilde je nog langer laten slapen, maar het is al elf uur!'

Elf uur! Chris schoot overeind. De chenille sprei gleed van hem af en hij zag dat Mary Lou Ann haar blik discreet afwendde.

Hij kon zich niet meer herinneren hoe laat hij uiteindelijk terug was gekomen bij de witte bungalow. Alles was zo snel gegaan.

Met zijn voet tussen de deur had hij zich bij Heather en haar minnaar naar binnen gedrongen. Ondanks dat hij geluk had gehad een orgie in volle gang aan te treffen, wilde hij alles het liefst zo snel mogelijk vergeten. De beelden leken echter op zijn netvlies gebrand. Mannen en vrouwen gekleed in latex kleding, met kettingen om de hals, zijn eigen vrouw op leren laarzen met stiletto hakken.

Bevuild had hij zich gevoeld, vernederd en gekleineerd bij het zien van de besmuikte en bijna triomfantelijke glimlach van de chirurg. Dit was dus die slome echtgenoot uit Holland. Dreigend met zijn camera had hij de echtscheidingspapieren voor Heathers neus gehouden.

'Tekenen, nu. Of ik hang je vriendje op aan de hoogste boom.'

Hij had niet eens de moeite genomen Engels te spreken.

Het had hem niet veel overtuigingskracht gekost om haar de papieren te laten ondertekenen. Toen hij nog geen half uur later buiten stond, was hij verdwaasd naar de auto gelopen. De zwarte portier had hem bij het verlaten van de *gated community* nauwelijks gegroet. Eenmaal in de oude Chevrolet had hij uren doelloos rondgereden. Bij een 24 uur winkel had hij een fles wodka gekocht. Die had hij al rijdend naar binnen gegoten.

Toen hij over Steven begonnen was, had Heather alleen maar haar schouders opgehaald. Hun zoon was duidelijk zijn probleem.

Hij keek naar het blad met het ontbijt. Hoe kon een liefdevolle moeder, die alleen maar het gebrek had weinig klasse en ambitie te bezitten, zo'n dochter voortbrengen?
Chris schraapte zijn keel en probeerde zo normaal mogelijk te klinken.
'Geweldig, Mary Lou Ann. Dat ziet er echt heerlijk uit.'
Hij nam een paar slokken van de koffie. Ongeduldig schoof ze heen en weer op het bed, nauwelijks in staat haar nieuwsgierigheid te bedwingen.
'Heb je Heather gevonden?' vroeg ze uiteindelijk.
'Ja.'
Het had geen zin haar ergste vermoedens te bevestigen, dat zou haar alleen maar meer pijn doen.
'En alles is prima in orde. We hebben een goed gesprek gehad. Ze lijkt heel gelukkig met haar nieuwe leven en haar chirurg.'
Wantrouwend keek zijn schoonmoeder hem aan.
'Echt? Dus alles is goed tussen jullie?'
'Ja, geen probleem. We zullen gewoon netjes scheiden en gaan dan ieder ons weegs.'
Even keek ze bedachtzaam, toen veerde ze op.
'Vroeg ze nog naar mij?'
Chris vroeg zich af hoeveel hij nog kon liegen tegen deze goedhartige vrouw.
'Het was wat druk, ze hadden gasten. Maar ik weet zeker dat ze je binnenkort komt opzoeken.'
Een glimlach van oor tot oor verscheen op haar gezicht.
'Ik wist dat het allemaal wel goed zou komen. *Okay honey*, ik laat je lekker ontbijten.'
Luidruchtig klepperde ze weg op haar slippertjes bezaaid met glimmende steentjes.
Chris sloot de deur achter haar en ging weer op het bed zitten. Het eerste wat hij vandaag moest doen van de advocaat was de papieren

registreren bij de rechtbank in Houston. Daar moest hij op een af-schrift wachten. Hij keek op zijn horloge. Als het een beetje meezat, kon hij die avond nog een vlucht terug naar New York nemen.

Aan het einde van de middag hield hij het document dat hij nodig had om de helft van de echtelijke bezittingen op te eisen, in zijn handen. De wetten bleken veranderd en hij had nog een paar extra stempels nodig gehad. Maar uiteindelijk was het hem gelukt. Tri-omfantelijk liep hij het Fedex-kantoor binnen om de stukken naar Nederland te laten sturen. De Chevrolet had hij handig dichtbij het kantoor geparkeerd. Dat was het voordeel van Houston, alles was per auto bereikbaar.

Binnen tien minuten was het pakketje verzegeld en op weg naar Ne-derland. Opgelucht haalde Chris adem. Zijn nu ex-schoonmoeder had hem de auto weer geleend en beloofd hem naar het vliegveld te brengen wanneer hij klaar was. Maar dan had hij wel een vlucht nodig. Hij viste zijn telefoon uit zijn zak om de vliegmaatschappij te bellen.

Toen hij zijn toestel pakte, zag hij dat hij een aantal gemiste oproe-pen had, waarvan vijf van Yolanda. Ze had geprobeerd hem te bellen. Stom. Hij had gisterenavond het geluid van zijn telefoon uitgezet, en vergeten het weer aan te zetten.

Yolanda! Waar zou ze hem over hebben willen bellen?

De avond op de Brooklyn Bridge, haar lippen op de zijne, de wind die met haar haren speelde, het waren slechts pijnlijke herinnerin-gen. Weer voelde hij haar zachte huid, haar kleine borsten tegen hem aan. Was ook dat allemaal onecht? Speelde ze een dubbelrol, net als Heather?

En waar wilde ze hem nu zo nodig over spreken? Hij had een briefje achtergelaten dat hij voor een noodgeval weg was. Boosheid groei-de als een gloeiende brij in zijn maag. Was hij haar eigenlijk wel ver-antwoording schuldig? Zij was niet zijn werkgever, maar de heren van Twilight. Nee, hij zou haar niet bellen. Hij had zijn les geleerd, hij zou zijn hart niet voor de tweede keer aan iemand verliezen die het niet waard was.

Terug in de Chevrolet belde hij de luchtvaartmaatschappij. Een vriendelijke stem vertelde hem dat de directe avondvlucht naar New York vol zat. De enige mogelijkheid was een nachtvlucht met een tussenlanding in Charlotte laat die avond. Er zat niets anders op dan die vlucht maar te nemen.

Precies tweeënhalf uur voor vertrek wandelde Chris naar de balie van de luchtvaartmaatschappij. Hij was vroeg, de eerste die incheckte voor de nachtvlucht, maar hij had Mary Lou Ann niet te laat terug naar huis willen laten rijden. Ook al wilde ze het niet toegeven, ze had eigenlijk een bril nodig. Ze hing half over het stuur van de grote auto om de weg goed te kunnen zien.

Zijn sporttas mocht zo mee het toestel in, dat scheelde hem wachttijd na de landing. Doelloos liep Chris rond. De meeste winkels op de luchthaven waren aan het sluiten. In een opwelling kocht hij een petje voor Steven met de naam van een bekend honkbalteam erop.

Langzaam liep hij naar zijn gate en nam plaats op de plastic stoeltjes. De wachtruimte was stil en leeg. Plotseling klonk de beltoon van zijn mobiele telefoon. Op het scherm zag hij Stevens naam. Zou zijn moeder hem gebeld hebben om haar versie te vertellen van het voorval in Houston?

'Met Chris,' zei hij kort.

Hopelijk ontging de jongen de schorheid van zijn stem.

'Ha Chris, met Steven.'

Het klonk vreemd timide. Meer de Steven die hij van vroeger kende, zonder de bravoure waarmee hij hem de laatste tijd had aangesproken. Chris' stem verzachtte.

'Ha jongen, hoe is het met je?'

'Goed pa …'

Zijn hart maakte een sprongetje. Pa. Zo had hij Chris lang niet meer genoemd. Opeens stroomde alle liefde die hij voor zijn zoon gevoeld had terug. Zijn zoon. Steven bleef zijn zoon! Daar kon Heather niets aan afdoen.

'Hoe is het met Freddy? Alles oké daar?'

'Ja, prima, maar eh …'

'Je iPad heb ik gekocht hoor! Een mooie met veel, hoe heten die dingen ook al weer?'

'Gigs, pa. Mooi, dank je wel … maar daar bel ik niet voor.'

'Oh, oké!'

'Ik krijg Heather niet te pakken, en toen jou ook niet, je telefoon stond uit.'

Nu herinnerde Chris zich dat hij de gemiste oproepen van zijn zoon gezien had. Maar in zijn opwinding over het verraad van Yolanda had hij ze totaal genegeerd. Hij schaamde zich over zijn harteloze gedrag. Steven had hier geen schuld aan. De jongen was het onschuldige slachtoffer van het gedrag van zijn ouders.

'Sorry, opnames je weet wel, dan gaat het toestel uit.'

Chris kneep zijn ogen toe, dit was laf, heel laf.

'Oh ja, da's waar.'

Het klonk niet overtuigd.

'Maar eh … de moeder van Freddy zei dat je gauw naar huis kwam.'

'Ja, nog een paar dagen en dan ben ik hier klaar.'

'Fijn, want het is toch niet helemaal oké zo zonder …'

Steven maakte zijn zin niet af. Had hij zonder jou willen zeggen? Of zonder jullie? Chris staarde de lege vertrekhal in. Hij schrok op toen hij zijn zoon opeens heftig hoorde praten.

'Ik bedoel, eerst ben jij zomaar weg. Dan gaat Heather met die makelaar het hele huis door en zet ons huis te koop. Ze verdwijnt opeens naar Houston. Pa … ik ben niet dom! Ik weet dat jullie problemen hebben. Waarom vertel je mij niets?'

Dat laatste raakte een gevoelige snaar. Chris kende Steven als geen ander, hij was geen jongen die zijn gevoelens makkelijk bloot gaf. Maar hij was altijd in staat geweest alles met hem te bespreken.

'Sorry, je hebt gelijk. Het ligt wat gevoelig tussen Heather en mij op het moment. Maar ik beloof je dat zo gauw ik terug ben in Nederland alles goed zal komen.'

Opeens kon hij zich zijn leven zonder zijn zoon niet meer voorstellen.

'Echt?'

'Ja, dat beloof ik je. Maak je niet ongerust, ga lekker dit weekend naar Ouddorp met je vrienden. Goed?'

'Oké!' klonk het opgelucht aan de andere kant.

Chris bezwoer zichzelf plechtig om terug in Nederland een oplossing te zoeken om de jongen bij zich te houden. Ook al zouden Heather en haar chirurg zijn beslissing aanvechten.

Hij hing op. Net wilde hij zijn toestel in zijn zak opbergen, toen de telefoon weer overging. Misschien had het vriendje van Steven nog een gadget bedacht die hij uit New York moest meenemen. Zonder te kijken nam hij op.

'Ja?'

'Chris, waar ben je?'

Het was Yolanda, haar stem klonk geagiteerd.

'In Houston.'

'In Houston?'

'Ja.'

Hij was niet van plan daar wat aan toe te voegen.

'Waarom heb je niets gezegd?'

'Ik heb een briefje achtergelaten.'

'Een briefje?'

'Ja, op de keukentafel.'

'Dat heb ik niet gevonden.'

'Daar kan ik niets aan doen.'

Er viel een pijnlijke stilte.

'Chris, hoe kon je … waarom heb je dit gedaan?'

De ijzige kalmte waarmee ze deze woorden sprak verraadde haar woede. Even was Chris in verwarring. Bedoelde ze zijn reis naar Houston? Wat wist ze eigenlijk, wist ze iets van het gesprek met de advocaat? Nee, hij had haar niets verteld. Dan moest het wat anders zijn. Opeens knapte er iets in hem, de opwinding van de afgelopen dagen, de beelden van zijn vrouw gekleed in lange latex laarzen en het niets verhullende pakje. De meesmuilende plastische chirurg die hem aan had gekeken met een minachting die Chris niet voor mogelijk had gehouden. Zelfs toen hij de man bedreigd had de filmopname van de orgie te publiceren, was hij kalm gebleven.

Nu pas drong de hele situatie tot hem door, nu hij de stem van Yolanda hoorde. De vrouw aan wie hij zich meer was gaan hechten dan goed voor hem was. Terwijl zij nog steeds onder één hoedje speelde met haar ex-echtgenoot. Eén keer bedrogen worden was domme pech, maar een tweede keer was stom.

'Wat gedaan?' vroeg hij nu ook boos.

'De trailer, de opnames!'

'Wat bedoel je?'

'Waarom heb je de laptop meegenomen?'

'Ik heb niets meegenomen.'

'Hij is niet hier, Chris. Iemand heeft hem meegenomen!'

In zijn opwinding was Chris gaan staan, hij ijsbeerde heen en weer door de hal.

'Waarom denk je dat ik de laptop mee zou hebben genomen?'

'Omdat Yazel, Eleftheria en ik hem niet hebben.'

'En daarom moet ik het zijn!'

'Ja, wie anders is er plotseling vertrokken?'

'Oh, dan weet ik ook nog wel wat te verzinnen. Wat deed jij in de restauratie van Central Station met Richard Edelman?'

'Wat?'

'Ja, jij Yolanda. Ontken maar niet dat je nog steeds onder de indruk bent van die ex van je. Dat hele verhaal over die overname van Twilight. Pah, het is mij allang duidelijk dat jullie hier samen aan werken. En wij goedgelovige idioten maar sloven.'

'Dit is … dit is …'

Ze stotterde, maar kwam niet verder.

'En dat ongeluk van Berend. Dat kwam jullie ook wel heel goed uit. Wie zegt dat het niet opgezet was?'

'… Wat ben jij een rotzak.'

Toen was het stil. Ze had opgehangen. Chris keek naar zijn mobiel. Hij voelde zich leeg, leeg en eindeloos moe.

Om kwart voor zeven 's ochtends landde zijn toestel eindelijk op JFK Airport. Tijdens de tussenstop op Charlotte Airport was er een vertraging opgetreden die langer geduurd had dan voorzien.

Ondanks zijn vermoeidheid had Chris geen oog dicht gedaan. Wie had de opnames gestolen? Hij was het niet. Maar hij kon zich ook niet voorstellen dat Eleftheria de laptop was kwijtgeraakt. Ze had als een broedse hen bovenop haar montagewerk gezeten. Wie kon er het appartement zijn binnengeslopen om de opnames te stelen? Een onvermijdelijke gedachte liet hem niet los. Stel dat Yolanda de laptop had meegenomen en aan Richard Edelman had gegeven? Hij zou een dezer dagen terugvliegen naar Nederland. Dat gaf hem een voorsprong. Maar de opnames waren het intellectuele eigendom van Twilight Thoughts. Edelman kon ze niet zomaar gebruiken, hij moest eerst toestemming hebben van de eigenaren. Stel dat hij uit naam van Yolanda naar de oudjes was gegaan om te onderhandelen?

Het was eigenlijk heel simpel. Ze had zijn briefje weggegooid en daarna de verdwijning van de opnames in verband gebracht met zijn plotselinge vertrek. Dat was een heel aannemelijk verhaal.

Maar het klopte niet met wat hij in haar stem had gehoord. Verbazing, echte boosheid en ongeloof. Zo goed kende hij haar wel.

Uit de bakken boven zijn stoel pakte Chris zijn spullen bij elkaar en liep naar de uitgang van het vliegtuig. Deze keer wist hij de weg, met de metro zou hij binnen het uur in Morningside bij het appartement zijn, dan zou hij antwoorden op zijn vragen krijgen. Half rennend zocht hij de uitgang. Opeens bleef hij stokstijf staan. Hij draaide zich om en liep een paar passen terug.

Aan een tafeltje bij een koffiebar zag hij twee bekende gezichten. Eén gezicht donker en intens en één gezicht met de bekende brede grijns. Op het tafeltje voor hen lag open en bloot de laptop van Twilight Thoughts, die hij herkende aan de sticker met het logo van hun bedrijf.

De wereld om hem heen voltrok zich opeens in slow motion, alleen zijn hersenen leken op topsnelheid te werken. Alles werd hem in een flits duidelijk. Dat hij zo blind had kunnen zijn. Razendsnel schoten de beelden door zijn hoofd. De rugzak met het verfrommelde briefje met een aantal notities. Hetzelfde telefoonnummer dat ook op het briefje stond dat hij aan Berend had ontfutseld. De andere cijfers waren hem opeens ook duidelijk. Het waren geen nummers geweest, maar bedragen die geleend waren.

Vanzelfsprekend hadden ze nooit verwacht dat Chris hier op dit moment zou zijn. Hij keek om zich heen. De luchthaven was op het vroege tijdstip langzaam voller aan het worden. Langs het koffiebarretje slenterden de passagiers op weg naar hun gate. Onopvallend mengde hij zich tussen een luidruchtige familie die op weg was naar de Starbucks balie. Hij viste de pet die hij op Houston Airport voor Steven gekocht had uit zijn sporttas en trok deze diep over zijn ogen. Bij de balie zag hij twee dikke politieagenten koffie en een donut bestellen. Chris liep door naar de balie waar de bestellingen werden uitgeserveerd. Hij pakte er een klaarstaand dienblad af. Dat zou binnen vijf minuten verwarring scheppen. Snel liep hij met het blad naar het tafeltje van de twee.

'Goedemorgen, heren!'

Verschrikt keken Yazel en Richard Edelman naar hem op.

'Ik geloof dat jullie hier iets op tafel hebben liggen dat wij kwijt zijn?'

Chris zette het blad op een vrijstaande tafel achter zich en pakte de laptop. Edelman was na een paar seconden van zijn verbazing bekomen en greep de pols van Chris.

'Dat lijkt mij niet. Ik heb er eerlijk voor betaald.'

'Oh ja, aan wie? Aan Yazel of de heren van Twilight?'

'Dat gaat jou niets aan, cameraman.'

Chris moest toegeven dat Richard Edelman een formidabele man was die zich niet gauw uit het veld liet slaan. Yazel durfde hem niet aan te kijken, hij stond op om te vluchten.

'Hier blijven jij!' beet Chris hem toe.

'Luister Edelman, zolang jij geen betalingsbewijs kunt overleggen, neem ik deze laptop mee.'

Edelman stond nu ook op, maar op dat moment hoorde Chris de verwachte reactie achter hem aan de balie. De twee politieagenten keken hun richting uit.

'Ik heb versterking meegenomen,' zei Chris, terwijl hij met zijn hoofd naar de twee agenten wees. Edelman verblikte of verbloosde niet, maar Yazel maakte weer aanstalten om de benen te nemen.

'Hier blijven, Yazel. De gevangenissen in Amerika zijn niet zo gezellig als die in Nederland. Maar ik weet zeker dat die oranje overall je goed zal staan en ik heb gezien hoe populair jij bij de mannen kan zijn!'

Hij zag de Cubaan van kleur verschieten. Met zijn hand nog steeds om zijn pols, stond Edelman op om te protesteren.

De aanblik van de naderende agenten was teveel voor Yazel. Jammerend hief hij zijn handen op naar Chris.

'*Lo siento* Chris, het spijt me echt. Maar Edelman bood zoveel geld, en mijn familie ...'

Tranen liepen over zijn gezicht.

'Ik zal alles doen wat je vraagt. Ik kan *testigo* ... getuige zijn tegen Edelman. Alles, alles wat je maar zegt.'

De mogelijke gevangenschap in Amerika maakte meer indruk op de Cubaan dan de dodelijke blikken van Edelman. Langzaam kwamen de agenten hun kant op. Chris had de bevestiging die hij nodig had. Edelman kon geen kant op. Plotseling liet hij zijn pols los. Vlak achter de agenten zag Chris nu ook de assistente van Edelman aan komen lopen. Het hertje met de lange benen had inkopen gedaan. Nietsvermoedend en met een blij gezicht vanwege al het moois dat ze gekocht had, liep ze in de richting van het tafeltje. De eeuwige glimlach was van het gezicht van Edelman verdwenen. Zijn ogen vernauwden zich tot spleetjes.

'Met jou ben ik nog niet klaar, cameramannetje. Ik zal ervoor zorgen dat jij nergens in Nederland meer aan de bak komt. Niemand durft mij te dwarsbomen en zeker niet zo iemand als jij.'

Razendsnel herstelde hij zich en met open armen liep hij naar zijn vriendin die hij enthousiast omhelsde alsof er niets was voorgevallen. Snel pakte Chris het dienblad van het lege tafeltje en liep naar de politieagenten. Buiten gehoorsafstand van Yazel maakte hij omstandig zijn excuses voor het meenemen van het verkeerde blad. Voor omstanders leek het of hij de twee agenten koffie aanbood, want even later liepen ze met het blad terug naar de balie.

Bibberend had de producent de politieagenten gadegeslagen. Toen Chris terugkwam, begon hij weer te jammeren.

'*Te súplico* Chris, ik smeek je … laat me alsjeblieft alles goed maken. Ik weet het … ik verdien het niet, maar mijn familie in Cuba is zo arm en ik had het geld echt nodig.'

'Onzin Yazel, je bent verslaafd aan luxe goederen. Het heeft niets met je arme familie te maken. Arm zijn is geen eten hebben. Maar dure parfums en crèmes, tassen, kleding? Je familie drijft een handeltje met die spullen in Cuba.'

Yazel liet zijn hoofd hangen.

'*Sí correcto*, maar daar leven ze van. Ze verkopen de spullen door om van te leven. Begrijp nou hoe moeilijk het is. Jullie weten niet wat het betekend om *pobre* … om arm te zijn.'

'Nee, misschien niet. Maar zijn hun omstandigheden zo erg dat je hiervoor je collega's en vrienden verraadt?'

'*Sí* …'

Maar na enige aarzeling volgde een berouwvol '*No*'.

'Dat dacht ik al. Niets is het waard om het vertrouwen van mensen om je heen te beschamen, Yazel! Neem dat van mij aan. Een mens zonder eergevoel is een … een onmens.'

De adrenaline die hij door alle opwinding had gekregen, zakte langzaam weg en hij begon de vermoeidheid van de lange nacht te voelen.

'Moeten Yolanda en Eleftheria dit weten?' vroeg de Cubaan schuldbewust, nu de volle omvang van hetgeen hij veroorzaakt had tot hem doordrong.

Chris keek hem lang aan, toen nam hij een beslissing.

'Yazel, jij gaat mee terug naar het appartement om alles uit te leggen. We maken dit project af, goedschiks of kwaadschiks en anders geef ik je alsnog aan.'

Hij stak de laptop in zijn sporttas en vijf minuten later zat hij met een aangeslagen Yazel in de metro op weg terug naar Morningside.

Sjalom Aleichem

Jewish psalm suggested when flying in an airplane
I lift up my eyes to the hills.
What is the source of my help?
My help comes from the Lord,
Maker of the heavens and the earth.
(.....................)
God will guard you, body and soul.
The Lord will guard your going out
and your coming home, now and forever.

A Song of Ascent – Psalm 121

In de metro had Chris Yazel aan een nader verhoor onderworpen. Op de vraag waarom hij het telefoonnummer van Edelman op dat briefje in zijn rugzak had bewaard, verklaarde die dat hij het nummer niet in zijn mobiele telefoon op had willen slaan uit angst dat een van zijn collega's het herkend zou hebben.

De cijfers op het briefje waren inderdaad de bedragen die Edelman hem geleend had, in ruil voor informatie over de voortgang van de documentaire. In het begin had Edelman geld betaald voor een onschuldige informatie-uitwisseling. Maar dat was langzaam veranderd.

Nu zijn geheim geopenbaard was, kon Yazel niet meer ophouden met praten. De problemen met het slechte opnamematerieel waren niet zijn schuld. Er was simpelweg niet meer budget geweest voor goede spullen. Op de vraag van Chris of hij achter de overval op Berend gezeten had, waren de tranen in zijn ogen gesprongen. Yazel had hem gezworen dat dit een ongelukkig toeval was geweest.

'Je moet me geloven, Chris. Ik zou Berend nooit *daño* … nooit kwaad willen doen.'

Pas toen Edelman in New York was verschenen, had Yazel de ernst van de situatie onder ogen moeten zien. Edelman had hem benaderd met de opdracht de laptop met de opnames te stelen. Hij had niet geweten wat hij moest doen. Maar toen hij het briefje van Chris op de keukentafel gevonden had, was het plan ontstaan. Hij had het briefje weggehaald en handig gebruikgemaakt van de plotselinge afwezigheid van Chris om hem van de verdwijning van de laptop te beschuldigen.

'Hoe had je dan gedacht dat dit alles zou aflopen?'

Yazel keek beteuterd.

'Edelman had mij een *empleo*, een baan aangeboden in zijn bedrijf. Eleftheria mocht ook mee. Alleen Berend en Yolanda wilde hij niet hebben.'

Daarom had Yazel die avond in de keuken heftig ontkennend gereageerd op de suggestie dat Edelman van plan was iedereen van Twilight te ontslaan.

'Wist Eleftheria hier van?'

'Nee, dat zouden we haar bij de overname vertellen.'

Opgelucht haalde Chris adem. Gelukkig had hij zich niet in de stoere montagevrouw vergist. Om Yazel in te laten zien hoe stom hij was geweest, vertelde Chris hem van het gesprekje tussen Edelman en Berend. Dat hij dus niet de enige was die door de producent benaderd was.

'*El cabrón!*' riep Yazel hartgrondig uit. 'Wat een schoft.'

Edelman was zo slim geweest nog een tweede mogelijkheid te zoeken, mocht Yazel op het laatste moment toch niet durven.

Chris schraapte zijn keel. Hij had geen idee of Yazel iets wist van wat er die avond op de Brooklyn Bridge was voorgevallen tussen hem en Yolanda. Had hij gebruikgemaakt van de ontluikende liefde tussen de regisseuse en de cameraman om hem verdacht te maken? De schaamte over hoe makkelijk hijzelf bereid was geweest om Yolanda te verdenken van alles wat er gebeurd was, was plotseling onhoudbaar. Hij moest de gok wagen.

'Wist jij dat Yolanda drie dagen geleden een afspraak had met Edelman?'

De Cubaan keek hem oprecht verbaasd aan.

'Nee, daar weet ik niets van.'

Hij dacht even na.

'Ik weet wel dat ze die middag dat jij naar Berend was twee uur is weggeweest om wat persoonlijks te regelen. Toen ze terugkwam was ze *de mal humor* ... in een slechte bui.'

Klaarblijkelijk was ze niet gelukkig geweest met het gesprek, en aangezien Yazel degene was die de laptop had weggenomen, kon zij niet met Edelman hebben samengespannen.

'Wat heeft Edelman je precies verteld over wat hij met Twilight wilde gaan doen?' vroeg Chris op zoek naar antwoorden op vragen die hem bleven plagen.

'*Pues* ... dat weet ik niet precies. Dat was nog geheim, maar het ging iets groots worden! Hij had het over zoiets als ... een beursgang.'

Hij sprak het woord triomfantelijk uit alsof hij een troefkaart uit zijn mouw trok.

Een beursgang? Twilight Thoughts was dus een troef in het hele kaartenspel dat Edelman al die tijd voorzichtig aan het opbouwen was geweest. Of eerder gezegd een luchtbel die na de beursgang uiteen zou spatten. Alleen zou Edelman dan met het geld verdwenen zijn.

'Yazel, ik heb je nodig om straks alles aan Yolanda uit te leggen.' Opeens kon Chris zich voorstellen waarom zoveel mensen in de wereld gelovig waren. Om slechts twee menselijke tekortkomingen. Twee behoeften waar mensen niet buiten konden.

De noodzaak om pijn, verdriet, ellende, liefde en succes met anderen te delen. En de behoefte je misstappen vergeven te krijgen. Daarvoor waren mensen bereid ergens bij te horen.

Alle opnames die ze tot nu toe gemaakt hadden, lieten dit zien. Mensen die ervoor kozen verbonden te zijn.

Hij haalde diep adem. Ja, dat was wat hij wilde, vergeven worden en haar liefde krijgen.

Hij wist dat wanneer Yolanda hem zijn onterechte wantrouwen ten opzichte van haar zou vergeven, hij ook in staat zou zijn om Heather te vergeven.

Het was tegen negenen toen ze uiteindelijk het appartement binnenliepen. Het was er stil. In de keuken stond het aanrecht vol met vieze vaat, de tafel was bezaaid met papieren en in het midden stond een volle asbak. Niemand leek zich nog om het appartement te bekommeren. Chris zette zijn sporttas in de woonkamer.
Een deur ging open en Eleftheria kwam met slaperige ogen in haar roze pyjama met witte beertjes de kamer in lopen. Bij het zien van Chris schoten haar ogen opeens vuur.
  'Jij durft, om zomaar op te komen dagen!'
Dus zij had ook al aangenomen dat hij de schuldige was. Chris haalde zonder omhaal de laptop tevoorschijn en zette hem op tafel.
  'Hier, is dit wat je zoekt?'
Verbaasd keek ze hem aan.
  'Hoe kom je daar aan, Chrisspark?'
  'Van mij.'
Achter hem klonk de stem van Yazel.
Langzaam liet Eleftheria zich op de enige lege stoel zakken.
  'Wat is hier aan de hand?'
  'Dat zal Yazel je zo allemaal uitleggen, Lefty. Maar eerst wil ik weten waar Yolanda is.'
  'Yolanda? Geen idee. Ben vannacht doorgezakt in de stad. Er lag toch geen werk op me te wachten.'
Beschuldigend keek ze Chris aan. Zo kwam hij geen stap verder, er zat niets anders op dan eerst Yazel zijn verhaal te laten doen.
Beschaamd stak die zijn relaas af. Met grote ogen van ongeloof keek Eleftheria hem aan.
  'Cubaanse klootzak, hoe heb je dit kunnen doen?'
In een flits zag Chris een pyjama met witte beertjes zich op Yazel storten. De latino viel op de grond en werd bedolven onder vuistslagen en donkere haarlokken. Eleftheria was sterk, gespierd door het jarenlange sjouwen van zwaar materieel.

Het kostte Chris moeite haar van Yazel af te trekken. Hijgend stond ze naast hem. Uit het linker neusgat van de Cubaan liep bloed.

'Lefty, de opnames zijn terug. Yazel heeft erg veel spijt van wat hij gedaan heeft.'

Ze gromde wat in onverstaanbaar Grieks.

'Kom, laten we naar de keuken gaan. Dan ruimen we eerst die troep op en zal ik koffie zetten.'

Zonder hun antwoord af te wachten, liep Chris naar het koffiezetapparaat. Hij liet water in de wasbak lopen om de kopjes af te wassen. In de woonkamer hoorde hij de twee praten. Even later verschenen ze in de keuken. Beiden met tranen in de ogen. Chris zette de pot koffie en de schone kopjes op tafel.

'Sorry Chris, maar ik weet echt niet waar Yolanda is.'

Eleftheria schonk drie koppen koffie in. Chris dacht na, hij had haar de vorige avond op Houston Airport aan de telefoon gehad.

'Wanneer en waar heb je haar voor het laatst gezien?'

'Hier, in het appartement.'

'Hoe laat was dat?'

'Dat weet ik niet meer precies. Chris, je moet begrijpen dat toen wij thuiskwamen en jij met de laptop verdwenen was, hier de hel is losgebroken.'

Verwijtend keek ze Yazel aan.

'Ik snap nog steeds niet hoe je dit hebt kunnen doen. Je zat er gewoon bij terwijl Yolanda langzaam gek werd!!'

'*Lo siento,* Lefty*, de verdad* ... Je weet niet hoe erg het me spijt, echt.'

Beschaamd liet Yazel zijn hoofd hangen.

'Ze ging helemaal door het lint, Chris. Ze heeft je almaar geprobeerd te bellen, maar je nam niet op. Eerst dacht ze dat je meegenomen was door die Arabier, die Hussein. Dat de inlichtingendienst achter je aan zat. Ze is toen naar Central Station gerend, daar heeft ze uren zitten wachten tot ze die man gevonden had. Het grappige was dat hij haar herkende! Hij scheen haar daar eerder gezien te hebben met die rugzak van Twilight.'

Hier viel Chris haar in de rede.

'Weet je ook hoe dat kwam?'

'Ja, ze had een paar dagen ervoor met Edelman daar afgesproken. Ze wilde hem smeken ons met rust te laten, maar dat gesprek was op niets uitgelopen.'

Dat was dus de reden geweest dat ze daar gezeten had!

'Waarschijnlijk is ze vergeten het jou te vertellen.'

Ze dacht even na.

'Of ze schaamde zich ervoor dat ze haar ex niet had kunnen overtuigen. In ieder geval wist die Arabier niet waar jij was. Hij had niets met jouw verdwijning te maken. Sterker nog, hij suggereerde Yolanda dat het misschien beter was om de politie te bellen, want hij kon zich niet voorstellen dat jij zomaar weg zou gaan.'

Haar gezicht liep weer rood aan.

'En dat alles omdat jij …'

Woedend haalde ze uit naar Yazel, die zonder zijn hoofd op te tillen haar hand ontweek.

'Toen ze jou uiteindelijk gisterenavond te pakken kreeg, was ze zo kwaad dat ze niets aan ons wilde uitleggen. Ik ben uiteindelijk maar alleen de stad ingegaan. Er was geen land meer met haar te bezeilen.'

Beschaamd dacht Chris terug aan het telefoongesprek waarin hij haar beschuldigd had.

Opeens veerde Yazel op.

'Chris, bel haar gewoon op. Er is vast een logische verklaring voor haar *desaparición* … verdwijning.'

Natuurlijk, daar had hij ook aan moeten denken. Hij pakte zijn telefoon en drukte haar nummer in, maar na twee keer overgaan kwam automatisch de stem van haar voicemail. Hoopvol keken de twee hem aan.

'Voicemail, ze heeft haar toestel uitstaan. Of ze wil mij niet spreken,' voegde hij er schuldbewust aan toe. Aarzelend vertelde hij de twee over hun laatste telefoongesprek. Over het feit dat hij Yolanda beschuldigd had van de sabotage van hun documentaire.

Yazel en Eleftheria probeerden haar vervolgens allebei met hun eigen telefoon te bereiken, maar kregen hetzelfde resultaat.

'Misschien heeft ze haar toestel niet meegenomen.'

Ze stonden alle drie op om het appartement te doorzoeken. Maar de mobiele telefoon van Yolanda was nergens te vinden.

Chris werd overvallen door een vreselijke vermoeidheid. Hij kon zijn ogen nauwelijks open houden. De reis naar Houston, Heather, de ruzie met Yolanda, hij had al bijna vierentwintig uur niet meer echt geslapen. En nu kwam de man met de hamer.

'Wanneer moet de trailer af zijn?' vroeg hij aan Eleftheria.

'Oh, die was ik bijna vergeten. Vanavond, hij moet vanavond bij die Joshua gebracht worden, anders worden we niet genomineerd.'

'Goed, ik ga even op bed liggen. Jullie moeten keihard aan de slag. Yazel, de voice-over moet er achter en Lefty, jij zorgt voor de eindmontage. Wanneer ik wakker word, wil ik een trailer hebben!'

De twee kemphanen schoten allebei een kant op om aan het werk te gaan. Tot zijn grote opluchting had geen van beiden hem gevraagd had wat zijn privénoodgeval was geweest. Ooit zou hij het ze vertellen. Maar nu was hij te moe om het allemaal uit te leggen. Hij liep naar zijn slaapkamer en nam een warme douche. Daarna ging hij op zijn bed liggen.

Langzaam kwam Chris bij bewustzijn, hij voelde de aanwezigheid van iemand in zijn kamer. Zwarte haren streken over zijn gezicht. Eleftheria.

'Chrisspark, word wakker!'

Hardhandig schudde ze hem door elkaar.

'Wat … wat is er aan de hand?'

'Ik denk dat ik weet waar Yolanda is.'

Zijn vermoeidheid was verdwenen, een lichte tinteling ging door zijn lijf.

'Waar is ze dan?'

'Gisterenavond, vlak voordat ze jou uiteindelijk aan de telefoon kreeg, je weet wel toen we al de hele tijd bezig geweest waren je te zoeken …'

'Ja, vertel verder.'

Eleftheria kon soms lang uitweiden in haar verhalen.

'Nou, toen zaten we te praten over de opnames van de joodse gemeenschap in New York. Waarom het haar niet gelukt was toestemming te krijgen. Dat zat haar erg dwars, weet je.'

'Dat snap ik, Lefty, maar wat heeft ze toen gezegd?'

'Ze vertelde over alle joodse gebruiken en feestdagen. Heel interessant, hoor. Joden vieren veel meer dan wij Grieks-orthodoxen. Ik denk dat ze veel meer hebben om dankbaar voor te zijn.'

Hier grinnikte ze even.

'Nou, in ieder geval vertelde ze toen dat het net Jom Kipoer is geweest. Het grote feest van de vergeving en de heiligste dag van het joodse jaar. Ze zei dat ze dit soort feesten miste. Wist je trouwens dat hier iedere rabbi zijn eigen tempel heeft, en dat die allemaal gesponsord worden uit giften. Ze fungeren veel meer als scholen dan als gebedsplaatsen. Heel apart.'

Chris kon haar wel door elkaar schudden, maar hij wist dat hij Eleftheria niet moest haasten.

'Het was vreemd, Chrisspark, je werkt al zo lang samen en dan merk je nu pas hoe iemand echt is. Het was zo mooi hoe ze over haar volk vertelde.'

Ze staarde dromerig voor zich uit. Chris hield het niet langer uit.

'En toen, Lefty, wat zei ze toen?'

'Oh ja, toen vertelde ze dat het vandaag Simchat Thora is. Ik weet het nog goed. "Op 30 september vieren we het lezen van de laatste bladzijde van de Thora en dan beginnen we opnieuw." Volgens haar is het een groot feest waarbij iedereen blij is en er gedanst en gefeest wordt. Nou … waar zou jij naar toe gaan als je het niet meer ziet zitten?'

De vragende ogen boorden zich in de zijne. Chris gaf geen antwoord, maar dacht terug aan die keer dat hij ook zomaar een kerk was binnen gegaan. Aan het gesprek met die jonge pastoor. Zonder op zijn antwoord te wachten ging Eleftheria opgewonden door.

'Je gaat naar je eigen volk om je geborgen te voelen!'

Triomfantelijk spreidde ze haar armen uit. Chris dacht na, ze kon best gelijk hebben.

'Misschien heb je gelijk, maar dan blijft de vraag waar. Het stikt hier in New York van de tempels.'

De triomfantelijke blik verdween van haar gezicht, moedeloos liet ze haar schouders zakken.

'Je hebt gelijk. Ze kan overal zijn.'

Maar ze had wel een punt. Chris besloot dat hij het er niet bij moest laten zitten. Hij stond op en kleedde zich aan. Inmiddels waren ze zo aan elkaar gewend dat hij geen moeite meer deed zijn naakte lichaam te bedekken. Eleftheria keek hem onverholen aan.

'Jammer dat ...'

Maar ze maakte haar zin niet af.

'Wat is jammer?'

'Gewoon alles. Laat maar zitten.'

Ze liep naar hem toe en omhelsde hem. Hij snoof de typische geur van Eleftheria op, kruidig, intens.

'Kom, we gaan op internet zoeken.'

Na een half uur googelen kwamen ze tot de ontdekking dat er meer joodse tempels en genootschappen in Manhattan waren dan ze gedacht hadden, de grootste was in de dure Upper East Side van New York. Maar Eleftheria wist zeker dat Yolanda daar niet heen zou gaan. Te stijf, te vormelijk.

'Ik weet zeker dat ze zich meer thuis zou voelen in Brooklyn.'

Ze keek peinzend naar de adressen die ze tot nu toe verzameld hadden.

'Waarom?'

'Brooklyn is ... eh ... Brooklyn is Brooklyn. Niet te vergelijken met Manhattan. Ik denk dat ze daar eerder een grotere mix van joden zal treffen. Minder vormelijk, meer haar ding.'

'Misschien heb je gelijk.'

Na nog een half uur surfen op het internet had Chris zijn besluit genomen. Meer op gevoel dan op beredenering had hij twee tempels in Brooklyn uitgekozen, die allebei in de buurt van Prospect Park lagen. Snel raadpleegde hij de metrokaart. Met de oranje B-lijn, die helemaal doorliep tot Coney Island, kon hij tot Prospect

Park komen, daar moest hij een halte terug nemen naar de botanische tuin, en van daaruit was het maar een klein stukje naar de Union Temple, de oudste tempel van Brooklyn.

Voor de zekerheid pakte hij de kleine camcorder in zijn rugzak. Misschien had hij geluk en kon hij hier het ontbrekende joodse deel van de documentaire schieten. Zijn gedachten waren zo bij de zoektocht naar Yolanda, dat hij niet in de gaten had dat Eleftheria hem zwijgend zat aan te staren.

'Je houdt echt van haar, hè?'

Verbaasd keek hij haar aan.

'Ja, ik geloof het wel, Lefty. Sorry.'

'Je hoeft geen sorry te zeggen. Je bent toch te oud voor mij,' voegde ze er plagend aan toe.

Even keken ze elkaar diep in de ogen.

'Ga. Ga die eigenwijze regisseuse zoeken. Dan heb ik nog een goed nieuwtje voor je als je terugkomt.'

'Een goed nieuwtje?'

'Ja, maar het is geheim.'

Plagend kneep hij haar in haar zij.

'Nee, ik zeg niets. Ga nu maar.'

'Wat ben jij gemeen.'

'Ja.'

Ze leek zich echt te verkneukelen.

'Ga nu maar gauw.'

Uiteindelijk stapte Chris uit bij het metrostation van de Botanical Garden in Brooklyn. Het was al tegen vijven. Hij had veel tijd verloren met overstappen. Hij was blij dat hij alleen was, want tot zijn grote schaamte had hij een paar keer de verkeerde trein genomen. Maar op het laatste stuk wist hij dat hij goed zat. Steeds meer joodse mensen waren ingestapt. Het wemelde in de metro van joden met zwarte hoeden en pijpenkrullen in hun bakkebaarden. De in het zwart geklede vrouwen droegen hoofddoekjes of pruiken die hun eigen haar verborgen. Chassidiem, zou Yolanda hem verteld hebben. Vrome orthodoxe joden van oorsprong afkomstig uit Litouwen.

Om zich heen hoorde Chris talen die hij niet zo snel thuis kon brengen. Ivriet, maar ook talen uit Oost-Europa, Rusland en zelfs het Midden-Oosten. Allemaal gelovigen die speciaal voor het feest van Simchat Thora naar Brooklyn gekomen waren om hun families te bezoeken.

Buiten het metrostation knipperde hij met zijn ogen tegen het lage zonlicht. In de dwarrelende stofdeeltjes die gevangen werden door het licht zag hij zwarte schimmen. Een vrolijke opgewektheid hing in de lucht.

Een familie bood hem een flesje water aan. Dankbaar nam Chris het aan. Hij liep in de richting van Eastern Parkway. Daar vlak bij Grand Army Plaza bevond zich de oudste tempel van Brooklyn, de Union Temple. Voorzichtig haalde hij zijn camcorder uit zijn rugzak. Al lopend filmde hij de opgewekte menigte. Uitgelaten renden kinderen heen en weer over de lange laan met het zanderige middenpad van de botanische tuin.

Naarmate ze de tempel naderden, werd het steeds drukker. Niemand lette op Chris die nu openlijk filmde. Maar Yolanda kon hij nergens ontdekken.

Bij de tempel aarzelde hij. Kon hij zomaar naar binnen lopen?

Een boom van een man stond plotseling voor zijn beeld.

'Zoek je wat?' vroeg hij met barse stem.

'Ja, ik zoek iemand die ik verloren ben. Een joodse.'

Het was een goede woordkeuze. Als Chris hem verteld had dat hij een opname maakte voor een documentaire, was hem zo de toegang geweigerd. Maar het feit dat hij, een goj, op zoek was naar een verloren persoon, een joodse, dat was een ander verhaal.

Joden hadden een lange geschiedenis van elkaar kwijt raken, elders opnieuw beginnen, elkaar weer zoeken en hopelijk vinden.

'Eigenlijk verboden, hier mag geen goj binnen,' zei de man 'Maar *hakafot* is nog niet begonnen, dus kom maar mee.'

Chris had geen idee wat de hakafot was, maar hij knikte dankbaar. Hij zette zijn camera uit en liep mee naar de ingang van de tempel. Ook binnen was het een drukte van belang, op lange tafels lagen de Thorarollen uitgespreid, nauwlettend bewaakt door jonge, in het zwart geklede mensen. Een van hen kwam op hem af. Maar nog voordat hij iets kon zeggen, nam de grote man het initiatief.

'Hij is oké, hij zoekt iemand. Ik hou hem in de gaten.'

Opeens wist Chris dat hij met een lid van de Shomrim te maken had, iemand van de joodse veiligheidsdienst in Brooklyn. Vermoedelijk was hij vanaf het metrostation gevolgd en hadden ze hem met rust gelaten tot hij de tempel bereikt had. Hij kon beter open kaart spelen met de man.

'Luister, ik wil je iets vragen. Ik heb iets heel doms gedaan, ik heb ruzie gemaakt met iemand waar ik veel om geef. Ze heet Yolanda Rosenthal en ik denk dat ze naar Brooklyn gekomen is om Simchat Thora te vieren. Ik wil haar vinden om het goed te maken. Waar zou ik de meeste kans maken haar te vinden, want hier zie ik haar niet.'

'Hm …' De man keek bedenkelijk.

'Werkt zij ook met een camera?'

Hij wees naar de professionele camera van Chris.

'Ja, hoe weet je dat?' vroeg Chris verbaasd.

De man glimlachte breed.

'Er werken veel joden in de filmwereld. Je maakt de meeste kans bij de grootste tempel hier, de Beth Elohim Congregation op Garfield Place. Ga naar de Beit Knesset, de hoofdtempel. Prachtig licht binnen, je vindt er altijd veel filmmakers.'

Chris volgde de aanwijzingen van de grote man en liep terug naar Prospect Park. Het was een aardig eind, de rugzak werd steeds zwaarder en zijn voeten begonnen hem te plagen.

In de buurt van de hoofdtempel werd de mensenmassa zo groot dat hij het opgaf te filmen. Hij kon zich alleen nog maar mee laten voeren door de menselijke maalstroom.

Opeens struikelde hij. Steeds had hij zijn ogen op de halfronde synagoge gericht, maar het was hem door de mensenmenigte niet opgevallen dat een stenen trap naar de tempel leidde. Hij probeerde zijn evenwicht te hervinden en besteeg bijna kruipend de trap. Zo bereikte hij de hoofdtempel.

En toen, daar in het prachtige gouden avondlicht dat door de grote hoge ramen naar binnen viel, zag hij haar.

In het traditionele zwart gekleed danste ze midden tussen de menigte. Mannen, vrouwen en kinderen samengesmolten in een vreugdedans, de Thorarollen hoog boven hun hoofd geheven. Dit was natuurlijk wat de Shomrim bewaker de 'hakafot' genoemd had. De dans met de Thorarollen. Voorzichtig, om geen aandacht te trekken, haalde Chris zijn camcorder tevoorschijn. Hij richtte zijn camera op Yolanda en deed wat hij het beste kon. Hij schoot een liefdevol beeld van een vrouw die eindelijk gelukkig was, opgenomen in haar eigen volk.

Toen ze later die avond het appartement binnenkwamen, probeerden ze zo min mogelijk geluid te maken. Op de terugweg in de metro hadden ze de hele weg de tijd gehad om elkaar om vergeving te vragen. Op het laatste stuk van de reis hadden ze alleen nog maar zwijgend, met hun handen verstrengeld, naast elkaar gezeten. Ze waren thuisgekomen, thuis bij elkaar. Chris liep naar de woonkamer om zijn camera neer te zetten. Hij knipte het licht aan en schrok zo, dat hij een stap naar achteren deed.

Voor hem zaten drie mènsen te wachten, drie mensen met een enorme glimlach op hun gezicht. Yolanda kwam naast hem staan.

'Hallo allemaal. Berend wat geweldig je weer te zien!'

Eleftheria stond op, ze hield iets achter haar rug verborgen.

'Je wilt niet weten hoe lang we hier al in het donker zitten te wachten.'

Toen strekte ze haar hand uit.

'Mag ik jullie de trailer van onze prijswinnende documentaire overhandigen?'

Epiloog

Tot hun grote vreugde won het team de Columbus International Documentary Award, de prijs voor de beste religieuze documentaire van dat jaar. En dat was nog maar de eerste, want daarna volgden nog een paar prestigieuze prijzen. Nadat Chris de laatste opnames van het joodse Simchat Thora-feest aan Eleftheria had overhandigd, wisten ze de documentaire uit te breiden tot een serie van twaalf afleveringen. De documentaire *De Hemelpoort* gooide hoge ogen en werd verkocht aan een aantal buitenlandse televisiestations waar nog steeds inhoudelijke programma's uitgezonden werden.

De briljante advocaat van Herbert van Slochteren wist Heather Carmichael ertoe te dwingen dat zij de helft van haar vermogen afstond aan Chris. Het grote huis in Blaricum werd verkocht en de helft van de opbrengst hiervan ging eveneens naar hem.

Richard Edelman had het nakijken. Terug in Nederland had hij Berensteijn en Van Hemelrijck benaderd, maar de heren waren niet onder de indruk van zijn mooie woorden. Ze hadden hem de deur gewezen. Een jonge journalist had de handelingen van Richard Edelman al geruime tijd gevolgd. Op een niet al te zonnige zaterdagmorgen verscheen een redactioneel stuk in de krant met verdenkingen aan het adres van de mediaman. Het kaartenhuis van Edelman werd tegen het licht gehouden en er was slechts een klein zuchtje wind voor nodig om het geheel in te laten storten. Edelman bleef met niets dan schulden achter.

Met het geld dat Chris uit zijn scheiding gekregen had, nam hij met zijn partner Yolanda het bureau van Berensteijn en Van Hemelrijck over. Uit respect voor de heren lieten ze de naam Twilight Thoughts bestaan, maar hun producties werden veelzijdiger en moderner. Het hele team kreeg door de nieuwe eigenaren een baan aangeboden.

Eleftheria kreeg een mooie promotie tot hoofd productie, maar na vijf jaar trouwde ze uiteindelijk op haar 32ste met een Griekse internist uit het ziekenhuis in Zutphen. Daarna baarde ze gestaag ieder jaar een kind, om op haar veertigste uiteindelijk 'genoeg' te roepen tegen haar Theodokis.

Yazel werkte de eerste jaren bij T.T. als een bezetene om zijn schulden terug te betalen en zijn naam te zuiveren, tot hij op een zonnige dag in de badplaats Bloemendaal aan Zee zijn droomvrouw tegenkwam. Josefien Sophia Marie van Heuckelum stamde uit een oud Wassenaars geslacht. In het familiestrandhuis in de duinen van Bloemendaal maakte Yazel kennis met haar familie die de goed uitziende Cubaan in de eerste instantie met achterdocht bekeek. Maar nadat informatie was ingewonnen en de genaturaliseerde Nederlander al jaren vaste werknemer bleek van het gerenommeerde productiebureau Twilight Thoughts, wiens productie *De Hemelpoort* een van de favoriete documentaires van Josefiens vader bleek te zijn, werd goedkeuring gegeven aan de verbintenis. Samen met zijn Josefien kocht Yazel een woning in Oud Zuid in Amsterdam, waar ze samen op zaterdag met de kinderen achterop de fiets boodschappen deden bij de vele gezellige buurtwinkeltjes.

Alleen Berend koos een andere weg. Nog steeds heftig ontdaan over zijn laatste ontsnapping aan de dood in New York, besloot hij zijn hobby op een laag pitje te zetten. Hij solliciteerde bij een grote omroep en werd tot zijn verrassing aangenomen om een bekend actualiteitenprogramma te presenteren waarbij hij grote namen uit de politiek, het bedrijfsleven en de kunst mocht ondervragen. Voor het eerst in zijn leven kreeg hij voldoende energie uit zijn werk om niet meer de spanning van zijn verkleedpartijen nodig te hebben.

Chris en Yolanda besloten voor hun producties steeds een ander nieuw jong talent een kans te geven als verslaggever. De Nederlandse televisie werd al te veel gedomineerd door de bekende coryfeeën.

En dan als laatste Steven. Om de jongen de waarheid te besparen van de reden voor de scheiding besloot Chris hem nooit te vertellen wat er in Houston was voorgevallen. Lang twijfelde hij over de DNA-test. Had Steven er geen recht op te weten wie zijn werkelijke vader was? Maar wat als het die op seks beluste chirurg in Houston was? Was dat niet veel erger?
Chris wist maar één ding; hij hield van de jongen met de bruine krullekop. En hoe meer hij naar hem keek, hoe zekerder hij het wist. Steven was zijn zoon. Net zo goed als baby Samuel die Chris en Yolanda twee jaar na de reis naar New York kregen.

En dan nog dit ...

Op weg naar Indonesië met een vlucht van Garuda Airways, zat ik schijn-baar rustig in het vliegtuigmagazine te bladeren. Schijnbaar rustig, want ik heb last van iets waar vermoedelijk ontelbare mensen door geplaagd worden. Ik heb vliegangst. Vooral bij sterke turbulentie wil ik nogal eens nadenken over het einde van mijn leven en wat ik van dat leven gemaakt heb.
Klaarblijkelijk had Garuda Airways hier begrip voor. Achterin het magazine vond ik een zestal gebeden, Invocations, die mensen in geval van twijfel en angst houvast konden bieden. Maar dan alleen voor passagiers die een van de zes grootste religies ter wereld aanhingen; islamieten, protestanten, ka-tholieken, hindoes, boeddhisten en Confucianen. Dat in dit rijtje het Joodse geloof ontbrak, verbaasde mij.

De gebeden bleven mij ook na de reis intrigeren. De wijze waarop iedere geloofsovertuiging zijn of haar god of goden aanriep in geval van nood, ver-schilde weinig. Hoogstens waren de islamieten wat fatalistischer in het leggen van hun lot in de handen Allah. Schroomden de katholieken niet ook de hulp van de engelen in te schakelden, en hadden de protestanten, evenals de Confucianen, meer pragmatischer hun vertrouwen in de bemanning gesteld. Alleen de hindoes en boeddhisten stelden minder belang in de uitkomst van de reis, zolang men maar de geest gelukkig en puur wist te houden. Waar natuurlijk in de totale zin van ons leven veel voor te zeggen valt.

Zelf ben ik opgegroeid in een calvinistisch milieu. Geloof was niet zozeer iets waar je vrolijk van behoorde te worden. Het was daar om de mensen in het gareel te houden, sociaal besef bij te brengen en uiteindelijk met een beetje geluk, een goed hiernamaals te bezorgen. Van jongs af aan heb ik me hierover verbaasd. Hoe was het mogelijk dat mensen die aan al de vereiste criteria voldeden om een gelukkig hiernamaals te verdienen, maar niet het juiste geloof aanhingen, volgens de kerkvaders niet goed aan hun einde zou-den komen? Een vraag waar ik maar geen helder antwoord op kreeg.

Langzaam ontstond, zoals dat vaker bij mij gebeurt, een verhaal in mijn hoofd. Een verhaal over een groepje mensen met verschillende achtergronden en geloven. Mensen die tot elkaar veroordeeld waren door een werkopdracht, waar ook hun bestaan van afhing. Hoe zou dat met die verschillende religies, normen en waarden gaan?

Het aardige was dat tijdens het schrijven van dit boek mij opeens iets duidelijk werd. Een wereld zonder religie zal de mensen nooit het houvast en het geloof in dat betere bestaan kunnen geven. Puur en alleen omdat religie de hoop is die uit mensen zelf voortkomt. En omdat religie precies die ethiek levert om een vreedzaam samenleven te kunnen bewerkstelligen. De gewoonte, de gebruiken, voedsel- en kledingvoorschriften, muziek, architectuur, alle denkbare middelen worden bij religies ingezet om deze saamhorigheid, deze verbondenheid en de daarbij horende sociale controle, te garanderen.

Of wij nu willen geloven in de christelijke drie eenheid, het boeddhistische achtvoudige pad, of de hemel vol jonge maagden … Ieder mens heeft de hoop nodig dat wij na een kommervol bestaan hier op aarde, uiteindelijk goed terecht zullen komen in een vredig paradijs dan wel gereïncarneerd in een beter bestaan.

Het is niet mijn bedoeling in dit boek de lezer te vermoeien met theorieën die ik over een paar jaar toch weer moet herzien. Deze roman gaat over het eeuwenoude menselijke gedrag, het gedrag dat in ons zit en niet te veranderen schijnt. De goede en de kwade kanten. En over de hoop die wij toch allemaal blijven koesteren dat uiteindelijk de liefde, vergevingsgezindheid en de saamhorigheid zullen overheersen.

September 2013,

Lucia Sources Dekker

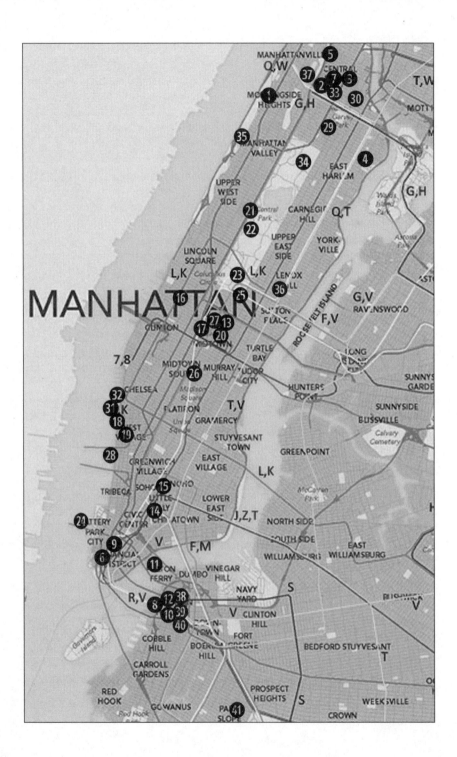

1. Morningside Heights 116th Street, appartement van de crew
2. 253 West, 125th Street, Apollo Club waar Billy Holiday optrad
3. Abyssinian Baptist Church van Adam Clayton Powell Senior, 132 Odell Clark Place, Harlem
4. Restaurantje 'Camaradas El Barrio', 2241 1st Ave, tussen 115th en 116th Street
5. St. Mark's United Methodist Church, 49-55 Edgecombe Avenue
6. Trinity Church, 79 Broadway
7. St. Philip's Protestant Episcopal Church, 204 West 134th Street
8. St. Ann's and the Holy Trinity Church, 57 Montague St, Brooklyn
9. St. Paul's Chapel, 209 Broadway
10. Brooklyn Tabernacle Choir. 17 Smith Street. President Barack Obama en zijn vrouw Michelle bezoeken deze kerk graag vanwege het wereldberoemde koor
11. Brooklyn Bridge, de oudste hangbrug van New York
12. Plymouth Church of the Pilgrims, 75 Hicks Street, Brooklyn
13. Saint Patrick's Cathedral aan 5th Avenue op Rockefeller Square en het Rockefeller gebouw, The Top of the Rock is een toeristische attractie
14. 'Church of the Most Precious Blood' verbindt de wijk Little Italy en Chinatown, 109 Mulberry Street
15. St. Patrick's Old Cathedral, 263 Mulberry Street
16. Saint Malachy's Church, de Acteurs Kapel, West 49th Street
17. Times Square
18. 'Café Cluny' 284 W 12th Street, met de lekkerste salades van de hele wereld
19. 'Smalls Jazzclub', 83 W 10th Street
20. Central Station aan de Vanderbilt Avenue. Hier is een aantal klassieke films opgenomen
21. 'Strawberry Fields' in Central Park, straatmonument opgericht door de weduwe van John Lennon
22. Bandstand in Central Park, het podium waar in de zomermaanden optredens zijn van wereldberoemde artiesten
23. Wollman Rink in Central Park waar iedere zondag rolschaatsers hun kunsten vertonen
24. De Hudson Rivier bij Battery Park, de aanlegkade voor de veerboten naar het Vrijheidsbeeld en Ellis Island
25. De Apple Store Central Park, 767 5th Avenue
26. Macy's op Herald Square, het grootste warenhuis van New York
27. Saks, de kledingtempel, 611 5th Avenue
28. 'Market Table', een eenvoudig eetcafé, 54 Carmine Street, een zijstraat van Broadway
29. Malcolm Shabazz Mosque, genoemd naar de doodgeschoten zwarte dominee Malcolm X, meer een exotisch warenhuis dan een moskee, 102 West, 116 Street Harlem
30. De Muhammed Moskee 7 106 West 127th Street van de moslimbeweging Nation of Islam, opgericht door de soefistische Elijah Mohammed
31. Meatpacking District, waar delen van de populaire televisieserie *Sex and the City* zijn opgenomen
32. 'Brass Monkey', 55 Little West 12th Street
33. Beth Israel Medical Centre, 132 W 125th Street
34. Metropolitan Museum of Art, 1000 5th Avenue
35. The New York Buddhist Church, 67th Street, 331-332 Riverside Drive
36. Zen Boeddhistisch Centrum Zendo, 223 East 67th Street
37. Metrostation 125th Street, hier is *U.S. Marshalls* opgenomen
38. Metrostation Brooklyn, hier is de videoclip *Bad* van Michael Jackson opgenomen
39. De Radha Govinda Mandir Hindu Temple, 305 Schermerhorn Street
40. De Union Temple, 17 Eastern Parkway
41. De Beth Elohim Congregation, 274 Garfield Place

Colofon

Alle gegevens over *Aan de Hemelpoort*.
Aan de Hemelpoort© is geschreven door Lucia S. Douwes Dekker-Koopmans.
www.luciadouwesdekker.nl

Op 19 september 2013 leverde zij haar manuscript aan bij haar uitgever Marianne Vork. Het auteursrecht van dit boek behoort toe aan de auteur.

De omslag en het binnenwerk van het boek werden ontworpen door Marc Boom. De eindredactie was wederom in handen van haar vaste redacteur Marjolein Westerterp. De *Invocations*, de gebeden voor een behouden vlucht aan het begin van de hoofdstukken, zijn afkomstig uit het Garuda Airline Magazine december 2011.

Op 15 november 2013 werd de boektitel gedeponeerd bij de Titelbank. Het boek kreeg het ISB-nummer 978-94-91535-18-5
NUR: 301

In het voorjaar van 2014 rolde de eerste oplage van de drukpersen.
Aan de Hemelpoort is ondergebracht bij de Nederlandse Auteurs Uitgeverij | NAU te Blaricum.

Nederlandse Auteurs Uitgeverij | NAU
Postbus 146
1260 AC BLARICUM
www.nederlandseauteursuitgeverij.nl
Telefoon 035 5241932

*Met passie voor mooie boeken van auteurs
die schrijven in de Nederlandse taal*